MENSAGEIROS DO AMANHECER

GROUND

livros para uma nova consciência

BARBARA MARCINIAK

MENSAGEIROS DO AMANHECER

Ensinamentos das Plêiades

4ª edição

EDITORA GROUND

Título original: *Bringers of the Dawn*
by Bear & Company, Santa Fe, NM

Tradução: Editora Ground
Revisão: Antonieta Canelas
Capa: Niky Venâncio
Composição: Magda Azevedo

CIP-BRASIL. CATALOGAÇÃO-NA-FONTE
SINDICATO NACIONAL DOS EDITORES DE LIVROS, RJ

M266m
4.ed.

Marciniak, Barbara, 1948-
Mensageiros do amanhecer : ensinamentos das Plêiades / Barbara Marciniak ; [tradução Equipe Ground]. - 4.ed. - São Paulo : Ground, 2008.
292p. : 21cm

Tradução de: Bringers of the Dawn
ISBN 978-85-7187-208-0

1. Ciências ocultas. 2. Plêiades. I. Título.

08-0603. CDD: 133
CDU: 133

20.02.08 20.02.08 005345

À Família da Luz

ÍNDICE

AGRADECIMENTOS

Agradeço a meus amigos, parentes e antepassados cuja força de vontade me impulsionou a chegar até aqui. Especialmente a minha irmã Karen, pelo grande amor e dedicação a mim e aos "P's".

O trabalho com os Pleiadianos incluiu viagens a lugares sagrados e ensinamentos sobre estes lugares, *in loco*. Logo no início, fui conduzida a Tobi e Teri Weiss que me deram assistência e apoiaram na experiência Pleiadiana durante as incontáveis viagens pelos locais sagrados do planeta.

Barrie e Susie Konicov como resultado do nosso encontro em Atenas, na Grécia; quando viajamos juntos reconheceram a energia e editaram os "P's" nas revistas *Connecting Link*. Foram eles que me apresentaram a Tera Thomas, amiga, co-autora e editora de *Mensageiros do Amanhecer* que viu sua vida reestruturada ao trabalhar neste livro; eu admiro muito sua capacidade de assumir uma posição e conseguir transformar-se.

Tera, Karen e os "P's" de alguma forma projetaram e tornaram este livro realidade. Barbara Hand Clow aparecia às vezes e reconhecia a vibração; seu impulso e incentivo são diretamente responsáveis pela publicação deste trabalho. Marsha Andreola ofereceu generosamente seu conhecimento enciclopédico das fitas e Richard Rodgers seu apoio constante.

Sinto um profundo respeito pela inspiração que Gerry Clow vivenciou, por ter compartilhado conosco seu material, agradecendo ainda a oportunidade de ser a parteira deste bebê! Gail Vivino junto com Barbara Doern Drew, Amy Frost e as outras pessoas da equipe da Bear&Company, nos presentearam com a agradável sintonia de seus conhecimentos e habilidades que levaram este livro a seus estágios finais.

Presto tributo às pessoas corajosas, que desejam re-definir a essência mais profunda da existência e levar a centelha renegada a uma nova versão do jogo.

Meu agradecimento e amor profundo à consciência dos habitantes das Plêiades, mestres e amigos, por sua lealdade e firme sentido do dever e do amor que galvaniza dentro de mim a fórmula energética da elegância galáctica, o ideal que se faz real. Paz, prosperidade e obrigada a todos.

INTRODUÇÃO

Quando Barbara Marciniak e eu nos encontramos em 1988, ambas estávamos iniciando uma nova fase de nossas vidas: eu tinha acabado de me mudar para Michigan para criar uma nova revista, *Connecting Link*, com os editores Barrie e Susie Konicov, e Barbara estava iniciando a canalização com as Plêiades. Após anos trabalhando em muitos e variados empregos, procurávamos e estudávamos a expansão da consciência criando trabalhos que englobassem quem éramos e no que acreditávamos. Estávamos empolgadíssimas com a nova situação.

Nos dois anos seguintes, Barbara e eu viajamos para várias exposições, brincamos muito com os ensinamentos dos Pleiadianos e nos divertimos bastante com tudo isso. Conversávamos sobre a possibilidade de escrevermos um livro contendo os seus ensinamentos, mas nada fizemos para começá-lo; ele viria na hora certa.

O ano de 1990, início da "década inominável", chegou. *Connecting Link* estava indo bem e Barbara tinha umas trezentas fitas gravadas com os Pleiadianos. Senti que era o momento de voltar para Nova York, onde poderia continuar trabalhando em meu computador, com a revista e outras atividades ligadas à informática. Senti também que estava na hora de fazer o livro.

Quando pensava no "livro", imaginava que os Pleiadianos iriam ditá-lo e que eu iria simplesmente transcrever as fitas, editar o material e pronto! Não tomaria muito tempo de minha agenda apertada com a revista, nem requereria algum esforço especial. Assim, em maio, quando Barbara e eu nos sentamos para a "canalização do livro", fiquei realmente surpresa com a idéia que os Pleiadianos tinham de como fazê-lo.

Eles me asseguraram que não iriam ditar o livro, eu é que teria de elaborá-lo através do processo que eu escolhesse. Fiquei intrigada. Disseram-me: "Se este livro fosse simplesmente dado a você, você não passaria de uma empregada. Qual seria o esforço de sua parte? Ele será o nascimento de algo para você, o nascimento de um processo interior que consiste em uma forma toda nova de usar a criatividade."

"OK, e como é esse processo miraculoso?" perguntei "Por onde começo?"

Eles responderam: "Você vai reunir todo o material usando apenas a sua intuição. Este não é, de forma alguma, um projeto de raciocínio lógico. Usando a sua intuição, você será guiada e testada para ver se consegue começar e terminar um projeto sem que a sua mente lógica conheça as etapas sucessivas. Será um tremendo exercício para você. Você será transportada a um plano de consciência muito mais alto, um local mais elevado de ordem, de confiança. Quando terminar e tudo tiver dado certo, você vai dizer: 'Eu não sei como fiz isso. Não tenho a menor idéia.'"

"A história vai mostrar que se você conseguir limpar as pessoas de suas informações pessoais, elas podem tornar-se cósmicas. O processo pelo qual passará nas próximas luas será muito intenso. Você vai viver um processo de iniciação à medida que for escrevendo. Vai ter de adquirir conhecimentos em determinadas áreas nas próximas seis luas, e tudo isso está interligado."

Disseram que eu deveria escutar as fitas e transcrever apenas as partes que *sentisse* pertencerem ao livro. A irmã de Barbara, Karen, por intuição, escolheria as fitas que teriam boas informações e as mandaria para mim. Meu amigo Marsha também receberia impulsos em relação a que fitas deveriam ser incluídas. Caberia, então, a mim, escolher os trechos a serem usados. Fui instruída a não usar nenhuma espécie de ordem, nem mesmo pensar em como unir os trechos. Eu poderia usar um código de uma a cinco palavras e um pouco de cor em cada página para categorizar a informação, e isso era tudo.

Comecei a captar a idéia. Minha mente lógica tinha mais uma pergunta. Perguntei aos Pleiadianos: "Procuramos um editor antes que o livro esteja pronto, ou ao menos avisar que estamos escrevendo o livro?"

Os Pleiadianos responderam: "Em princípio sim, você pode anunciar que está começando o livro. A primeira vez que sentar para trabalhar nele, limpe sua mesa e elimine qualquer vestígio de bagunça ou desorganização à sua volta. Tenha um espaço limpo com os cristais que irão assisti-la em seu trabalho. Aí então você pode fazer uma oração de intenção dizendo: 'Anuncio que estou começando um livro neste momento. Estou mandando este aviso para quem for editor e para quem quiser participar da publicação destas informações destinadas a servir da melhor maneira possível a quem delas necessitar. É minha intenção que a pessoa que publicar este livro me descubra e venha até mim, e prometo estar disponível para este reconhecimento. Acredito ter muito pouco a ver com isso. Esta parte não cabe a mim. Compreendo que estou enviando uma participação, como se mandasse uma participação de nascimento, e que a resposta chegará a mim. Acredito nisto.' É isso. Ela será trazida para você.

"Lembre-se que o processo do qual participará é uma parte da história, porque você vai descobrir algo sobre você mesma; por isso a história será contada da forma como irá combinar os dados. Você vai compreender a importância do livro, porque terá uma experiência individual ao criar para outras pessoas um caminho dentro da realidade delas baseado na mudança de sua própria realidade, permitindo que sentenças e contextos diferentes sejam movimentados através de você para formar uma nova ordem. Isto é muito difícil para quem não confia. Confiança é a chave absoluta. Não há nada mais que você possa procurar neste processo. Trata-se de um compromisso, e você vai aprender a se comprometer com quem você é, sabendo que não será forçada, mas protegida, provida, que nada lhe faltará. Tudo acontecerá de acordo com as suas intenções.

"A sua parte nisso é estipular o que deseja e simplesmente deixar as informações fluirem. Este livro fará a sua própria ordem à medida que for aprendendo sobre si mesma durante o processo e conseguir codificar determinadas informações. Você sentirá um sopro na sua mente."

Quando releio as palavras que eles me disseram, faço um quadro totalmente diferente do que fiz naquela época. Entendo agora porque eles mencionaram várias vezes que fazer este livro seria uma iniciação para mim, que eu seria testada e que as pessoas precisavam limpar suas informações pessoais para se tornarem cósmicas. Hoje eu sei o que estas palavras significam; naquela época, não tinha a menor idéia.

Meus problemas pessoais começaram a aparecer em grande escala. Eu não acreditava em mim, não gostava de mim, na verdade, nem sabia realmente quem eu era – não conseguia separar o Eu verdadeiro da fachada. Comecei uma série de sessões de trabalho corporal nos tecidos profundos que trouxeram à tona mais material – lembranças da infância que eu havia bloqueado, traumas e sofrimentos guardados em meu corpo. Eu era uma confusão. Não dava para trabalhar no livro, pois mal conseguia lançar a revista a cada dois meses, como deveria.

Em outubro fui para o Egito com os Pleiadianos. Eu sabia que esta viagem seria uma virada importante em minha vida, e achava que iria me empurrar para cima para que eu conseguisse então trabalhar e fazer o livro. Foi uma viagem maravilhosa, uma viagem muito forte. Abriu meus circuitos e despertou áreas dentro de mim que nem imaginava existirem, muitas delas sombrias, medonhas. Quando voltei para Nova York estava definitivamente incapaz de começar o livro. De fato, não tinha nem certeza se algum dia iria conseguir escrevê-lo.

A única coisa de que tinha certeza naquela época era que tinha que me mudar de Nova York. Lá, não conseguia manter-me centrada nem com a mente clara, era bombardeada pela energia. Sentia-me nua e exposta quando caminhava pelas ruas e não conseguia mais andar de metrô. Chegara o momento de partir.

Naquele dezembro, mudei-me para Carolina do Norte. Quando a coisa é certa, funciona maravilhosamente. Libby, uma das amigas que conheci no Egito, morava numa área rural ao sul de Raleigh, e eu sabia que gostaria de morar lá. Antes de ir visitá-la, fiz uma intenção de que acharia uma casa para mim. Imaginei como ela seria e como seria a região, e Libby prometeu ficar atenta. Cerca de uma semana antes da minha partida, a dona da minha casa atual foi até a loja de Libby e lamentou-se que sua inquilina estava se mudando sem tê-la avisado. Libby disse: "Porque é a casa de Tera!"

Peguei a estrada na semana seguinte com todos os meus pertences e mudei-me para lá. A casa era exatamente o que eu queria – espaçosa, com muita luz, dentro de um terreno de 7.000m. Era perfeita! No instante em que cheguei lá, comecei a melhorar. Deitava no chão, ou sentava com a coluna encostada em uma árvore e simplesmente deixava a Natureza curar-me. Estava única e exclusivamente concentrada em meu tratamento.

Em janeiro, quando fui a Michigan imprimir a 13ª edição de *Connecting Link,* percebi que havia terminado meu ciclo de trabalho com a revista. Eu havia crescido muito com este trabalho, mas chegara a hora de mudar para outra coisa – *que* outra coisa eu ainda não sabia, sabia apenas que quando recebesse esse *conhecimento* teria que seguí-lo.

Quando cheguei em casa, passei alguns dias me perguntando se não teria agido como uma idiota desistindo de um emprego para morar no meio do mato, sem nem saber onde arranjar outro. Foi aí que percebi que era perfeito não ter um emprego: teria tempo para fazer o livro. Comecei a ouvir as fitas e a transcrever pequenos trechos delas. O trabalho correu suave e facilmente, tudo parecendo fluir. Eu não procurava uma ordem, nem tentava estabelecer alguma. Apenas deixava tudo fluir através de mim.

Nessa época, os Pleiadianos deram uma série de aulas diurnas para algumas pessoas visando atirar-nos para longe de nossos apegos. Estas aulas eram chamadas "Ativação dos Códigos de Consciência", e era exatamente o que faziam. Cheguei a níveis bastante profundos de problemas que eu achava já ter resolvido em Nova York. Muita bagagem emocional foi eliminada durante as aulas, e uma ligação muito forte estabeleceu-se entre nós. A série terminou com um renascimento que foi uma das experiências mais significativas de minha vida.

Tive outra "leitura de livro" com os Pleiadianos na qual eles falaram sobre *Mensageiros do Amanhecer* tornando possível o salto evolucionário da conscientização, ancorando primeiro a frequência dentro de seus próprios corpos. Súbito, uma conscientização atingiu-me: eu não havia conseguido escrever o livro em 1990, quando tivemos nossa primeira conversa, porque ainda não era capaz de manter a frequência; ainda não havia me purificado o suficiente para fazê-lo. Perguntei aos Pleiadianos o que eles tinham a dizer sobre isso.

"Você não acreditava em si mesma, Tera. Dizia a todo mundo que tinha confiança em si, mas na verdade você nem sequer gostava de si mesma. Ficava se comparando, não era honesta com o que realmente estava ocorrendo e as pessoas muito próximas espelhavam isso para você. Precisou ir muito fundo, como aliás todos devem ir, camada por camada, pois todos possuem camadas de ódio e ressentimento contra si mesmos. Você precisou explorar certos comportamentos seus que não funcionavam, descobrir as razões que a levavam a comportar-se daquela maneira, e a descoberta levou-a a ser uma Portadora de Frequência. Esta foi a razão de o livro lhe ter sido dado desta forma – porque você precisava passar por uma ruptura total de consciência. Receber e traduzir tanto material que nem precisaria usar a fez passar por um processo de relacionamento direto conosco. Ouviu, muitas e muitas vezes de uma forma neutra, todas as coisas que precisava aplicar diretamente em você, se não quisesse ser deixada para trás. E conseguiu."

Eles então me disseram que eu já havia transcrito material suficiente e que o livro estava pronto para ser montado. Eu não tinha a mais remota idéia de como isso seria feito. Será que eu teria de ler todas as páginas e ver onde elas se encaixavam? Havia páginas com poucas sentenças, e trechos longos com várias páginas. Como eu poderia ordená-las?

Os Pleiadianos disseram que todas as noites antes de dormir, eu deveria conceder-lhes um minuto e visualizar a capa de *Mensageiros do Amanhecer.* Eu deveria brincar com isso e mudar a capa cada noite se eu quisesse. Só precisava olhar a capa, abrir o livro e começar a ler as páginas, depois podia dormir. As informações me seriam mostradas em estado de sonho. Disseram que eu começaria a concretizar a existência do livro, lendo-o já existente no futuro e que eu não teria trabalho – eles fariam tudo. Bem, por que não?

A primeira semana não correu muito bem. Eu fazia a visualização antes de dormir, mas quando acordava entrava em pânico ao olhar todas aquelas páginas que minha mente lógica tentava desesperadamente ler para fazer alguma espécie de ordem. Era completamente frustrante. Finalmente, uma tarde, eu estava sentada no chão, no meio do meu escritório, cercada por papéis e quase começando a chorar, quando disse: "Ei, Pleiadianos! Vocês disseram que fariam esse trabalho! Desisto! Podem fazer!"

Comecei a pegar os papéis, um por um, como se fosse juntá-los para depois jogar fora. Fui pegando um do meu lado direito e um do esquerdo, depois talvez um que estivesse atrás de mim, e outro de novo à esquerda. Não havia ritmo, nem razão para pegá-los daquela forma – nenhuma ordem. Eu nem estava pensando nisso, só os estava juntando. Depois de pegar cerca de trinta páginas, parei de repente olhando o maço em minha mão. Fiquei toda arrepiada e disse a mim mesma: "Meu Deus, acho que este é o primeiro capítulo!" Levei as páginas para minha mesa, sentei e comecei a ler. Elas encaixavam como um quebra-cabeça! Estava chocada! Eu já acreditava em tudo aquilo, mas quando esse tipo de coisa começa a acontecer é realmente assombroso. O resto do livro começou a juntar-se sem esforço, para usar uma das palavras favoritas dos Pleiadianos.

Tive outra "leitura de livro" e disse aos Pleiadianos como estava satisfeita com esse novo processo e o quanto era divertido. Eles disseram: "É assim que se começa a receber orientação direta sobre como fazer as coisas. Quanto mais você disser: 'não tenho controle, não sei como fazer isso', mais energia chegará. Se você abandonar a sua maneira de fazer, será cada vez mais fácil. Tudo o que precisa fazer é estabelecer a intenção. Quanto mais intenção você tiver, mais fácil será. Quando o livro estiver pronto e perguntarem como foi que você fez, queremos que conte que foi esse o processo que usou. Queremos que verifique nossos ensinamentos à medida que for capaz de recebê-los, demonstrando que acredita no que dizemos.

"Lembre-se do tempo que demorou para absorver o processo plenamente. Não a estamos doutrinando – mas guiando-a através disso, puxando você, refletindo de volta, muitas e muitas vezes, para que consiga entender onde reside a força operacional. Ela vem através da intenção clara através de agir como se já fosse, e então, simplesmente, ir recebendo sem parar."

O resto do livro foi simplesmente se encaixando e, fiéis a sua palavra, os Pleiadianos encontraram-nos um editor sem que Barbara ou eu movessemos uma palha. Claro, eles nos aproximaram de Barbara Hand Clow – quem melhor para fazer o livro chegar ao público? Sua orientação excelente levou-me a uma re-escrita e a um polimento do livro, que o transformou, de mais uma obra psicografada, em algo realmente maravilhoso.

Os Pleiadianos estavam certos. Quando olho para este livro, não sei como ele aconteceu. Eu não o projetei graficamente, nem o planejei, concebi ou ordenei. Tudo o que fiz foi confiar e deixá-los trabalhar através de mim. Foi uma experiência maravilhosa que mudou minha vida. Aprendi a trabalhar com entidades não-físicas, e nunca mais trabalharei sozinha em qualquer projeto. Estou escrevendo uma peça de teatro neste momento e chamei um grupo de peritos para trabalhar comigo enquanto escrevo e um grupo de peritos para vendê-la. É impressionante como está funcionando. Realmente sem esforço.

Os Pleiadianos agradeceram-me pelo meu trabalho, pela minha confiança, e disseram que gostariam de me compensar. Pagaram-me com vários cheques Espirituais (cheques Espirituais não são como cheques normais que você troca por dinheiro). Eles me presentearam com muitas coisas. O presente mais importante que ganhei por fazer este livro fui eu mesma. Agora confio em mim, me amo, dependo de mim e abri meu coração. Devido a esse novo amor por mim mesma, atraí amigos maravilhosos para minha vida, que se tornaram a minha família. Reatei os laços com minha família de sangue e tive uma linda surpresa: há vinte e quatro anos tive uma filha que dei para ser adotada e agora ela me encontrou. Ela mora a duas horas de distância de minha casa e estamos estabelecendo um relacionamento carinhoso e íntimo. Eu agradeço tê-la de volta em minha vida.

Outro presente importante foi a confiança. Eu disse que era uma escritora há muitos anos. Realmente, escrevo há anos. Contudo, recentemente acordei certa manhã e, lendo as páginas da peça que havia escrito na noite anterior, tive repentinamente a *consciência* – eu sou uma escritora! Não que *vá ser* uma escritora – eu *sou* uma escritora!

Aprender a me comunicar com não-físicos foi outra dádiva inestimável que abriu diversas áreas novas para mim. Estou começando a me comunicar com animais, tanto domésticos quanto selvagens. Tem sido uma experiência maravilhosa e percebo que avenidas de comunicação foram abertas, das quais eu ainda nem tenho consciência. Elas são ilimitadas.

Existem muitos, muitos outros presentes. Os Pleiadianos disseram-me que o processo deste livro seria o ensinamento mais importante de minha vida, e eu concordo. Sinto-me grata por haver escolhido fazer este trabalho, e sinto-me gratificada por todo o amor e apoio que recebi de minha família de amigos durante o processo. Mas minha gratidão especial dedico aos Pleiadianos por seu amor, sua amizade, seu incentivo, seu apoio e, principalmente, por me induzirem a seguir minha própria evolução.

Tera Thomas
Pittsboro, North Carolina
Março de 1992

Tera Thomas foi editora da revista Connecting Link *e atualmente é escritora freelance.*

PREFÁCIO

Prisioneira em Bali! Era exatamente assim que me sentia ao me perguntar por que a necessidade burocrática de um visto para a Austrália não havia sido mencionado até agora. Com a passagem e o passaporte na mão e a bagagem na balança, fui avisada de que precisava de um documento para embarcar no vôo para Darwin. Minha cabeça maquinava para descobrir a lógica do acontecimento e um método imediato para resolvê-lo. Eu ia conseguir mais uma vez! Não era uma principiante nesse jogo, e havia sido testada inúmeras vezes nos últimos quatro anos quanto à minha capacidade de transmutar obstáculos em mensagens e efetuar mudanças, através dos símbolos vivos, para uma visão nova da experiência. Telexes foram enviados ao consulado em Sidney e, depois da primeira hora de espera, estava certa de que seria liberada, autorizada, e estaria a caminho do início de uma viagem de ensinamentos Pleiadianos pela Terra. Havia saído da Carolina do Norte uma semana antes, parado no Havaí para uma visita rápida e agora, depois de uma estadia de três dias em Bali, estava descansada e pronta para começar a etapa seguinte de uma odisséia de dois meses.

Olhei o relógio do aeroporto, os minutos escoavam-se lentamente. Eu esperava pacientemente que intenções e eventos não tardassem a se manifestar. À medida que o tempo passava, comecei a sentir dentro de mim uma possibilidade, bem remota, de que talvez não fosse embarcar. Talvez esta fosse uma das ocasiões em que, apesar da intenção, eu não iria a lugar nenhum. Sentia meu corpo resistindo a essa nova possibilidade e aos planos que teriam de ser mudados pela impossibilidade de embarcar no avião e atender às datas da viagem. Tudo muito sinistro. Droga!

Chegou a hora da partida, onze da noite, e com passagem, passaporte e programa da excursão, fui avisada de que deveria comparecer ao consulado da Austrália na terça-feira. Estavamos na noite de sábado, e domingo e segunda eram feriados. O próximo vôo para Darwin estava programado para um dia depois daquele em que eu deveria estar lá.

Capitulei, peguei um taxi e, bagagem a bordo, dirigi-me para o recolhimento e solidão do charmoso hotel balinês à beira-mar que havia deixado algumas horas antes. Meu quarto estava esperando. Eu não tinha nenhuma solução imediata para este dilema potencialmente agravante e, sabendo disso, abandonei-o. Mudei o raciocínio para minha criação pessoal de conforto e confiança, achando que tudo ia acabar dando certo e, já que eu deveria ficar prisioneira, Bali certamente era o lugar ideal.

No dia seguinte, sentada à janela de meu quarto sobre a copa das árvores, uma segunda revelação me ocorreu: eu havia me comprometido a escrever o prefácio de *Mensageiros do Amanhecer* e não viajaria para a Austrália antes de executar esta tarefa! Bebericando café balinês, sentia-me protegida pelo ambiente e pela vegetação luxuriante que emoldurava minha vista. Comecei a pensar por onde começar e como inserir no tempo e espaço a minha pessoa e este processo fenomenal chamado "os Pleiadianos" que, através de mim, criaram vida própria.

Como assombrada por um sonho recorrente, perguntava-me muitas e muitas vezes, 'como tudo isso começou'? Logo iria responder apenas delineando os impulsos e a sequência de acontecimentos que me levaram à minha verdadeira canalização com os Pleiadianos e parava aí. Através da aparentemente interminável repetição desta pergunta, contudo, uma energia inquieta rodopiava para a minha realidade e, enquanto repetia a história, comecei a ter lampejos de uma visão maior onde acontecimentos e inícios chegavam de várias direções e múltiplos "tempos" para serem tecidos, agora, criando uma tapeçaria de propósitos.

Na minha infância, sentia-me diferente e marcada a distinguir-me das outras crianças por haver herdado um irmão mais velho que era retardado mental. Sua presença ofereceu grandes desafios à minha mente jovem e minha família teve muitas lições a aprender. Apenas recentemente, impulsionada pelos P's, como eu carinhosamente passei a chamá-los, resolvi re-examinar antigas fotos de criança e reconsiderar a interpretação de quem eu achava que era. Adotando este enfoque, percebi naquele momento o amor celestial irradiando do rosto de meu querido irmão mais velho Donald e, uma foto após a outra, a luz parecia sempre dirigir-se para ele, iluminando-o. Eu não havia considerado ter sido, talvez, abençoada pela sua presença.

Nossa família partilhava e explorava a vizinhança sob a influência de minha avó materna, nascida na Polônia. Babci incorporava uma dignidade e um orgulho que transcendiam sua experiência terrena. Pioneira, fruto da vasta imigração européia do início do nosso século, ela fora atraída para a terra onde, contaram-lhe, as ruas eram calçadas com ouro. Foi sob a sua influência estabilizadora que meus dois irmãos, minha irmãzinha e eu brincamos na infância, explorando a terra mágica que constituia os seus domínios. Foi através dela que me senti verdadeiramente amada e aprendi a tratar com reverência o ambiente e com amor a Terra. Ela nos contava que seu nome de solteira significava "Estrela" em polonês. Estes ensinamentos de amor pela Terra iriam mais tarde encontrar eco na voz da minha conexão estrelar própria, os Pleiadianos.

Na minha adolescência, a tal "diferença" levou-me à exploração de idéias metafísicas e, pela primeira vez, fiquei entusiasmada com a descoberta de que havia diversas interpretações da realidade a serem escolhidas. No fim dos anos 70, eu estava explorando o material de Seth, entre outras coisas, e depois disso passei muitos anos recordando minhas aventuras oníricas enquanto absorvia página após página a doutrina de Seth.

Em agosto de 1987 – o verão da Convergência Harmônica – e novamente sete meses depois, em março de 1988, vivenciei breves colapsos da realidade, quando segmentos e acontecimentos arquivados de um passado aparentemente insignificante surgiram gritando, demandando ansiosamente um reconhecimento. Nestas duas ocasiões separadas, meu corpo foi impelido para um estado de choque, quando registros de raptos efetuados por extraterrestres foram casualmente citados e partilhados por pessoas à minha volta. A primeira vez que isto ocorreu, de alguma forma disfarcei e deixei passar, mas na segunda vez meu corpo foi ativado de uma maneira que extrapolava qualquer coisa que eu já houvesse experimentado – ou quase. Lembranças me esmagavam. A apresentação das informações dos extraterrestres entrava nos meus arquivos de sonhos, expondo uma verdade muito difícil de assimilar.

Anos antes, no início da década de 80, quando eu morava em Taos, Novo México, tive um encontro em meu quarto, de madrugada, com três seres de um azul brilhante. Àquela época, a experiência provocou-me um pânico profundo, sentimento bastante raro em mim. Para resolver este conflito, uma vez que não tinha estrutura de referência na qual pudesse enquadrar meu próprio relacionamento, nem segurança em relação a este desconhecido, eu arquivei o evento/experiência em meu diário de sonhos inspirados por Seth e deixei-o lá, uma fatia de realidade que certamente não havia sido um sonho, embora por muitos anos encontrasse um local seguro em minha psique com esse título.

Agora, a antiga pergunta ressurgiu: sob que categoria de arquivos da vida reside meu encontro pessoal? Aconteceu de verdade? Um *replay* de meu encontro surge agora que todas as células de meu corpo sabem que extraterrestres existem. Meu corpo nunca vai esquecer o encontro com os três seres azuis e a forma como eles pairavam acima de mim procurando acalmar-me de algum trauma aparente, embora camuflado. Meu intelecto queria expandir sua visão do mundo – e compreender. Era para mim um desafio viver com aquela experiência e integrá-la.

Os Pleiadianos e eu oficialmente intersectamos realidades alguns meses depois em Atenas, na Grécia, em 18 de maio de 1988. Eu estava viajando com um animado grupo metafísico por três semanas, através de templos no Egito e na Grécia. Começando com a Grande Pirâmide, passeamos pelos antigos vórtices, inocentes e ingênuos como crianças, fascinados pelo mistério encerrado nas pedras silenciosas. A viagem terminou com uma visita a Acrópole e a Delfos, e quando nos despedíamos no bar do hotel, algo me impeliu a começar a canalizar indo para o meu quarto, sentando tranquilamente e imaginando-me de volta à Câmara Real da Grande Pirâmide. Lembro ter-me sentido inspirada por essa idéia – senti que era apropriada, estava dentro do espírito da viagem.

Fui para meu quarto e, quando me senti segura e protegida, sentei com a coluna ereta e deixei minha mente voltar para a Câmara Real da Grande Pirâmide, onde ouvi vozes entoando o sagrado "OM". Disse a mim mesma que desejava ser um canal cristalino *agora*. Em alguns minutos senti uma necessidade premente de falar e essa urgência começou a expressar-se como uma voz sussurrante diferente da outra parte de minha mente – a versão "controladora", racional – que começou a fazer perguntas, através do pensamento, à voz que falava! O empreendimento inicial exigiu grande habilidade mental e mediúnica de minha parte – visto que eu estava falando com um até então desconhecido, dirigindo perguntas em minha mente e ouvindo as respostas para que pudesse continuar a comunicação.

Ao fim do que pareceu ser uma meia hora, o desconhecido anunciou sua presença como sendo "os Pleiadianos" e, retirou-se assim. A comunicação total não durou mais do que uma hora. As "energias" foram bem distintas e abundantes e de alguma forma eu havia participado de uma união de contato abençoada – as palavras proferidas tranquilizando-me com as respostas – tanto que hoje só consigo lembrar-me de sentimentos de sabedoria e paz. Ao abrir os olhos estava profundamente maravilhada! Seria possível? Será que eu havia chegado àquela situação por ter seguido uma necessidade profunda que originalmente me impeliu a juntar-me àquela excursão no último momento, ou teria eu mergulhado muito fundo no mundo da ilusão e sonhado tudo aquilo? Mas qual a diferença? E Pleiadianos! Senti um peso em relação a isso desde o início. Quem, em sã consciência, iria acreditar que eu mantinha contato e conversava com ETs? Isso era um pouco forte para meu Eu radicalmente tranquilo e bem estabelecido aceitar.

Que turbilhão interior todos esses impulsos provocaram! Desde então, aprendi a confiar e respeitar as energias que me mobilizam e hoje posso ler a história destes impulsos iniciais em meu mapa astrológico, bem como no mapa dos Pleiadianos também. Durante o primeiro mês de nosso relacionamento, os P's sugeriram que começasse a estudar astrologia. Eu conhecia muito pouco sobre a complexidade e comprometimento profundos da sabedoria superior com esta ciência antiga, necessários para acessar corretamente a linguagem universal e o código de intencionalidade. Os Pleiadianos, em seu mapa natal daquele dia da infusão, tinham o sol a 27 graus e 57 minutos de Touro. A constelação das Plêiades está localizada a 28 graus de Touro. Que astúcia!

Voltando aos estágios iniciais de nossa amizade, eu não percebia seus truques, nem os métodos sutis que empregavam para talhar a minha realidade – estava ocupada demais adaptando-me à idéia de que tinha contato com ETs. Com a prática, nossos encontros e incorporações foram-se tornando mais leves, trazendo confiança e compreensão. Desde o início, minha irmã Karen, que me ajudava nas sessões, esperava ansiosamente a hora marcada em que eu iria sentar para canalizar. Ela não tinha dúvidas mas, para mim, eu continuava indagando se aquilo tudo era mesmo real.

Em meu desejo de cooperar com o que havia criado, ofereci-me *condicionalmente* para usarem meu corpo e minha voz em horas determinadas e, depois, afirmava que, se os Pleiadianos realmente existissem, não custaria muito para eles ajeitarem as coisas como quisessem e fizessem a maior parte do trabalho – meu ser racional vaidoso não aceitava que fosse perder meu tempo com algo que não constituísse uma presença viável. Este comportamento pode parecer o máximo do absurdo para muitas pessoas, contudo, quem possui experiência nestes planos, compreende que é necessário estabelecer limites. Eu levei dois anos para criar um laço profundo com eles, e isso ocorreu durante uma seção de trabalho corporal, quando uma onda de amor Pleiadiano, como nenhuma outra, me envolveu e imprimiu em meu corpo emocional o valor inestimável que eles tinham para mim. Eu me entreguei.

Compreendi depois que os Pleiadianos têm demonstrado sua presença sutil em meu mundo desde então. Tornaram-se os professores e amigos que eu ansiava encontrar. Eles parecem ter uma linha direta no jogo de sincronicidade/impulso que proporciona encontros e ocorrências. Como nunca fui uma grande investidora em preocupações, foi bem fácil para mim mudar para o momento Pleiadiano de liberação, à medida que eles criaram uma vida própria através de mim. Pessoas e oportunidades surgem de todas as direções. Meu trabalho é administrar e ser um tripulante físico de suas energias. Tudo o que eles ensinam devo incorporar – para me encontrar e viver.

Hoje vivemos em sintonia perfeita e, realmente, sinto-me mais ET que humana. Eles fizeram vivos seus ensinamentos através de mim e minha vida tornou-se um misterioso brinquedo Pleiadiano que me conduziu às pulsações do coração de minha alma multidimensional. Não que eu afirme entender completamente estes encontros, às vezes me pergunto como tantas pessoas se envolveram em minha versão de ilusão! É profunda minha gratidão pela oportunidade de viver uma vida manifestada livremente nestes tempos de mudanças tão velozes, e por esta expressão criativa ter trazido significado à vida de tantas pessoas. Isto, para mim, é uma dádiva preciosa – a graça restituída.

P.S. Consegui chegar em Darwin a tempo!

MENSAGEIROS DO AMANHECER

Capítulo I

Embaixadores através dos tempos

Nós estamos aqui. Somos os Pleiadianos, um conjunto de energias das Plêiades. Temos uma longa história. Nossos ancestrais vieram de outro universo que atingiu a conclusão, um *universo.* Vocês trabalham num planeta que está chegando à conclusão, e nós estamos aqui para ajudá-los nessa tarefa. Esta conclusão, ou transformação, tem sido anunciada há eons. É um momento importante. O que acontecer na Terra agora irá afetar todo o universo.

A transformação consiste em vocês compreenderem quem são, para poderem levar adiante a experiência. Nossos ancestrais vieram de um universo que havia se completado e então compreendido universalmente que era o Criador Primordial, a Causa Primeira, ou a jornada do Criador Primordial no tempo. Eles vieram de um universo que havia descoberto a sua essência – criatividade. Descobrindo essa essência, descobrimos que somos criadores.

Nossos ancestrais tiveram a escolha de voltar ao Criador Primordial – que é, simplesmente, movimento – e permanecer dentro daquela vibração, ou continuar, como sempre acontece quando a conclusão da forma é atingida. Eles escolheram vir a este universo como embaixadores porque perceberam que um dia vocês estariam prontos para a conclusão. Vieram para as Plêiades porque este sistema estrelar algum dia seria capaz de ajudá-los no período mais difícil, na crise que ocorreria quando vocês estivessem prontos para se ligar novamente ao Criador Primordial.

Nossos ancestrais eram alguns dos Planejadores Originais da Terra, orquestradores que semearam mundos e civilizações com criatividade e amor. Devido a suas qualidades, eles gostavam de orquestrar mundos, da mesma forma que maestros amam dirigir orquestras. Nossos ancestrais são também os vossos ancestrais, e nós gostamos de chamá-los de nossa família antiga, o que na verdade vocês são. Nossos ancestrais doaram o seu DNA aos Planejadores Originais e este DNA tornou-se parte do DNA da espécie humana.

Nós Pleiadianos viemos do vosso futuro. Numa versão do nosso "agora", existe um local de tirania e inquietação, e nós temos visto possíveis futuros para a Terra que incluem a mesma tirania e decadência. O tempo geralmente é mal compreendido na realidade da terceira-dimensão: vocês acreditam que o tempo é medido em minutos ou graus, mas ele é muito mais vasto do que possam imaginar. Na realidade, o tempo codifica e joga com a informação, permitindo que entrem em diferentes realidades, simultaneamente esticando, distorcendo, curvando e girando o tempo. Vocês podem pegar uma curva de tempo elíptica e vivenciar muitas realidades, simplesmente seguindo-a e descobrindo que, assim como o tempo não é "sólido", a realidade também não o é.

Como todas as realidades não são sólidas e o futuro não está determinado (ele é apenas um número de probabilidades), nós achamos que existe neste momento uma oportunidade de inserir uma probabilidade mais positiva para a Terra. Queremos reinserir luz neste planeta e restituir a Terra a seu propósito original – tornar-se um magnífico centro de troca de informação intergaláctico. Por isso, voltamos numa seção do tempo para um lugar que chamamos de caroço, ou semente, a fim de efetuar a mudança. Esta mudança afetará não apenas a Terra, mas o vosso futuro, o nosso presente, o universo inteiro.

Estas são grandes notícias! Vocês vieram para a Terra num espaço e tempo em que a evolução é palpável. Um grande salto está prestes a acontecer e vocês vieram participar dele. Não estão sozinhos, pois muitas energias estão chegando à Terra para participar deste grande projeto. Existem naves-mãe cercando o planeta, agindo literalmente como transformadores de energia. Existem raios de luz chegando à Terra, vindos de antigos sistemas estrelares que trabalham com vocês há eons. Estes raios de informação estão sendo bombardeados no planeta.

Enquanto estas informações lhes estão sendo transmitidas, os vossos corpos precisam ser capazes de recebê-las, traduzi-las, guardá-las e irradiá-las para as outras pessoas. Muitos de vocês construirão ligações telepáticas com estas naves-mãe, e estas ligações serão semelhantes a estações de rádio particulares, através das quais irão conseguir sintonizar um tesouro de informações à vontade.

Isto é a evolução da super-consciência, a evolução até o mais elevado aspecto do vosso ser. Não precisam preocupar-se em como tornar-se este ser, porque *vocês já são este ser,* só precisam lembrar-se disso. Desde a abertura dos véus que envolviam a Terra na época da Convergência Harmônica, vocês têm sido continuamente bombardeados com esta energia cósmica, e ela tem sido constantemente aumentada à medida que se têm tornado capazes de utilizá-la. Vocês estão evoluindo num ritmo tão acelerado, que cada ano desta década equivale a dez, ou mais, do século anterior. Sintam o quanto terão realizado quando chegar 1999, e quem vocês serão. Será como se tivessem vivido cem anos numa década.

Serão inundados com memória e com muitas outras coisas. Muitos de vocês viajarão em naves a várias partes do sistema solar. À medida que forem entrando na Idade da Luz, mundos jamais imaginados irão se abrir para vocês. Vocês já atravessaram outras eras: a Idade do Bronze, a Idade do Ferro, a Era da Informática, etc.. Estas outras eras relacionavam-se com semear, plantar, cultivar e colocar a potencialidade da vida na terceira dimensão.

Uma transição está prestes a ocorrer, uma transformação dimensional que diminuirá a densidade da terceira dimensão, permitindo que mudem para dimensões mais altas onde o estado do vosso corpo não é mais tão sólido. Vocês chegaram até aqui porque querem dominar o processo evolucionário e ser capazes de viver assim. Será muito estimulante, pois significa que irão funcionar em diversas realidades.

Todas as respostas estão profundamente enterradas dentro de vocês. As perguntas que afloram à vossa mente surgem para que consigam trazer as respostas de dentro do vosso próprio ser. Precisam *acreditar* que é lá que se encontra armazenada a informação.

A humanidade está aprendendo uma lição importante nesta época, que é perceber a sua divindade, a sua ligação com o Criador Primordial e com tudo o que existe. A lição é perceber que *todas as coisas* estão ligadas e que vocês fazem parte de tudo isso.

Existem milhares de culturas e sociedades na amplidão do espaço e estas sociedades e culturas têm ido e vindo do planeta, desde seus primórdios.

Não somos apenas nós, os Pleiadianos, que viemos ajudá-los; somos apenas um grupo originário de outro sistema estrelar. Existem outros que viajaram até aqui motivados pelas mais diversas razões. A maioria dos extraterrestres está aqui para ajudar na vossa evolução.

A vossa história entra e sai de períodos muito especiais. Muitos de vocês tornaram-se ligados à Terra há eons, através da energia estelar e de trabalho nos planos mais elevados. Vocês conhecem quase todas as dificuldades pelas quais a Terra passou, tal como as inúmeras vezes em que os continentes se deslocaram, e quantas vezes o auxílio veio dos céus.

As informações foram distorcidas quando aqueles que vieram dos céus para ajudá-los em seu desenvolvimento foram tomados por deuses. Como crianças que idolatram quem faz o que elas não conseguem fazer, a vossa sociedade adota claramente o mesmo método ao criar divindades. O conceito por trás deste método é um dos paradigmas que vieram destruir. O mundo tridimensional possui grandes desafios, porque permite o estabelecimento de magníficas delimitações. Através destas delimitações são formadas estruturas, e através deste processo você cria e aprende que é uma porção do Criador Primordial, e que o Criador Primordial deseja experiências.

Vocês são seres magníficos, membros da Família da Luz e vieram à Terra nesta época com a missão de criar a mudança, dar o salto, prestar assistência na transição. O amor é a chave. O amor é o que forma o universo. A tecnologia atual da Terra só se desenvolve até determinado ponto, porque a humanidade ainda não entendeu que o amor é necessário. A energia pode tomar todas as formas de criatividade, mas quando uma pessoa está lidando com ódio ou ganância, ou qualquer outra emoção que não caminhe em direção à luz, não lhe é permitido ir muito longe. Existe apenas uma certa quantidade de informação disponível para este tipo de vibração. O amor é o tijolo básico da construção, portanto, quando alguém tem amor, tem todas as possibilidades. Trazer de volta o conceito de luz (que é informação) e amor (que é criatividade) é o plano. É necessário que renegados como a Família da Luz, venham a um sistema que tem sido basicamente sombrio há eons, para mudá-lo.

Nós somos renegados onde estamos. Como dissemos, nosso próprio sistema necessita de transformação. Estamos trabalhando como uma ponte, ou um elo, através da Família da Luz, em vários sistemas, para mudar o nosso próprio sistema. A vossa elevação de consciência pelo amor e responsabilidade nutre-nos, reabastece-nos e expande a nossa consciência para podermos evoluir. Portanto, da mesma forma que nós somos amigos, guias e auxiliares para vocês, vocês também nos ajudam.

Aonde esta transição vai levá-los? Nós gostaríamos de vê-los qualificados para construir mundos conscientemente. Vocês estão sendo preparados para semear e ser as espécies plantadas em diversos mundos novos à medida que eles vão sendo formulados e, como arquivaram em vossa memória a história do que ocorreu aqui na Terra, serão capazes de conscientemente ensinar e indicar o caminho para outros mundos.

Vocês estão participando de um grande plano. Todos agarraram a oportunidade de estar aqui num local e numa época tão desafiadores. Vocês tinham a certeza de que conseguiriam fazer isso. Além disso, foram informados, antes de vir para cá, de que seriam ajudados e que, em diferentes etapas do vosso desenvolvimento, diferentes entidades, com diferentes capacidades, apresentar-se-iam no planeta para os impulsionar, animar e lembrar – *não fazê-lo por vocês.* Nós somos um desses gatilhos, somos catalizadores. Quando ouvem o nome *Pleiadianos,* sentem uma conecção porque estamos lhes prestando assistência, levando adiante as vossas próprias informações e conhecimento.

Trabalhando com vocês, é nossa intenção oferecer-lhes a lembrança de quem são, para que possam encontrar a vossa fonte maior de inspiração. Se pudéssemos dar uma profissão a cada um de vocês, ou proporcionar-lhes uma forma de ser, iríamos pedir-lhes que se tornassem uma inspiração. Quando conseguirem viver essa capacidade e ser verdadeiramente uma inspiração para todos que os encontrem, estarão *vivendo a vossa luz.*

Lembrem-se de que estamos aqui por nossas razões e vocês por razões vossas mas todos nós estamos aqui para evoluir juntos e criar uma nova frequência vibracional. É nossa intenção quebrar paradigmas de convicções que separam os indivíduos em sua evolução. Queremos criar uma embaixada, um jogo de harmonia e cooperação, fornecendo-lhes informações que os atinjam no âmago de seus seres, não importando quais tenham sido suas crenças anteriores.

Nós, o grupo que lhes fala, pretendemos preencher nosso texto com algumas experiências interessantes. A primeira vez que entramos em contato, em 1988, nosso grupo consistia de cinquenta a setenta e cinco entidades, umas físicas, outras não físicas, todas Pleiadianas. Nosso número tem crescido e agora somos mais de cem entidades de vários sistemas diferentes. Podem nos chamar agora de Pleiadianos Plus. Alguns de nós duvidam que consigamos realizar o que nos dispusemos a fazer com vocês. Acham que estamos dependendo muito do acaso, correndo muitos riscos, mas mesmo assim aguardam ansiosos o que irá acontecer.

Existem pessoas em vosso sistema achando que estamos aqui para disseminar o medo, mas nós temos uma opinião diferente. Não queremos assustar ninguém: queremos simplesmente informá-los. Se entrarem num quarto escuro e escutarem sons estranhos, podem sentir medo, contudo, se acenderem a luz e virem o que está provocando os sons, a situação não será mais tão assustadora. Nós queremos informá-los com quem estão lidando. Luz é informação; ignorância é escuridão. Queremos vê-los trabalhando na luz, não nas trevas.

Estamos trabalhando com vocês porque queremos elevar nossa consciência para uma liberdade maior de vontade e de expressão. Da mesma forma que vocês têm como missão mudar o sistema em que estão, nós também temos como missão mudar o nosso sistema. Não abandonamos nosso propósito. Como já dissemos, viemos do vosso futuro e, sob certos aspectos, temos as mãos atadas. A necessidade de ajuda é mútua. Vocês, como membros da Família da Luz, podem instituir, implementar ou inserir novas grandes probabilidades na cadeia de realidades que irá implodir nos próximos vinte anos neste setor de existência, porque vivem fisicamente neste planeta. É *através de vocês* que a transformação irá ocorrer. O que fizerem agora, assim como o que acontecer com a Terra, nos afetará enormemente.

Estamos aqui para dar assistência, ensinar e evoluir enquanto atravessamos este processo juntos. Estamos expondo nossa versão dos fatos, apenas para os levar a uma conscientização mais elevada. Não pretendemos afirmar que somente esta é a versão correta! Todo este ensinamento está sendo ministrado com um objetivo maior em nossas mentes, e as histórias que vamos contar-lhes foram designadas para elevá-los a um plano superior de consciência. Esta é a nossa intenção.

As palavras que escolhemos e os conceitos que transmitimos são entradas para códigos profundamente arquivados dentro dos vossos corpos. Eles estão esperando que as perguntas sejam formuladas para poderem começar a ressoar as respostas internas – para que a vossa memória celular possa começar a recordar o que um dia já soube. À medida que formos falando, vocês irão se lembrar.

Gostaríamos, enquanto falamos com vocês, que expandissem a vossa definição da realidade; contudo, nunca tomem o que dizemos literalmente. Sigam sempre a espiral maior que estamos pretendendo criar, que lhes permite verem o quadro mais amplo. Nunca parem onde definimos uma idéia, pois estamos aqui apenas para abrir vossos paradigmas, vossas jaulas, para que possam começar a encontrar a ativação do conhecimento real, do verdadeiro conhecimento que está arquivado dentro de vocês. É aí que reside a informação, e nós viemos despertá-la.

Desejamos que joguem fora conceitos que vocês prezam. Queremos encorajá-los a nao se deixarem prender a nenhuma idéia e a acolherem aquilo que temem ou hesitam abraçar. Percebam que, ao enfrentar as chamadas partes obscuras, ou sombrias, que existem dentro de vocês, estão criando oportunidades de liberar todas as vossas preocupações. Isto nos traz de volta para o primeiro e último princípio: *o pensamento cria.* Não importa em que situação você se encontre, foi o poder do seu pensamento o que levou até esse local. É o conceito impecável de que o pensamento cria que irá transformar a vossa experiência e a existência planetária.

Recomendamos que questionem as pessoas que tentam doutriná-los com verdades absolutas. É importante ouvir diversas opiniões, muitas histórias diferentes. Ouçam a história de uma pessoa e sintam se ela soa bem. Faz bem a vocês, eleva-os? Uma das coisas que gostaríamos de lhes ensinar é que a decisão do que deve ser feito é exclusivamente vossa. Nós damos a informação; contudo, cabe a *vocês* decidirem o que fazer com ela: *vocês* estão encarregados de cuidar da vossa vida, não *nós.*

Nos orgulhamos de sermos bons contadores de histórias. Existe uma certa credibilidade e um certo sensacionalismo na forma como apresentamos as informações. No entanto, uma história que é contada num determinado momento certamente não é a única, não é o fim, nem nunca será a única verdade. Trata-se apenas de um fragmento, uma pequena porção do quadro mais amplo.

Não importa que história contemos hoje a vocês, garantimos que daqui a um ano iremos contar uma bem diferente, porque daqui a um ano a vossa compreensão terá aumentado.

Assim, a história estará evoluindo constantemente. A vossa tarefa consiste em descobrir a própria identidade dentro da história, encontrar aquilo que vocês *sabem* – não o que querem acreditar, ou o que lhes contaram. Confiar na sabedoria interior é imperativo, porque o saber é a vossa conexão com o Criador Primordial. Conforme forem recordando o vosso papel, vão saber que vossa vida é relacionada a algo.

Foram vocês mesmos que escolheram estar aqui. A vossa missão é trazer as vossas lembranças e o valor da existência humana desde o início da criação. *Vocês são necessários.* Vêm sendo treinados para esta missão há várias vidas e não vieram despreparados. Tudo o que precisam saber agora está dentro de vocês, é vossa tarefa lembrarem-se do treinamento que receberam. Esta não é uma vida para aprenderem informações novas. Como já tivemos oportunidade de mencionar, esta é uma vida em que vocês vão se recordar do que já sabem, e a nossa presença aqui serve apenas para lembrá-los disso. Faz parte da nossa missão.

Capítulo II

Na jornada do Criador Primordial

A humanidade é uma experiência. Ela foi projetada, bem como tudo o que existe dentro da criação. O Criador Primordial começou a experiência com a criação, há muito tempo neste universo, com o propósito de aumentar a auto-exploração, a auto-gratificação e a auto-expressão. Ele trouxe energias e essências de vida – extensões de si mesmo – para este universo e concedeu a estas extensões dons que possuía. Existem muitos outros universos e muitas outras formas de projetar universos; este foi designado como uma zona de livre-arbítrio, onde *tudo seria permitido.*

O Criador Primordial disse a estas extensões de si mesmo: "Vão, criem e me tragam os frutos de volta." Isto era uma missão bem simples, não era? Em outras palavras, estava dizendo: "Eu vou doar-me a vocês. Vão e doem-se livremente, para que tudo o que criarem neste universo possa compreender a própria essência como minha identidade."

Estas extensões do Criador Primordial, a que chamamos deuses criadores, saíram e começaram a fazer experiências com a energia do Criador Primordial que existia dentro deles. Começaram a criar sua própria hierarquia que, por sua vez, criaram outras hierarquias. Cada hierarquia, sucessivamente, criou uma nova hierarquia, dotando-a com a sua própria essência para auxiliar no desenvolvimento deste universo. Posteriormente, num destes sistemas galácticos, planejou-se designar a Terra como um centro de troca de informação intergaláctico. Era um plano incrível. A Terra era um lugar lindo, localizado nas fímbrias de um dos sistemas galácticos e facilmente acessada por outras galáxias. Encontrava-se perto de vários portais de rotas, estradas por onde as energias viajam através do espaço.

Houve muita correria e confusão para que se criassem representações individuais de todas as galáxias neste planeta. Muitos dos deuses criadores eram mestres geneticistas. Por meio de suas hierarquias eles eram capazes de unir moléculas – moléculas codificadas de identidade, frequência e carga elétrica – criando assim a vida. Muitas civilizações sencientes doaram seu DNA para possuirem representação do seu código genético neste planeta. Os mestres geneticistas, então, projetaram várias espécies, algumas humanas, outras animais, jogando com as variedades do DNA, contribuição das civilizações sencientes, para este centro de troca de informação, este centro de luz, esta Biblioteca Viva. O plano para a Terra era muito importante.

Os Planejadores Originais da Terra eram membros da Família da Luz, seres que trabalhavam e eram associados ao aspecto da consciência chamado Luz. Luz é informação. A Família da Luz criou o centro de informação que havia concebido; eles projetaram um local onde cada galáxia contribuiria com sua informação e onde todos pudessem participar e partilhar seus conhecimentos específicos. A Terra deveria ser uma biblioteca cósmica, um local de beleza incrível onde seria realizada a experiência de arquivar informações através de frequências e através do processo genético.

Fora da estrutura do tempo, 100.000 anos podem transcorrer como se fossem um ano. Estes deuses criadores não existiam dentro do tempo que vocês conhecem. Algumas centenas de milhares de anos, ou um milhão de anos, não era nada para eles.

Diferentes energias foram trazidas à vida. Havia representantes da espécie humana na Terra, há cerca de 500.000 anos, que desenvolveram civilizações altamente evoluídas. Não estamos falando das civilizações que vocês chamam de Atlântida ou Lemúria; para nós, essas civilizações são modernas. Estamos nos referindo a civilizações antigas, civilizações que estão enterradas sob as calotas de gelo bem ao sul, no continente da Antártica.

O projeto da Biblioteca Viva na Terra foi posteriormente atacado. Era atraente demais para pertencer a alguém. Nos primórdios da história da Terra, houve guerras espaciais cujo objetivo era a posse do planeta. Já alguma vez pensaram quem é o dono da Terra? Trata-se de um imóvel da mais alta qualidade. Vocês acham que ela andaria pelo espaço sem dono?

Começaram as escaramuças e a Terra tornou-se um lugar de dualidade. Alguns deuses criadores que tinham o direito de fazer o que quisessem – porque a Terra é uma zona de livre-arbítrio – vieram e assumiram o comando. Nós chamamos isso de "assalto" à Terra. Estes deuses criadores assaltaram a Terra há aproximadamente 300.000 anos – o período de tempo, historicamente falando, que vocês chamam de início da civilização humana. Trata-se meramente do período de tempo que aprenderam ter sido o início da civilização. Na verdade, foi apenas o início da última fase, a fase da humanidade moderna.

Quando as escaramuças ocorreram, um certo grupo de entidades lutou no espaço e ganhou o território da Terra. Os novos proprietários não queriam que as espécies nativas da Terra – os humanos – fossem informados do que aconteceu. Desinformadas, seriam mais fáceis de controlar. É por isso que luz é informação e trevas, falta de informação. Estas entidades baniram a luz, e a Terra tornou-se o seu território. Isto lhes dá uma nova idéia de luz, não dá? Havia muita radioatividade e ação nuclear, e muitas regiões da Terra ficaram incomunicáveis. A espécie original, a criação humana, sofreu uma grande destruição e dispersou-se.

Os deuses criadores, os novos proprietários da Terra, também eram mestres geneticistas. Eles sabiam criar vida, e queriam este território para seus objetivos particulares. Territórios são criados e mantidos por determinadas energias por muitas razões, uma delas é para que *haja consciência dentro de todas as coisas.*

A consciência se comunica continuamente. Ela vibra, ou pode ser induzida a vibrar, a uma determinada frequência eletromagnética. As energias eletromagnéticas da consciência podem ser influenciadas a vibrar de uma certa forma para criar uma fonte de alimento. Da mesma forma que uma maçã pode ser preparada e comida de várias maneiras, também a consciência pode ser preparada e ingerida de maneiras diferentes.

Algumas entidades, no processo de sua própria evolução, começaram a descobrir que se criassem vida e colocassem consciência nas coisas através da modulação das frequências das formas de consciência, conseguiriam alimentar-se; conseguiriam manter suas baterias carregadas. Elas começaram a perceber que o Criador Primordial se alimenta dessa maneira. O Criador Primordial envia entidades para criarem frequências eletromagnéticas de consciência como fontes de alimento para si próprio.

Os novos proprietários deste planeta tinham apetite e preferências diferentes dos antigos proprietários. Nutriam-se de caos e de medo. Isto os alimentava, os estimulava e os mantinha no poder.

Estes novos proprietários que aqui chegaram há 300.000 anos eram os seres magnificentes citados na Bíblia, nas tábuas da Suméria e da Babilônia e em textos espalhados por todo o mundo. Eles refizeram as espécies nativas humanas. Refizeram o seu DNA, para que elas passassem a vibrar dentro de uma faixa limitada de frequência, uma frequência que os alimentasse e os mantivesse no poder.

O ser humano original era um ser magnificente que possuía doze fitas de DNA, contribuição de várias civilizações sencientes. Quando os novos proprietários chegaram, trabalharam em seus laboratórios e criaram versões humanas com o DNA diferente – duas fitas, a dupla-hélice de DNA. Eles tomaram o DNA original da espécie humana e o desmontaram. O padrão do DNA original foi deixado dentro das células humanas, mas não funcionava; foi separado, desligado.

Dentro das células humanas encontram-se filamentos de códigos-luminosos, teias finas de energia que contêm informação. Quando estas teias estão operando juntas como um cabo – semelhante a fibras óticas – formam a hélice do vosso DNA. Quando vocês foram refeitos, foi deixada nas vossas células a dupla-hélice. Tudo o que não fosse necessário à sobrevivência e os mantivesse informados foi desligado, deixando-os apenas com a dupla-hélice que iria aprisioná-los dentro de frequências controláveis, operáveis.

Uma cerca frequencial, semelhante a uma cerca elétrica, foi colocada em volta do planeta para controlar a forma como as frequências dos humanos poderiam ser moduladas e trocadas. No desenrolar da história, esta cerca frequencial foi tornando muito difícil a penetração das frequências de luz – informação. Mesmo quando as frequências de luz conseguiam ultrapassar a barreira de controle, não havia luz para recebê-las. O DNA dos humanos estava desligado, os filamentos de códigos-luminosos desorganizados, e assim os raios cósmicos criativos que traziam luz não encontravam nada em que se ligar e permanecer.

Qual é o vosso papel nesta história? Vocês são membros da Família da Luz. O simples fato de estarem lendo este livro mostra que fazem parte da Família da Luz. Para alguns isto é como um sonho. Estamos lembrando o que vocês, no vosso íntimo, já sabem. Viemos a este planeta para ativar os arquivos da vossa memória – inspirar a raça humana através da faixa de luz para que comecem a se lembrar quem são, a criar a vossa própria realidade, alterar a frequência do planeta e reclamar o direito de posse sobre si mesmos e sobre este território.

Nós, como Pleiadianos, voltamos no tempo – para o que poderia talvez ser chamado de nosso passado – procurando resquícios de representantes da luz. Voltamos para compartilhar uma frequência com vocês, uma frequência que cada um concordou partilhar neste planeta para mudar o DNA da raça humana remodelada. Esta é uma história importante.

Os Planejadores Originais não querem perder seu território. Vocês acham que eles iam desistir assim tão fácil? Começaram a chamar os membros da Família da Luz para virem infiltrar-se no projeto, encarnando-se um a um para trazer a luz – como informação através de raios cósmicos – de volta ao local que a havia perdido. A Família da Luz começou a trabalhar aqui, vindo a um planeta privado de luz e de informação. Através de mutações nas leis da humanidade, estes raios cósmicos criativos começaram a perpassar os corpos das pessoas, indivíduo por indivíduo, depois grupo por grupo. Em diminutas quantidades, através dos eons, as frequências de informação foram sendo trazidas para este planeta. Às vezes, grandes batalhas eram travadas com o objetivo de eliminar a luz, ou informação, que estava sempre procurando uma forma de expressão. Os Planejadores Originais sabiam que, cosmicamente falando, esta era uma lição para eles – *permitir*, compreender os deuses criadores que tomaram o seu projeto.

Os Planejadores Originais então dispuseram-se a introduzir a sua própria versão de um plano que coincidisse com a época em que a frequência da Terra seria alterada, uma época em que os proprietários pereceriam se não mudassem sua própria frequência. *Emoções são fonte de alimento.* Existem seres cuja fonte de alimento é o amor, e os Planejadores Originais pretendem alterar a frequência da Terra para a frequência do amor. A fonte de alimento dos atuais proprietários, que é o medo, ansiedade, caos, fome e desânimo precisa ser removida.

Adivinhem quem está removendo esta fonte de alimento? *Vocês!* Como membros da Família da Luz, vocês são renegados. São demolidores de sistemas, estão aqui para conquistar seus próprios medos e mostrar ao resto do planeta que não há razão para temer nada. Adoram chegar e causar confusão. É famoso este ramo da Família da Luz. Vocês são conhecidos por chegarem em determinados sistemas de realidade e alterar a sua frequência, trazendo informação. Não é vossa tarefa, como membros da Família da Luz, converter os outros, mas entrar nos sistemas e agir como receptáculos; isto é, receber os raios cósmicos criativos em vossos corpos, os corpos que estao ocupando como humanos. Estão disfarçados de humanos para permitirem que o processo aconteça.

Vocês estão codificados e, à medida que suas lembranças começam a aflorar, irão responder ao plano do qual vieram participar para alterar as frequências. Começarão por receber e manter uma determinada frequência e depois passarão a *vivê-la.* A identidade como frequência é a soma total da irradiação das pulsações elétricas dos vossos corpos físico, mental, emocional e espiritual. À medida que vivem a sua frequência, afetam todas as pessoas e todos os lugares para onde forem. É isso que estão fazendo agora. Existe muita gente que já compreendeu sua missão, e em muitas pessoas as lembranças estão começando a aflorar.

O plano de mudar a modulação da frequência que afeta a espécie humana, permite o reagrupamento do seu DNA e dos filamentos de códigos-luminosos. Desta vez, o plano é gigantesco. A Terra está ajudando, à sua maneira, a evolução do universo. É na Terra que as coisas estão acontecendo: é o lugar quente, o lugar para se estar. É onde o plano começa a desabrochar. O que ocorrer na Terra irá afetar muitos e muitos mundos.

Como membros da Família da Luz, vocês concordaram em vir à Terra diversas vezes – de várias formas e em épocas diferentes – para se ambientar, descobrir as características, treinar-se. Precisavam experimentar a Terra e preparar-se para o tempo em que a alteração da frequência começaria a ocorrer. Todos se comprometeram a encarnar o número de vezes necessário para colocar o plano em ação.

A Família da Luz de todos os lugares está começando a se unir. Precisam concentrar-se no que possuem em comum, não no que deixam de ter em comum. Como membros da Família da Luz vocês trazem informação ao planeta de forma totalmente neutra para estimular o vosso próprio crescimento. Precisam fazer isso – *porque o crescimento de cada um de vocês afeta o crescimento de todo o planeta.*

O vosso DNA vai evoluir de duas, para doze hélices. Estas doze hélices correspondem aos centros de energia, ou chakras, dentro e fora do vosso corpo. Agora, aqui no planeta, milhões de vocês estão em missão e concordaram em manter a vibração para realizar esta missão. Grupos de vocês estão se tornando impecáveis e estes grupos estão afetando os outros. Em breve começarão a perceber claramente quem são e qual é a vossa missão.

Este processo é um incrível salto evolucionário para os que participam e ocorrerá num ritmo muito acelerado nos próximos vinte anos. Existem algumas pessoas que já receberam o re-alinhamento das doze fitas de DNA, as doze hélices. Estas doze fitas espiraladas de DNA interagem dentro e fora do corpo. A conexão das doze espirais significa que os doze centros de informação podem começar a funcionar e enviar informação entre si para a frente e para trás.

Tradicionalmente, sete destes centros estão localizados no corpo, e cinco fora do corpo. São normalmente conhecidos como chakras e estão alinhados com o movimento rotatório dos doze corpos celestes do sistema solar que vocês conhecem – os doze corpos celestes que vibram da maneira que vocês os percebem em três dimensões. Estes doze corpos celestes giram com informação: giram com o sistema de chakras que chega ao fim do universo, e giram com o DNA girando dentro do vosso corpo.

Quando o DNA humano começar a se unir formando um sistema de doze hélices e agir de acordo com esta informação, haverá uma força incrível. Os indivíduos, ao simplesmente se agruparem e projetarem um desejo juntos – tornando-se um receptáculo telepático de energias de todo o cosmos – irão modificar a face do universo.

Nós chamamos o processo de reagrupamento do vosso DNA de *mutação.* Quando vocês, como membros da Família da Luz, forem capazes de assimilar essa mutação dentro dos vossos corpos, serão capazes de integrar os vossos doze centros de informação. Começarão a compreender que *vocês criam as vossas experiências* e aprenderão a ser *criadores conscientes.* Mais do que isso, tornar-se-ão *recordadores conscientes* de quem vocês são.

Com a abertura dos vossos décimo, décimo-primeiro e décimo-segundo chakras, muitas energias extraterrestres irão aparecer em vossas vidas. Estas energias se intensificarão com o aumento do número de pessoas que conseguirem sustentar frequências mais altas. O décimo chakra liga-se ao sistema solar, o décimo-primeiro à galáxia e o décimo-segundo a um lugar do universo. Com a sustentação destas frequências, a informação que será trazida para o planeta irá assombrar e chocar a maior parte do mundo.

Haverá uma fusão de identidades, uma fusão de culturas, uma incidência de várias "ordens do novo mundo" e haverá muito caos e confusão. Como membros da Família da Luz, vocês podem simplesmente observar isto, sabendo que o caos e a confusão devem vir para quebrar o sistema para que ele possa ser reconstruído com luz. Como membros da Família da Luz, vocês compreendem que existe um processo evolucionário ocorrendo e, quem conseguir suportar a mudança de frequência, evoluirá. A Terra é um lugar emocionante para se estar nesta época.

Capítulo III

Quem são os vossos Deuses?

Existem muitas idéias errôneas sobre o conceito de divindade. O universo está repleto de seres inteligentes que têm, ao longo do tempo, evoluído e desenvolvido todos os tipos de capacidades e funções para atender às necessidades de se expressarem criativamente. A importância que há por detrás da existência e da consciência é a criatividade, e ela pode assumir diversas formas.

Há eons, a Terra era apenas um pensamento na mente de grandes seres que estabeleceram para si o objetivo de criarem novas formas de existência. Muitos destes seres afetaram a criação do universo, e vocês os denominaram Deus. Na verdade, eram energias extraterrestres portadoras de luz, há muito removidas do Criador Primordial. Nós raramente usamos o termo *Deus* com letra maiúscula. Se fossemos usar este termo, seria para nos referirmos à entidade que conhecemos por Criador Primordial. Ele, em sua implosão pessoal através do amor, dotou todas as coisas com a consciência. Todas as coisas são o Criador Primordial na sua viagem.

Nós nos vemos como extensões do Criador Primordial – sempre adquirindo informação e partindo em busca de aventuras, para assim o alimentarmos. À medida que o alimentamos com nossos planos e esforços, fornecemos-lhe mais energia para novas criações.

Nunca chegamos perto da entidade Criador Primordial. Mesmo aqueles entre nós que são seres da maior vibração luminosa não têm a capacidade, no estágio de evolução em que nos encontramos, de aproximar-se do Criador Primordial. Ainda não estamos prontos para sustentar a intensidade desta emanação. Desejamos veementemente em algum ponto do nosso processo evolutivo, vislumbrar, ou eventualmente nos fundir ao Criador Primordial por um tempo. Sabemos que isso é possível.

A evolução da consciência e a capacidade de armazenar informação é o que nos permite aproximar-nos do Criador Primordial. Diversas pessoas na Terra sentiram haver-se fundido com Deus. Elas devem ter-se fundido com a *porção* do Criador Primordial que mais se adequou à sua vibração naquela época. A vibração total do Criador Primordial destruiria o veículo físico num instante, pois ele não seria capaz de armazenar tamanha quantidade de informação. Os que representam "Deus" para vocês são apenas uma porção diminuta do Criador Primordial.

Até mesmo o Criador Primordial é uma porção diminuta de algo maior. Ele está constantemente descobrindo que é filho de outra criação e que também ele se encontra em constante processo de auto-descobrimento e conscientização. Lembrem-se, a consciência está dentro de todas as coisas, e nunca foi inventada, ela simplesmente *é*. Consciência é conhecimento e o vosso conhecimento é o lugar mais próximo do Criador Primordial. Quando você acredita no que conhece, está ativando o Deus dentro de você.

Nesta época, há uma grande conscientização alastrando-se pelo planeta de quão grande o mundo é, e a pergunta não é mais só quem é quem no jogo do mundo, mas também quem é quem no jogo *cósmico*.

Da mesma forma que existem hierarquias na Terra, existem hierarquias cósmicas. Você pode morar numa região e não ter conhecimento de que aí existe uma hierarquia. Pode cultivar suas terras, pagar seus impostos, decidir não votar, e simplesmente não estar atento à estrutura burocrática política. De forma semelhante, a Terra está absorta da estrutura burocrática política que opera o universo.

É importante compreenderem que burocracias e hierarquias existem e que estas organizações têm uma vivência de tempo diferente da vossa. O que vocês chamam de um ano, talvez para outros seja apenas uma pequena parte do dia. Se conseguirem começar a compreender isto, entenderão porque este planeta foi aparentemente abandonado a si próprio nos últimos milhares de anos. Agora, a atividade vinda dos céus está começando a borbulhar e a ferver novamente e vocês irão se deparar com a introdução de uma grande quantidade de conhecimento novo em vossos paradigmas e sistemas religiosos. Este planeta está sujeito a um choque cultural.

Vocês vieram para cá, agora, com um propósito determinado: enfrentar os deuses criadores que refizeram a espécie humana que estão voltando. Alguns deles já estão aqui. Este planeta tem sido constantemente visitado e muitas formas diferentes de seres humanos foram semeadas aqui através de grande variedade de experiências. Houve muitos fatores que influenciaram o curso da história na Terra. Durante milhões de anos, existiram neste planeta civilizações que vieram e se foram sem deixar vestígio. Todas estas civilizações, assim como a vossa história, foram influenciadas por inúmeros seres luminosos que vocês denominaram *Deus*. Na Bíblia, muitos destes seres foram combinados passando a representar um ser, quando não eram de jeito nenhum um único ser, mas uma combinação de várias energias luminosas extraterrestres muito poderosas. Eram, sem dúvida, energias majestosas vistas sob nossa perspectiva, e é fácil compreender porque foram adoradas e glorificadas.

Não há literatura na Terra que apresente um retrato verdadeiro destes seres. Todos os deuses vieram aqui para aprender e acelerar o seu próprio desenvolvimento, através do trabalho com criatividade, consciência e energia. Alguns foram bem sucedidos e aprenderam suas lições, enquanto outros cometeram erros devastadores.

Quem eram estes deuses da antiguidade? Eram seres capazes de modificar a realidade e comandar os espíritos da Natureza segundo a sua vontade. Os humanos tradicionalmente chamam de *Deus* seres capazes de fazer o que eles não conseguem.

Estes seres passaram por antigas culturas de várias sociedades, retratados como criaturas aladas e bolas de luz. Este mundo é permeado de pistas, indícios e artefatos que indicam quem eram os seus deuses. Contudo, aqueles que desejavam manipular os humanos inventaram suas próprias histórias criando paradigmas para os poderem controlar. Disseram-lhes que estes seres eram deuses verdadeiros, e vocês foram ensinados a cultuá-los, adorá-los e obedecê-los. Este paradigma está agora na eminência de sofrer uma mudança gigantesca. A verdade aparecerá, uma verdade que mudará completamente a maneira como vêem o mundo. Pobres daqueles que não quiserem enxergar. As reverberações do choque atingirão todo o mundo.

Os deuses criadores que têm governado este planeta possuem a capacidade de assumir a forma física, embora na maior parte do tempo existam em outras dimensões. Eles mantêm a Terra numa determinada frequência vibracional, criando traumas emocionais para se alimentar. Existem seres que honram a vida acima de tudo, e seres que *não* respeitam a vida nem compreendem a ligação que têm com ela.

Consciência alimenta consciência. Não é fácil entenderem este conceito, porque vocês se alimentam de comida. A comida, para alguns seres, é a consciência. Toda a comida contém consciência em algum ponto do seu próprio desenvolvimento, quer você a frite, cozinhe ou colha da horta; você a ingere para manter-se nutrido. As vossas *emoções* são alimento para outros seres. Quando vocês são controlados para gerarem devastação e fúria, estão criando uma frequência vibracional que sustenta a existência destes outros seres, porque é disso que eles se nutrem.

Existem seres que vivem da vibração do amor, e esse grupo gostaria de restabelecer o alimento do amor neste planeta. Eles gostariam de ligar este universo na frequência do amor para que ele tenha a oportunidade de sair e semear outros mundos.

Vocês representam o grupo renegado da luz, concordaram em voltar ao planeta, e têm uma missão. Vieram para estes corpos físicos para assumirem o seu comando e mudá-los através do poder da vossa identidade espiritual. Todos selecionaram com muito cuidado as linhagens genéticas que lhes trariam a melhor vantagem inicial. Cada um escolheu uma história genética através da qual membros da Família da Luz já passaram.

Quando os seres humanos viviam nos domínios que lhes pertenciam por direito e podiam compreender diversas realidades, possuiam a capacidade de serem multidimensionais, de serem iguais aos deuses. Vocês estão começando a despertar esta identidade dentro de si.

Os deuses assaltaram esta realidade. Para que vocês acreditassem serem eles Deuses com D maiúsculo, os remodelaram geneticamente.

A Família da Luz foi expulsa do planeta, e o time das sombras, que operava através da ignorância, assumiu o comando. Os corpos que ocupam carregam o medo e a lembrança da luta pelo conhecimento que estes deuses representavam e roubaram de vocês. Estas criaturas espaciais magníficas podem exercer a manipulação de várias maneiras e trabalhar com a realidade de inúmeras formas diferentes. Os humanos, na ignorância, começaram a chamar estas criaturas espaciais de Deus, com D maiúsculo.

Deus com D maiúsculo jamais visitou este planeta como uma entidade. Deus com D maiúsculo está *em todas as coisas.* Vocês lidaram apenas com deuses com d minúsculo, que desejavam ser adorados, queriam confundi-los e consideravam a Terra um principado, um lugar que possuíam nas fímbrias da galáxia deste universo de livre-arbítrio.

Antes da pilhagem, vocês possuíam tremendos atributos. O exemplar biogenético do ser humano original recebeu informações maravilhosas, era interdimensional e podia fazer coisas incríveis. Quando estes deuses criadores assaltaram o planeta, acharam que as espécies locais sabiam demais. Elas possuíam capacidades muito semelhantes às de quem desejava passar por Deus.

Uma manipulação biogenética foi executada, originando mais destruição. Houve versões experimentais das espécies trazidas ao planeta em que os arquivos originais foram dispersos, mas não destruídos. Antes, o vosso DNA estava intacto. Parecia uma linda biblioteca onde a informação estava toda catalogada e referenciada e vocês podiam encontrar tudo o que quisessem instantaneamente. Quando ocorreu a alteração bioenergética e a informação foi desligada, foi como se alguém tivesse escondido o sistema de referência, tirado todos os livros das prateleiras e os jogado no chão, aleatoriamente. Foi assim que o vosso DNA foi espalhado e misturado pelos usurpadores, há muito tempo atrás.

Existe uma razão explícita para lhes contarmos esta história. Não estamos nos dirigindo à vossa mente lógica, mas a vossos bancos de memória, para que vocês possam começar a se lembrar da vossa participação nisso tudo. Dessa forma, vocês começarão a entender o que aconteceu e quem são vocês dentro deste processo.

Toda a informação genética foi misturada e desordenada, mas deixada dentro das células. A única informação que restou para vocês usarem e para mantê-los em funcionamento foi a dupla-hélice. Diversas memórias dentro da dupla-hélice foram desligadas, fechadas, e então vocês começaram a funcionar com pouquíssimos arquivos. Vocês eram muito facilmente manipulados e controlados por muitos aspectos da consciência que se passaram por Deus.

Certas entidades pegaram a espécie existente, que era realmente uma espécie gloriosa e a reprogramaram para seu próprio uso, suas próprias necessidades. Eles interromperam a freqüência da informação dentro dos seres humanos, mudaram o DNA e deram-lhes a dupla hélice para que vocês pudessem ser mantidos na ignorância. A vossa freqüência de acessibilidade foi simplesmente desligada para que vocês não pudessem girar o dial do vosso próprio rádio.

Estes deuses criadores alteraram o DNA dentro do corpo humano, que é a inteligência, o projeto, o código. Se um código não tem espaço para operar, não pode acender-se para a existência ou expressar-se como existência. Se você for trancado num quartinho, sem lugar para crescer, jamais poderá expressar-se. Nos últimos milênios, o vosso código foi obrigado a permanecer dentro de um DNA muito limitado.

Um dos aspectos mais emocionantes para se estar na Terra neste momento, é o fato de estar havendo uma reorganização, ou uma re-instrumentação no vosso DNA. Raios cósmicos estão incidindo sobre o planeta para que esta mudança seja difundida e a reorganização possa ocorrer dentro do corpo. Os arquivos embaralhados que contêm a história e a consciência da Biblioteca Viva estão sendo organizados.

O DNA está evoluindo. Novas hélices, ou fitas, estão sendo formadas à medida que os filamentos de códigos-luminosos começam a se agrupar. Os arquivos dispersos estão sendo unidos dentro do vosso corpo por energias eletromagnéticas vindas do Criador Primordial. Nós estamos aqui para observar este processo em vocês, para os ajudar e para evoluirmos junto.

Quando estes agrupamentos ou reorganizações ocorrerem, vocês irão desenvolver um sistema nervoso mais evoluído que possibilitará o acesso de uma quantidade muito maior de informação à vossa consciência. Muitas células do vosso cérebro que haviam permanecido dormentes irão ser despertas passando a usar toda a capacidade do vosso corpo físico e não apenas a pequena porcentagem com a qual vinham funcionando.

Todas as regiões do planeta estão sendo afetadas por esta mudança, esta conscientização. Aqueles entre vocês que são os Guardiães da Luz e desejam mudar completamente a realidade presente, trazendo para cá diferentes opções, estão ancorando a frequência. Se ela não for ancorada e compreendida, pode criar o caos. Ela *criará* o caos. É por isso que vocês precisam ancorar-se.

O caos traz um estado de reorganização quando utilizado adequadamente. O tempo está se esgotando e a energia se tornando cada vez maior. Vocês vieram aqui para usar esta energia primeiro. Abrirão estradas de conscientização, ao puxar a energia para seus corpos e isto evitará que outras pessoas tenham de passar por esta experiência.

Muitas pessoas despreparadas irão começar a sentir esta energia subitamente. Luz é memória e informação, e ao atraí-la vocês criam novos caminhos para a exploração da consciência.

Os novos caminhos de conscientização criam novas realidades, novas opções e novas maneiras de ser e viver. É por isso que o colapso da vossa sociedade é inevitável: ela não mantém a luz nem as possibilidades multidimensionais; ela os mantém em sua limitação.

Os deuses criadores são seres espaciais que possuem sua casa no espaço. Eles também estão evoluindo. Alguns gostariam de chutá-los para fora do "clube dos deuses criadores" por acharem que eles não valem a vida que criam. Antes do saque, há cerca de 300.000 anos, vários componentes do time original trabalhavam aqui para trazer informação e criar o enorme centro de informação que deveria ter sido usado para conectar vários sistemas galácticos. Houve, então, uma violenta guerra entre os deuses criadores, e os seres espaciais, cujas histórias se encontram nos antigos manuscritos deste planeta, ganharam a luta. Eles tinham interesses particulares neste local. Aqui, neste universo do Criador Primordial, *todas as coisas são permitidas*. E como tal, muitas lições são aprendidas.

Alguns destes deuses criadores casaram-se e uniram suas linhagens, da mesma forma que no continente europeu diferentes monarcas e famílias reais se casaram e uniram seus reinos. Os deuses criadores misturavam-se para ver o que conseguiam criar. Não se esqueçam que eles entendiam de genética e que todas as coisas eram criadas através da manifestação e uso da força vital e da compreensão do seu funcionamento. Neste momento, está além da vossa compreensão perceber a extensão desse projeto.

Quem eram estes seres que vieram e destruiram os planos originais para a Terra? Quem eram estes seres espaciais a que às vezes nos referimos como os Camisetas Negras? Sejam bondosos quando se referirem às forças das trevas. Não falem deles como se fossem maus. Simplesmente entendam que eles são *desinformados*, e criam sistemas desinformados, porque é assim que sabem operar. Eles lutaram uma vez e separaram-se do conhecimento, por isso agarram-se desesperadamente ao conhecimento que lhes restou e à vida que conseguiram desenvolver. Mas esta é uma vida baseada no medo, que não só não respeita outras vidas como as usa. Quem são estes seres? São os répteis.

Estes seres espaciais são parte humanos, parte répteis. Nós costumamos chamá-los Lizzies. Não estamos aqui para amedrontá-los – mas para informá-los. Isto tudo está dentro de vocês, e à medida em que a história de quem são começar a se revelar, alguns de vocês poderão inclusive acessar memórias reptilianas. É uma ilusão imaginarem que sempre encarnaram como seres humanos. Vocês encarnaram para vivenciar a criação, para reunir informação sobre a criação e para compreender este processo coletivamente. Com certeza não tiveram uma só experiência. Seria como jantar a vida inteira no mesmo restaurante e dizer "conheço tudo sobre culinária". Comecem a expandir as vossas fronteiras e percebam que ainda necessitam experimentar muitas coisas. Existe brilho em *toda* a espécie de vida.

Os deuses criadores assumiam diversas formas, não eram todos Lizzies. Havia deuses criadores semelhantes a insetos. Nós, Pleiadianos, somos associados aos deuses criadores semelhantes a pássaros e répteis. Havia seres que vinham do espaço e trabalhavam com a energia dos pássaros em diver-sas culturas. Se repararem nos desenhos do antigo Egito, América do Sul e América do Norte, irão ver sinais de pássaros e répteis. Houve uma época em que pássaros e répteis trabalharam juntos, em outra, lutaram. A história se ampliará na proporção da vossa compreensão. Vocês vão começar a se lembrar da vossa história.

Os deuses criadores são muito ligados a vocês. Quando uma pessoa decide ter filhos, compromete-se a aprender com eles, a ser responsável pelo seu bem-estar e a ensinar-lhes a serem responsáveis por si mesmos. O mesmo acontece com os deuses criadores. Observando o vosso crescimento, eles aprendem sobre a vida; estão aprendendo com o que criaram; estão aprendendo a ser bons pais, digamos assim.

Alguns deuses criadores criaram vidas apenas para que estas cuidassem deles, atendessem às suas necessidades. Eles alimentaram-se de suas emoções. Um dos grandes segredos que não vos foi revelado como espécie, é a riqueza e o poder que acompanham as emoções. Vocês foram orientados para não explorar as vossas emoções, porque através delas podem compreender as coisas. Através das emoções vocês conectam o vosso corpo espiritual. O corpo espiritual é o corpo não-físico, existe na esfera multidimensional.

Está ocorrendo, neste momento, uma transferência na ordem da modulação de frequência no planeta e energias externas estão trabalhando nesta mudança. Estas energias *precisam de vocês*. Elas não podem alterar o planeta de fora – o planeta precisa ser alterado de dentro. As energias simplesmente trazem os raios cósmicos criativos que penetram em vossos corpos criando o salto evolucionário dentro de vocês. Uma vez que compreendam o uso adequado da emoção e comecem a adquirir controle sobre a vossa própria frequência, serão capazes de irradiar estes raios. E então a frequência do medo neste plano de existência não mais será alimentada.

A diminuição da frequência do medo neste planeta provocará uma disseminação de atividades destinadas a aumentá-lo para alimentar os seres que se nutrem desta frequência. Eles tentarão restabelecer a frequência do medo antes de mudar sua nutrição para a frequência do amor. Os Lizzies instalaram na Terra dispositivos que podem difundir e amplificar o desequilíbrio emocional no planeta. Este desequilíbrio é-lhes enviado e os sustenta de alguma forma.

Para se chegar a um planeta é necessário um portal, ou um caminho de acesso. Vocês podem voar pelo espaço, para Júpiter por exemplo, mas se não encontrarem o portal que permita a vossa entrada na estrutura temporal de existência do planeta, vão pousar num lugar que parecerá desolado, sem vida. Os portais permitem a entrada na dimensão do planeta onde existe vida. Eles abrem-se para corredores de tempo e servem como zonas de experiências multidimensionais.

Existem vários portais na Terra que permitiram a introdução de espécies diferentes, de deuses criadores espaciais. Um dos portais mais gigantescos, muito cobiçado atualmente, é o portal do Oriente Médio. Se vocês voltarem na história da Terra, irão perceber quantos incidentes religiosos e quantas civilizações foram introduzidas por esse portal. É um portal enorme – com um raio de milhares de quilômetros. É por isso que existe tanta atividade no Oriente Médio. Este é o portal que os Lizzies usam.

De certa forma, os Lizzies vêm controlando este portal. Eles têm usado esta área para criar suas bases e cavernas subterrâneas de onde operam. A antiga civilização da Mesopotâmia, entre os rios Tigre e Eufrates, foi uma colônia espacial onde uma certa civilização foi introduzida. O Kwait situa-se na boca deste território. Este portal envolve a manipulação de populações humanas para servir às necessidades de outros seres.

Entre os Lizzies há um grupo benéfico e outro maléfico. Por que estamos lhes contando isso? Por que vocês precisam saber disso? Porque a realidade dos Lizzies está voltando e fundindo-se com a vossa dimensão. Parte do vosso salto evolutivo consciente não consiste simplesmente em mergulhar no amor e na luz. É necessário que compreendam quão complexa é a realidade, quantas formas diferentes de realidade existem e como *todas elas são vocês*. Precisam estar em paz com todas e fundir-se com elas para criar uma implosão nas facetas da vossa alma. Só assim podem voltar ao Criador Primordial.

Surgirão inúmeras oportunidades de julgar diversas coisas e de rotulá-las. Contudo, quando você julga e rotula, não experimenta nem sente as novas realidades. Nunca se esqueçam de que esta é uma zona de livre-arbítrio e que há um Plano Divino, que será o plano final, a última carta a ser jogada. Todos devem lembrar-se de que esta carta será um Az.

A natureza das relações neste planeta é deveras interessante. Sempre que ocorre uma modulação de frequência num sistema existente, existe um certo magnetismo que converge para fora deste sistema. Este magnetismo atrai de volta para o sistema toda a energia que alguma vez esteve envolvida com ele, para que ela possa fazer parte da evolução ou do processo. Vocês estão magnetizando para si tudo o que já experimentaram, para que possam sentir tudo o que for necessário à sensação da experiência.

Os deuses criadores da antiguidade estão sendo atraídos para cá agora por causa do Plano Divino. Eles *precisam* participar e compreender que suas frequências serão alteradas. Eles estão resistindo, da mesma forma que muitos humanos estão resistindo. E contudo eles criam suas próprias realidades. Estes deuses criadores dos últimos 300.000 anos esqueceram-se de *quem os criou!* Esqueceram-se dos *seus* deuses.

Como membros da Família da Luz vocês não esqueceram. A vossa tarefa é *compreensão:* trazer compreensão e entendimento para o planeta que irá estabilizar a energia e gerar o poder de criação. A luz é subestimada neste planeta, e estes deuses criadores os subestimam. Mesmo em seu resplendor, eles possuem pontos cegos. São tão apaixonados pelo poder que lutam entre si.

Os deuses criadores renunciaram a uma porção de si mesmos e voltaram-se enamorados para o seu próprio projeto. Vocês estão ligados a estes seres porque são extensões deles, suas forças operáveis. Vocês estão aqui para afetar a realidade não apenas de fora, mas de dentro. É isso que vocês estão prestes a lembrar.

Os deuses criadores estão voltando para um novo saque porque não querem morrer de fome. Eles sabem que está havendo uma "falência do sistema" causada por vocês, e por isso estão voltando para criar medo e devastação, para lutar novamente por este território. A fonte de alimento é importante para eles. Eles estão perdendo o controle do planeta e, por isso, voltam para o seu portal principal no Oriente Médio, onde estão localizados seus covis embaixo da terra, para criar medo e caos.

Os Planejadores Originais desejam trazer a liberdade de escolha, com respeito à frequência, de volta para este planeta. Os deuses responsáveis pelo último período evolutivo da Terra usavam a modulação de frequência e não permitiam a li-berdade de escolha. Eles roubam a vossa energia psíquica mostrando-lhes um falso retrato da realidade. Esta informação está sendo passada a vocês para que se apercebam de como têm sido manipulados.

Nós jogamos o mesmo jogo. Não preparamos, nós também, um plano de modulação de frequência para vocês? Não os atraímos, induzimos, e os convencemos do vosso livre arbítrio para que escolham vibrar numa determinada frequência? Nós agimos da mesma forma que os construtores.

Assim como vocês descobriram a verdade sobre o Coelhinho da Páscoa, Papai Noel e a Fadinha do Dente de Leite, vão descobrir que existe um cenário, uma história, uma versão idealizada em torno de muitas destas energias que têm vindo a cultuar como deuses.

A energia predominante neste planeta sifona os vossos sistemas religiosos segundo a sua própria vontade. Ela extrai fluxos de energia incríveis, e esta energia está viva. Foi dito a vocês que todos os vossos pensamentos criam mundos: *eles são reais – eles vão para algum lugar.* Existem cinco bilhões e meio de pessoas pensando neste instante. Toda esta energia está viva na Terra. Qual é o sentimento predominante dentro dessa energia e o que pode convencer ou coagir a sua exibição?

Não estamos aqui para dizer quem está certo ou errado, ou quem é quem dentro da hierarquia. Queremos simplesmente desfazer as vossas ilusões, alertá-los para aquilo que foram induzidos a acreditar. A nossa intenção é sugerir que *pensem maior.*

Sintam a importância da perda que ocorrerá dentro desta energia predominante, quando um número cada vez maior de vocês deixar de vibrar de acordo com este plano. Pensem o que podem fazer quando vencerem esta modulação de frequência, ou a insistência da vossa mente lógica e, impecavelmente, permanecerem límpidos como Portadores de Frequência. Lembrem-se que identidade como frequência é a soma total da irradiação como pulsações eletromagnéticas dos vossos corpos físico, mental, emocional e espiritual. Todas as vezes que possuirem o que alguém estava sifonando e cultivarem isso de acordo com a vossa vontade própria, vocês mudam a vibração do planeta.

Como destruidores de sistemas, esta é uma das tarefas que desempenham com mais habilidade. Nós não queremos depreciar ou desprezar o que usaram até agora como instrumentos, queremos apenas que se desfaçam de seus velhos instrumentos. Vocês estão dedicando reverência e lealdade a sistemas de crenças que já não lhes servem mais, da mesma forma que vai chegar o dia em que cada um de vocês terá ultra-passado os ensinamentos que estamos ministrando agora. Outra energia será capaz de dizer: "Bem, quando os Pleiadianos estavam lhes mostrando isto, era muito bom. Eles dirigiram vocês até aqui. Deixem-nos levá-los adiante". A evolução não pára, nem há nada que tenha sido ensinado neste planeta que represente a verdade suprema.

Na medida em que forem recuperando a história de vosso passado reptiliano, perceberão que muitas características que influenciaram o sistema patriarcal da história faziam, na verdade, parte da família dos répteis. Assim, como os humanos não são maus, o mesmo ocorre com os répteis. Eles não contêm menos parte do Criador Primordial que vocês, nem sua aparência ou fisiologia são inferiores. Os mestres geneticistas são capazes de ocupar muitas formas diferentes. É compreensível que parte da dificuldade de se trabalhar com uma espécie isolada seja o choque que pode ocorrer com a revelação completa da verdade.

Existiram e existem muitos outros deuses criadores, mas apenas alguns possuem a forma humana. Atualmente, a inquietação e o desconforto que vocês sentem em relação à aparência dos répteis, advém de sua forma, que lhes é muito estranha.

Os deuses criadores estão voltando para a Terra, é por isso que o planeta está passando por perturbações tão grandes. Conforme forem aprendendo a sustentar as frequências vindas dos raios cósmicos criativos, vocês estarão, cada vez mais, preparados para encontrar estes deuses. Como já dissemos, alguns deles já estão aqui. Andam pelas ruas, vão a suas academias, participam do vosso governo e dos vossos locais de trabalho. Estão aqui para observar, e para dirigir energia. Alguns deles vieram para os ajudar, outros estão aqui para aprender e evoluir. Existem ainda outros que não possuem intenções tão elevadas.

Precisam aprender como discernir entre as energias extraterrestres. Este é um universo de livre-arbítrio, portanto todas as formas de vida são permitidas aqui. Se uma energia procura amedrontá-los, manipulá-los, controlá-los, não é uma energia interessante para se trabalhar com ela. Vocês escolhem com quem trabalhar. O fato de uma entidade ter desenvolvido capacidades fantásticas e aparentemente mágicas, não significa necessariamente que ela seja desenvolvida espiritualmente. Aprendam a discernir.

Vocês estão vivendo uma época importantíssima em que a energia está chegando viva. Tudo o que estão sentindo é o resultado de estarem despertando os vossos potenciais adormecidos. Um vendaval está soprando, mostrando-lhes que há muita agitação rolando no ar. Os deuses estão aqui. *Vocês* são estes deuses.

À medida que forem despertando para a vossa história, os vossos olhos da antiguidade abrir-se-ão. São os olhos de Hórus, que enxergam através dos olhos do ser humano, mas da perspectiva de um deus. Eles vêem a conexão e o propósito de todas as coisas, pois são capazes de enxergar diversas realidades e unificá-las num quadro global revelando a história inteira. Quando forem abertos dentro de vocês os olhos da antiguidade, serão capazes de conectar-se com a história pessoal de cada um, com a história planetária, a história galáctica e a história universal. Aí, então, vocês vão descobrir quem são os vossos deuses.

Capítulo IV

Memórias da zona de livre-arbítrio

Era uma vez seres que tinham muita vontade de criar alguma coisa. Para fazer isso, precisavam, com muita sutileza, mudar parte da criação. Estes seres trabalhavam, eram associados e guardavam, com muito cuidado, um aspecto da consciência chamado luz. Em várias ocasiões, estes Guardiães da Luz encontraram-se, trabalharam juntos e cruzaram seus caminhos em diferentes níveis da realidade. Eles planejavam, partilhavam projetos e determinavam a época em que seus planos seriam executados.

Alguns membros desta equipe da luz articulavam as probabilidades do Criador Primordial: o que ele iria fazer, onde iria agir e como seria estimulado. Estas entidades sabiam o que poderia ser feito com a luz, e seus planos eram cuidadosamente orquestrados. Durante milênios, estes seres de luz foram treinados para desenvolver esse plano. Uma parte do plano seria a preparação para o choque cósmico que, segundo a sua previsão, viria do Criador Primordial.

Houve grande dedicação e preparação à medida que os fundamentos foram estabelecidos e o treinamento começou. Muito precisava ser aprendido antes que o plano pudesse ser executado, pois era um plano realmente ousado. A intenção dos Guardiães da Luz era trazer luz, ou conhecimento, para uma realidade onde a luz não era bem recebida, nem se adequava. Era como calçar sapatos que não cabiam nos pés.

Estes seres preparavam um plano para o momento em que a luz *fosse* adequada. *Estes seres são vocês, e o momento é agora.* O tempo foi cuidadosamente orquestrado, e cada um de vocês sabe, no mais profundo do seu ser, que vieram para cá com um propósito – dar início ao movimento central de liberação de tudo o que os prendia à vossa realidade até hoje, tudo o que os aprisionava como finos fios de aço e os trancava dentro de idéias sobre vocês mesmos e sobre o vosso relacionamento com o cosmos.

Para aqueles que vieram executar o plano e trabalhar com a conscientização da luz, o momento é *agora.* A vossa ação brota deste momento. É só permitir que a energia entre no vosso corpo. Precisam começar a vibrar com essa energia e a limpar as passagens internas, as energias emocionais aprisionadas. À medida que começarem a examinar o vosso interior, irão descobrir muitos 'Eus' para onde poderão viajar pelas estradas interiores, ou sistema nervoso da consciência.

Vão descobrir que a sociedade, engenhosamente, os impede de conhecer a parte mais íntima, gratificante e emocionante de vocês mesmos. Como Guardiães da Luz vão criar opções de realidade e trazê-las para a conscientização das massas do planeta. Executarão isso primeiro em vocês, criando paz e amor no vosso interior, aceitando quem são e tudo o que fizeram, ou lhes foi feito na vida. Vão aceitar e integrar estas coisas, porque perceberão terem sido elas as situações necessárias para os trazer ao estágio final de ancoramento da luz.

Esta é uma história antiga e está arquivada dentro do vosso corpo. Uma parte do que estamos lhes pedindo e lembrando é que abram esta casa, este tesouro histórico, e se tornem arqueólogos do vosso interior. Viajando pelas estradas da memória desta e de outras vidas, começarão a delinear um retrato do propósito de conscientização.

Quando começarem a ter uma visão do propósito da vossa própria consciência e perceberem as manobras espertas durante as vossas viagens, os diversos disfarces que usaram, ou ainda as múltiplas atividades de que participaram, aprenderão a aceitar a totalidade do vosso ser. Quando forem capazes de aceitar comportamentos que não tenham sido dos mais nobres, a vossa identidade sexual e as vezes em que valorizaram ou deixaram de valorizar a vida, em todas as suas encarnações, um chakra localizado em seu corpo próximo à glândula timo, entre o quarto e o quinto chakras, irá se abrir, permitindo às informações fluírem pelo sistema nervoso regenerando o corpo e possibilitando a mudança para o amor incondicional.

À medida que aceitarem e explorarem todas as coisas de que já participaram, terão uma compreensão maior do que está ocorrendo no planeta. Irão permitir que as pessoas dancem conforme a música que melhor as ensina nesta época. Existem melodias bem caóticas sendo tocadas no planeta, e existe um propósito para todas elas. O propósito é fortalecer o Eu, para que ele possa tornar-se completamente informado sobre a realidade. O Eu pode, então, decidir com clareza o caminho da alma, ou o seu caminho pessoal, através da realidade.

De acordo com o plano original, a Terra seria um centro de troca de informação para todos os sistemas galácticos. Os Planejadores Originais não desistiram deste plano. Eles eram membros da Família da Luz, e alguns de vocês foram muito íntimos destes Planejadores Originais. Sintam isso por um momento.

Nós queremos despertar a vossa memória. Queremos que comecem a compreender a magnitude do que está ocorrendo com a vossa espécie neste planeta, para que possam operar confortavelmente com sabedoria e conhecimento. Os

Planejadores Originais são capazes de projetar diferentes cursos e diferentes realidades.

Como já foi mencionado, num universo de livre-arbítrio tudo é permitido pelo Criador Primordial. Portanto, uma vez que o tempo não existe da maneira que vocês conhecem fora do vosso setor local, as coisas desenvolvem-se por si só. Assim, para os humanos, parece ter passado muito tempo sem que nada muito emocionante, do ponto de vista cósmico, tenha ocorrido na Terra. Num esquema evolutivo mais amplo, não faz tanto tempo, mas como vocês estão presos dentro da estrutura temporal da Terra, a *sensação* é de que passou um tempo enorme.

A luz distribui informação, as trevas retêm a informação. Assim, nos tempos que estão chegando, será fácil discernirem quem é quem, e o que é o quê, quando viajarem para fora do plano tri-dimensional. Só precisam discernir se algo é luminoso e estão recebendo informação, ou se é sombrio e estão sendo desinformados, mal informados ou se a informação está sendo completamente sonegada de vocês.

As trevas e a luz nasceram do mesmo criador, o Criador Primordial, que gerou uma hoste de deuses criadores para que partissem e trabalhassem. Foi concedida a todos esses deuses criadores liberdade para formarem mundos: descobrir como criar a vida, como se tornar administradores responsáveis pela vida, e como se tornar pais dos planetas nos sistemas galácticos que haviam criado. Aprender como se tornar um bom pai era uma constante no processo.

Os deuses criadores se tomaram, se fizeram e alimentaram seus mundos de si mesmos. No Egito, há uma lenda sobre um deus criador que se masturbou e criou o mundo. O deus pegou a si mesmo e fez pequenas identidades a partir de si, para que pudesse estar dentro, e não fora, do que havia criado.

Vocês todos precisam acessar a porção da memória que faz parte do deus criador. Quem são estes deuses? Quem são os deuses que lutaram contra estes deuses? Quem são os deuses que vieram aqui para vos controlar? Uma parte da vossa tarefa consiste em acessar a vossa memória.

Quando estes seres voltarem para a Terra, muitos de vocês olharão para eles e dirão: "É, estes deuses são maravilhosos. Eu sinto que são maravilhosos. São magníficos. Vejam o que eles conseguem fazer." Alguns destes deuses parecerão estar consertando e salvando o vosso mundo. É aí que pode ser fácil perder a visão geral. Vai *parecer* que eles vieram arrumar e salvar o vosso mundo, quando, na verdade, estão simplesmente criando uma outra forma de autoridade e de controle. O que estamos dizendo é que as pessoas colocarão paradigmas e sistemas religiosos sobre estes seres. Haverá um grande programa de marketing para vender a presença destas entidades para vocês. Este programa já está sendo executado.

Vocês não fazem parte das massas, são membros da Família da Luz e *sabem* coisas que os outros desconhecem. Podem saber que estes seres não são da luz, e saberão isso no âmago do vosso ser. Podem ficar muito aflitos no meio de uma sociedade que não percebe isso. Muita gente irá venerar estes seres, porque vão achar que estão ocorrendo milagres e que o maior evento da história do mundo está acontecendo. Vai parecer que a humanidade recebeu uma nova oportunidade, uma nova idade de ouro. E, então, haverá uma grande surpresa, quando as pessoas descobrirem que as novas tiranias são ainda maiores do que as anteriores.

O objetivo é que cada indivíduo se torne soberano *e* que haja uma união no planeta. Nem todos farão essa mudança. Nem todos estão na vibração que deseja trabalhar em harmonia com esta equipe. Existem pessoas na Terra que irão sentir-se em estados semelhantes ao êxtase ao se depararem com o que eles acham ser a nova autoridade, a autoridade superior, o novo paradigma, deuses animais ou o que quer que seja. Então, a Família da Luz, como se infiltrou e penetrou no planeta, vai criar a sua própria esfera planetária, a sua própria Terra.

Vocês todos estão aprendendo sobre autoridade. Quem é o chefe dos seres que estão aqui, agora? Quem é o Deus *deles*? Quem é a autoridade *deles*? Esta autoridade está voltando para a Terra. Esta é uma lição para a Terra. Estes seres, que não são informados espiritualmente, nem inclinados para o caminho espiritual, negam a existência de uma força espiritual. Desenvolveram tecnologias e princípios científicos que dispersam as leis da espiritualidade.

Vocês podem achar, porque compreendem e acreditam nos planos espirituais, que todas as pessoas, ao evoluirem, naturalmente aceitariam essa informação. Mas não é assim. É possível se tornar um mestre brilhante na manipulação da matéria e da realidade sem compreender as conexões espirituais. É muito importante que saibam disso.

Virão das estrelas seres que a consciência de massa de pessoas da Terra julgará possuidores de habilidades incríveis. Mas estes seres não terão sentimento, porque não estarão conectados a nenhuma busca espiritual. A escolha de buscar o despertar do Eu espiritual é livre para todas as pessoas neste planeta bem como para todas as pessoas no universo inteiro. Mas nem todos perceberão isso.

Da mesma forma como foram cultivados aqui indivíduos muito poderosos que não estão ligados a seus centros de sentimento – que não possuem conexão com a consciência emocional e espiritual – existem no espaço reis espaciais ou entidades espaciais extremamente poderosas que não têm nada a ver com espiritualidade. São forças poderosas. Se encontrarem estas forças, irão sentir-se como Davi enfrentando Golias. Por isso é tão importante para todos vocês aprender como alterar a vossa realidade, para poderem dançar entre as vibrações de frequência, ou pular para uma estação do mundo que desejem experimentar.

Desejar adorar algo é a forma de controle da frequência na Terra. O planeta está direcionado para alguém, ou algo novo a ser adorado. Esta é a introdução potencial holográfica – *um novo deus para adorar.* Os deuses criadores, os répteis, sabem que seu plano foi por água abaixo, digamos assim, e tencionam criar um novo plano, uma nova diversão, um novo enfraquecimento. Portanto, antes de mais nada, *ouçam a vossa voz interior.* Ouçam a mensagem interior que vem de vocês, comecem a dançar com ela, façam amizade com ela. Devem descobrir a realidade a partir do *interior* e dirigir as vossas vidas dessa maneira. Esta é realmente a dádiva recebida na zona do livre-arbítrio.

Parte da dicotomia ou do equilíbrio numa zona de livre-arbítrio é a permissividade de *tudo,* inclusive de tiranias. Nesta zona de livre-arbítrio, todos os seres possuem o potencial de criar a sua própria realidade. Escolher que outros criem a realidade para vocês é uma forma de livre-arbítrio. A maioria das pessoas na Terra permite que outras criem e ditem a sua realidade. Através do controle de frequência, vocês foram induzidos a procurar *fora de vocês* respostas a suas perguntas. Quando novos deuses aparecem, estão sempre prontos a adorá-los. Isso vai se repetindo. Os controladores de frequência também estão presos, vocês são o seu espelho.

Quando começarem a viver de acordo com a vossa própria orientação e ousadia, as coisas irão mudar completamente. Isto está acontecendo em diversos lugares. Da mesma forma que o pensamento viaja pela Terra, ele pode ser dirigido pelo cosmos. Os grilhões e os raios cósmicos criativos fazem parte de um sistema intergaláctico que dirige o que vocês acreditam para outros locais. Hoje mesmo vocês são uma inspiração viva para outros seres como uma frequência que alimenta outros sistemas.

Da mesma forma que puxamos energia de outros sistemas para o vosso, vocês mandam energia para outros sistemas afetando-os – e não sabem disso. Nós queremos que percebam o impacto e o poder de afetar sistemas que possuem. Vocês nem imaginam o quanto são poderosos, e é por isso que podem tornar-se perigosos. Vocês absorveram uma quantidade incrível desta energia mutante. O que farão com ela? Como vão dirigi-la? Vocês se amam?

Os Planejadores Originais querem muito mais do que apenas esta zona: querem uma mudança no DNA universal. Querem o universo inteiro orquestrando uma nova sinfonia na consciência. Não procuram apenas restabelecer a disponibilidade de frequência na Terra. Seu jogo é muito maior: querem reestruturar a velocidade vibratória do universo inteiro. Eles dirigem-se a zonas chave e infiltram-se para detonarem uma implosão simultânea. Haverá um despertar universal nestes centros chave e o universo inteiro mudará sua frequência na mesma hora.

Os Planejadores Originais têm solicitado o interesse do Criador Primordial. O Criador Primordial aprende de todas as coisas que existem porque ele *é* todas as coisas. Da mesma forma que vocês estão aprendendo a respeitar as vossas lições, tudo o que manifestam a partir de si mesmos, o Criador Primordial respeita toda a criação. Ele permite que suas criações *sejam* e aprende sobre seu próprio potencial observando o que gerou, da mesma forma que um pai sábio aprende com seus filhos. O Criador Primordial necessita que vocês tragam as mais novas invenções para que ele possa experimentá-las e evoluir.

O Criador Primordial dirigiu a energia para esta zona de livre-arbítrio porque, de um ponto distante do vosso futuro, foi mostrado onde este experimento chegaria se o deixassem descuidado. A energia pode simplesmente tornar-se agressiva e possuir outras energias. Existe uma grande probabilidade de que uma ditadura se estenda por milênios neste sistema universal. De um local distante do futuro, esta experiência está sendo refeita: sua energia essencial está sendo transmutada e transformada. Vocês fazem parte desta transformação penetrando nas entranhas do sistema sob vários disfarces e despertando a consciência.

Nos próximos anos, os seres que vêm dos céus podem não ser membros da Família da Luz. Serão espelhos dos habitantes do planeta. Nós dissemos que a lição a ser aprendida se refere à autoridade – tornar-se a própria autoridade, parar de entregar o vosso processo de tomada de decisão aos governantes, pais, professores ou deuses. *Chegou a hora dos habitantes da Terra se tornarem soberanos.*

Os humanos passarão por uma certa provação antes de atingirem a conscientização. Irão sentir-se frustrados. Verão coisas que as outras pessoas não vêem; sentirão uma mania coletiva ocorrendo no planeta, que não suportarão. Verão hordas de pessoas dirigindo-se para um deus falso que é uma bobagem.

Vocês estão começando a sentir o que está para chegar. É uma tarefa respeitável ser um portador de luz: uma vez que vocês a colocam em vossos corpos, não tem mais volta. Não dá para dizer: "Eu vou sair do time da luz. Não sou mais membro da Família da Luz." Algumas vezes podem até ter vontade de fazer isso, mas uma vez que a luz está lá, assim é.

Gostaríamos que percebessem que os seres espaciais considerados "vilões" por vocês, que se encontram dentro e ao redor do planeta – e com quem os governos compactuam – estão lidando com os mesmos problemas que vocês. São seres que refletem de volta para vocês seus dramas e religiões. Foram acusados de comportamento hediondo, de raptar e executar mutações na espécie humana que lançou um grito para membros das várias organizações que estudam UFOs.

Sim, estes seres agem como um espelho para lhes mostrar o vosso próprio mundo: o que vocês consentem e o quanto se submetem aos vossos líderes em todo o mundo. A vossa submissão ao governo e à mídia, a maneira como são usados. Estes extraterrestres que vêm para cá não agem de forma diferente dos habitantes da Terra. As massas permitem a seus líderes fazerem o que quiserem em nome do povo porque não se rebelam e gritam: "Ei! Eu não aprovo isto!" Existe uma grande complacência na Terra. A consciência do planeta é: "Façam isso por mim. Eu não quero ser responsável. Quero que se tornem meus governantes oficiais; meus professores; meus chefes. *Alguém me diga o que fazer.*"

Estes extraterrestres espelham essa situação para vocês. Por acaso se lembram do filme *V A Batalha Final* que passou na TV há alguns anos? Este filme dá uma idéia da astúcia e da conivência de certas entidades vindas do espaço; algumas pessoas, entretanto, irão adorá-las e achá-las verdadeiros mestres absolutamente poderosos. Aqueles cenários serão reais, podem crer. Existe uma fusão iminente da consciência humana e da presença extraterrestre neste planeta. Ela está lhes sendo oferecida muito rapidamente.

Muitas pessoas que estudaram e usaram o discernimento próprio ficarão chocadas e estarrecidas com a idiotice e a adoração ideológica que o restante da raça humana irá expressar em relação a determinados seres espaciais que se passarão por vossos criadores apesar de não possuirem corpos semelhantes aos vossos. Eles serão capazes de fazer muitas coisas e de partilhar muitas tecnologias. Talvez até curem certas doenças que eles próprios ajudaram a criar, ensinando a guerra bacteriológica aos cientistas do vosso planeta.

Vocês sentirão nojo da sociedade, porque os novos deuses serão inadequados a vocês, e por isso se recolherão. Já imaginaram que os novos deuses podem ser lagartos? O que acham disso?

Há quem jogue nos dois times por serem agentes duplos. Nós estamos empurrando os vossos paradigmas e esticando as vossas identidades porque os estamos preparando para um grande acontecimento.

Queridos humanos, vocês estão vivendo uma aventura e somente *vocês* podem levá-la adiante. As esferas não-físicas os sustentam continuamente e membros da Família da Luz estão à vossa volta e com vocês o tempo todo. Sim, depende de vocês assimilarem as leis que estamos partilhando e ancorá-las neste planeta.

Quando começarem a vivenciar tudo o que lhes ensinamos, – a confiar na identidade, na sincronicidade, a confiar em sua participação no plano – descobrirão que mesmo em meio à maior calamidade e acontecimentos incríveis, serão capazes de desafiar as leis da humanidade.

Os deuses criadores possuem seus próprios criadores em direção aos quais estão evoluindo. O lapso de consciência entre os deuses criadores e os seus criadores ocorreu dentro do contexto da manipulação dos mundos e universos, não necessariamente da manipulação das espécies. Vocês, como espécie, estão sendo manipulados dentro de milhares de realidades. É vossa tarefa calcular dentro de quantas realidades existem. A tarefa dos que os manipulam é perceber dentro de quantos mundos eles estão manipulando realidades. Os deuses criadores são malabaristas de realidades, mas quem é o malabarista das realidades deles, quem os colocou, através de sua criação, em todos estes mundos primeiro?

Tudo isso é para ser *sentido*. Permitam às vossas células cerebrais se ligarem sem que a mente racional, consciente, pretenda definir as coisas em seus mínimos detalhes. Esta experiência envolve o nascer de um sentimento dentro de vocês que um dia, num determinado momento, os fará sentir uma esmagadora sensação de *conhecimento*: como possuir uma redação de mil páginas tornando-se viva em cinco segundos de divino êxtase.

Capítulo V

Quem conduz os fios de luz?

Vocês guardam a história do universo dentro do corpo físico. O que está ocorrendo agora no planeta é a mutação literal deste corpo, que vocês estão permitindo evoluir ao ponto de se tornar o computador que poderá armazenar esta informação.

Isto, na verdade, irá ocorrer devido à engenharia biogenética que nada tem a ver com vocês, mas podem facilitar o processo, intencionando cooperar com ele. Como espécie, vocês estão sendo biogeneticamente alterados pelos seres que os cria-ram e que refazem o vosso DNA em entroncamentos periódicos da vossa história.

Os deuses criadores originais e seus projetistas designaram esta época para voltar ao planeta fazendo-o retornar ao plano original. Milhões de seres foram chamados a participar deste projeto. Milhões de seres disseram: "Sim, nós somos renegados. Vamos retomar este projeto e ver se conseguimos endireitá-lo. Vamos reconstruir as ruínas e reuni-las novamente."

E assim os planos foram esboçados, os desenhos feitos, bem como os estudos genéticos para descobrir quem conduz os genes recessivos e os fios de luz no seu interior. Vocês selecionaram com muita clareza a linhagem que, geneticamente, teria maior facilidade de acesso às combinações dos filamentos de códigos-luminosos com grande potencial evolutivo.

Antes de encarnarem, todos se comprometeram a designar eventos que ativariam seus códigos, ou projetos que ativariam as vossas memórias. Então, encarnaram e esqueceram. Todos vocês, até certo ponto, tiveram seus projetos e códigos ativados, ao compreenderem que existe um Plano Divino do qual fazem parte. A ativação dos vossos códigos e a percepção das vossas identidades irão se intensificar de forma fenomenal. A razão disto é a evolução do DNA. Quando tiverem as doze hélices de DNA no lugar certo, elas irão conectar-se com o sistema de doze chakras.

Os doze chakras são vórtices carregados de informação que vocês devem ser capazes de traduzir. Independentemente de estarem ou não no planeta, vocês estão evoluindo. Ao longo do processo evolutivo aqui na Terra é necessário que ultrapassem o que foi estabelecido como teto, ou limite, do possível. Devem tornar-se super seres, não importa a realidade em que entrem porque, como membros da Família da Luz, ramo dos renegados, isso é o vosso forte. Se propuseram a vir a este planeta para receberem desafios, tornando-se assim desafiadores – não de forma a criar problemas ou disseminar discórdias, mas a criar um *desafio harmonioso*. Através da vossa harmonia vocês desafiam a antiga frequência vibratória.

Um pouco dos atritos que têm com outras pessoas deve-se ao fato de estarem trilhando um caminho evolutivo e seguirem adiante. Muitos não gostam disso, porque não estão codificados para responder como vocês nesta época. Certas pessoas não possuem código algum para isso. Outras conhecem o plano de mudança e vêm para cá nesta época como observadoras. Determinados seres tímidos vêm para cá sabendo que, porque tiveram coragem de chegar aqui – conhecendo o projeto do planeta – irão ter de alguma forma um crédito em sua jornada consciente, que irá transportá-los para uma consciência mais elevada – mesmo que sua participação na transição consista apenas em estar aqui.

O simples fato de estar nas redondezas deste tipo de atividade gera força. Por isso, deve ser dado crédito a todos os que estão agora no planeta, pois decidiram participar da grande mudança de frequência. Todos estes participantes são necessários porque, quanto maior for o número de frequências no planeta, maior a quantidade de energia para alterar a antiga frequência. Todos os que se abriram para a luz estão tendo os seus corpos literalmente reprogramados. Às vezes vocês podem inclusive acordar à noite e sentir fisicamente a reprogramação. Esta reprogramação é a reestruturação do DNA.

O vosso DNA é um filamento; um cientista o descreveria como um filamento conectivo. Os cientistas, fazendo o melhor que podem, descobriram certos códigos dentro de certas porções de DNA. Descobriram também porções supérfluas de DNA. Em outras palavras, existem porções que eles não conseguem traduzir ou compreender, então acham que estão lá, à toa, e as denominam "DNA lixo" (ou DNA estrutural).

Nós já falamos sobre a maneira como vocês foram construídos pelos deuses criadores. Como casas que seriam futuramente aumentadas. Encontram-se agora nesta conjuntura, no momento em que os arquitetos que os projetaram estão acrescentando elementos. O que os cientistas chamam de "DNA lixo" tem estado dormente em vossos corpos há muito tempo, e agora está sendo ativado. Em nossos ensinamentos, enfatizamos sempre a importância da oxigenação, porque o oxigênio alimenta os códigos e desperta o "DNA lixo" (que certamente não se trata de lixo de forma alguma).

O que os cientistas chamam de "lixo" armazena conhecimentos que irão dotá-los de percepção plena e transformá-los em seres da quarta-dimensão. O despertar do DNA irá permitir-lhes mudar a visão, a audição e aumentar a duração de vossas vidas entre outras coisas. A parte dormente do DNA, que desafiou os cientistas, está prestes a renascer.

Sua mutação é tão rápida, que muitos cientistas consideram o processo uma doença. Alguns estão tão seriamente preocupados que convenceram o governo a investir bilhões de dólares em pesquisas sobre o DNA. O que está ocorrendo em vossos corpos não se trata certamente de doença mas de uma mutação natural, estão sendo reprogramados. Esta mutação costuma acontecer durante o sono, por isso vocês podem acordar de manhã sentindo algo diferente no corpo. Podem estar certos de que as mudanças não tardarão a aparecer e que vocês desenvolverão novas habilidades. Automaticamente *irão saber* muitas coisas.

Os designers originais do corpo humano eram seres benevolentes. Estes deuses criadores originais foram muito generosos em dotá-los biogeneticamente com uma tremenda vitalidade de espírito e uma enorme capacidade. Muitas destas informações estão arquivadas dentro de vossos corpos nos filamentos de códigos-luminosos que estavam espalhados e agora voltam a alinhar-se. Os vossos ossos e a forma do vosso esqueleto correspondem a essas informações. Quando a vossa postura está alinhada, a energia de locais de força sagrados é liberada, os raios cósmicos são atraídos para os vossos corpos e os filamentos de códigos-luminosos dentro das células começam a reordenar-se; vocês perceberão que estão mudando. A mudança será refletida de volta a vocês, para onde quer que olhem.

O sistema evolucionário atual, projetado pelos deuses criadores para conduzi-los a várias dimensões ou frequências, baseia-se na evolução das doze hélices correspondentes aos doze chakras – sete dentro do corpo e cinco fora. Esta é, simplesmente, a maneira pela qual o sistema se liga. Com relação à evolução das hélices dentro do corpo humano, deve ser atingido um denominador comum de frequência que todos consigam alcançar, mesmo quem estiver nas estações mais baixas.

Existem também seres humanos que conseguem ir além das doze hélices. De maneira geral, contudo, o estado de conscientização da humanidade não pode alcançar esta espécie de aceleração. O salto de um sistema de duas hélices para um de doze já é significativo.

Em breve algumas pessoas estarão funcionando com as doze hélices, enquanto outras só receberão esta mudança no final da década. Isto ocorre porque cada indivíduo é codificado para receber a frequência apenas quando for capaz de integrá-la. Muitas pessoas já estão vivendo momentos difíceis ao integrar as mudanças nestes estágios iniciais do plano. A grande maioria dos humanos na Terra convenceu-se de que só existe uma realidade. Isto pode ser a queda da raça humana.

A reorganização das hélices provoca um despertar do conhecimento interior que ultrapassa tudo o que vocês possam ter aprendido. Este conhecimento interior é o conhecimento do Eu, que afirma haver muito mais do que o mundo físico. *Acredite nisto. Saiba isto. Compreenda isto.*

O mundo físico é uma pista para o mundo espiritual. O mundo do espírito e da auto-evolução está na eminência de uma explosão de informações: energia barata, energia gratuita – tudo lhes será dado. Isso tudo está relacionado com a evolução dos filamentos de códigos-luminosos, que são milhões e bilhões de fibras minúsculas.

Continuando a nossa história, os deuses criadores invasores, que saquearam o planeta, precisavam que vocês operassem de uma certa forma para conseguirem controlá-los. Eles precisavam desligar a vossa inteligência, e assim o fizeram, espalhando e desligando os filamentos de códigos-luminosos que formam as hélices do vosso DNA. Agora, estes filamentos começam a religar-se às hélices. As hélices evoluirão em grupos de três até que hajam doze fios, ou hélices. Quando estas doze hélices, ou fitas, compostas por diversos filamentos de códigos-luminosos, começarem a vibrar dentro do corpo, cada fita corresponderá a um chakra.

Existem milhares de centros energéticos, ou chakras, bem como milhares de hélices em potencial que podem ser formadas. Neste momento o denominador comum relativo ao número de hélices e chakras que a consciência da humanidade pode manejar sem se destruir, é doze. Então estamos lidando agora com a evolução de doze hélices para ligá-las a doze chakras – sete dentro do corpo e cinco fora. Os sete chakras dentro do corpo não são difíceis de serem trabalhados porque, se se permitirem sentir, serão capazes de os localizar fisicamente e tocar cada um deles. Os três primeiros são os chakras da sobrevivência, sexualidade e sensação perceptiva. O quarto chakra é o coração – centro da compaixão e união com todas as coisas. O quinto é o chakra da garganta, relacionado à fala. O sexto é o terceiro olho, a visão. O sétimo é o chakra da coroa que abre para o conhecimento de que a identidade de cada um ultrapassa a forma física. Quando chegarem aos cinco fora do corpo, começarão a encontrar novas formas de entender o que está acontecendo, como algo que nem sabem com certeza se é real.

O oitavo chakra encontra-se dentro do vosso plano de atividade. Paira a trinta centímetros ou mais acima da vossa cabeça. A maioria das pessoas mantém o oitavo chakra próximo a seu corpo físico. O nono chakra também se encontra perto, a menos de um metro do corpo. Quando nove hélices forem formadas este chakra irá se dirigir à atmosfera da Terra para tornar-se uma espécie de fio terra, ligando o planeta à rede cósmica. É um elo de ligação.

O décimo, décimo-primeiro e décimo segundo chakras acham-se bem mais distantes. O décimo chakra, quando estiver funcionando, estará ligado ao vosso sistema solar. O décimo-primeiro chakra irá dirigir-se ao sistema galáctico, e o décimo-segundo estará localizado e ancorado em algum lugar deste universo.

Você receberá informação destes centros pessoais, pois eles são também centros coletivos. À medida que aprender a traduzir as experiências dos chakras irá descobrir que a vida nunca mais será a mesma.

Nem todas as pessoas do planeta passarão por essas mudanças agora porque nem todas foram codificadas para isso. Cada um de vocês veio com uma certa ordem – um mapa de quando, onde e como operariam melhor. Muitos estão aprendendo como seguir este plano que os levará a descobrir o seu Eu superior. Quando aprenderem a fazer isso a vida vai se tornar muito mais fácil pois irão se transformar em veículos da luz movidos apenas pela intenção de comprometer-se.

Diversos seres humanos serão expostos a estas mudanças em épocas diferentes, porque tantas mudanças não devem ocorrer de uma só vez. Isto criaria o caos, onde uma certa ordem é necessária. Quando um indivíduo passa pelas mudanças e traduz a experiência pode pedir ajuda a quem já as vivenciou. Para os principiantes o processo pode ser muito difícil. Vocês são aqueles que mostram o caminho. Quando forem capazes de passar pelas mudanças, podem seguir o caminho e mostrar aos outros. Existem mapas das rotas indicando certos eventos que podem ocorrer se desejarem ligar-se a esta corrente do tempo. Quanto mais se dedicarem a cada momento da vossa evolução, mais cedo as mudanças irão ocorrer para a última pessoa.

Houve um tempo em que a espécie humana ocupava frequências dimensionais mais elevadas; vocês eram capazes de locomover-se através de realidades diferentes e de manipular a matéria. Muitas dessas capacidades foram eliminadas propositadamente pelos seres que tomavam conta da vossa realidade. É necessário que compreendam que cada realidade possui a sua guarda, e que há diferentes administrações e diferentes guardiães em cada período.

Estamos usando o termo *guarda* de forma neutra. Vocês usam o termo *guarda* para alguém que protege. Nós estamos dizendo que um guardião encarrega-se de uma realidade e a guarda, impedindo que outros seres cheguem e efetuem alguma mudança. Os guardiães, a que estamos nos referindo não são necessariamente seres benevolentes que ajudam a evolução. Estas entidades que estão guardando a vossa realidade podem estar impedindo o acesso de seres que viriam libertá-los.

A vossa falta de memória se deve ao fato de terem sido re-instrumentados e muitas de vossas capacidades inerentes espalhadas e desligadas para não funcionarem mais. O controle baixou sobre as mentes em vossa sociedade. Existem véus de proteção que foram colocados em torno da Terra para que se vocês tentassem conectar-se a algumas dessas informações, não dispusessem de instrumentos nem fundamentos ou capacidade de compreender essas realidades.

Neste momento o planeta inteiro encontra-se imerso em realidades expansivas. Para chegar a estas outras realidades, primeiro precisam explorar profundamente a realidade de vocês. Não há mais tempo para vinte anos de psicanálise. Precisam desenvolver habilidades e capacidades em poucas horas, que lhes permitam viajar algumas décadas em vossa evolução emocional. Terão de viajar na estrada emocional, porque o corpo humano se expressa através das emoções. Esta é a singularidade e o dom que a vossa espécie recebeu.

Primeiro é necessário que abram as estradas emocionais até áreas que mantiveram escondidas de si mesmos nesta vida. Poderão ser inundados por lembranças à medida que os vossos arquivos internos se alinharem – lembranças de acontecimentos difíceis quando ocorreram, ou fatos que talvez não possuissem o contexto onde inseri-los. Algumas pessoas poderão lembrar-se de contatos extraterrestres, que todos tiveram na infância. Muitos poderão desvendar expressões de sexualidade que não compreenderam na época, tendo sido participantes ativos ou passivos. O corpo mental emite um tremendo julgamento e esse é o motivo por tais situações terem sido soterradas pelo corpo emocional humano que é muito sensível ao julgamento. O corpo emocional, ligado ao corpo espiritual, esconde-se disto.

Todos vocês acham que sabem quem são. As histórias sobre quem são baseiam-se nas lembranças desta vida. O que nós queremos comunicar-lhes é que vocês têm inúmeras existências paralelas, legítimas, com memórias diferentes das que possuem. Vocês bloqueiam estas memórias, ou não focalizam os eventos relativos a elas, porque o vosso corpo emocional não consegue computá-las.

Grande parte daquilo em que irão esbarrar está ligado à sexualidade, porção do ser humano que não foi compreendida e que deve ser estudada para que conheçam a sua finalidade. De que se trata a sexualidade? Quem estabeleceu as regras sobre a expressão sexual apropriada ou inapropriada? Irão aflorar, também, lembranças de contatos e energias que os acompanhavam quando pequenos com o propósito de ensiná-los; vocês bloquearam estes acontecimentos por não terem recebido o suporte necessário para acreditar que eles tenham realmente ocorrido.

Ao começarem esta exploração multidimensional as memórias que esconderam de si mesmos irão aflorar. Será uma grande surpresa constatarem como puderam esquecer completamente acontecimentos inteiros, trechos de suas vidas, especialmente eventos ocorridos antes dos doze anos. Ficarão perplexos ao explorarem a capacidade que o sistema nervoso possui de interromper o fluxo de informação que a mente não consegue computar. E contudo, os registros estão lá, vocês podem acessá-los. Agora terão capacidade de computar muitas dessas coisas porque irão aprender a ser neutros e não julgar os acontecimentos de que participaram.

Quando forem explorar o vosso corpo, a vossa identidade e a vossa vida atual, façam-no rapidamente. Vocês não dispõem de anos para estudá-los. Quando a informação em vosso DNA for re-instrumentada e re-ligada, serão capazes de sentir como os eventos desta vida se ligam e desabrocham, tendo uma corrente de objetivos que se liga a diversos lugares onde viveram e a diversas identidades que ocuparam.

O ideal seria agir sem julgar, e assim conseguiriam perceber o que realmente aconteceu aqui vivenciando tudo isso em primeira mão através da memória celular. A única forma de prossegir em direção a uma frequência mais alta e determinar o futuro de vossas vidas no planeta é *não julgar a vossa participação no processo.* Isso é muito complexo e muito importante: *sintam* o que acabamos de dizer. Este processo envolve esmagar o paradigma existente e se tornar um herege da realidade. Começarão a entender que uma existência legítima, real, foi simplesmente escondida de vocês. *É imperativo que comecem a lembrar-se quem são.*

Vocês não estão sozinhos nem poderiam fazer isto sozinhos. Mesmo quando dizemos que são os portadores das vossas almas, existem outros aspectos de vocês que entenderam a história e estão voltando a este momento do tempo para criar o vórtice de energia que irá afetar todas as realidades. Nós não conseguimos enfatizar suficientemente a importância desta época, a excitação e alegria que ela contém – *se vocês quiserem mudar.*

Se não quiserem mudar, nem abdicar de muitas coisas, terão que passar por experiências nada agradáveis. Todos têm certas coisas das quais não querem abrir mão. Esta pode ser a dificuldade, pois cada um tem a sua área de apego. Mesmo assim, vocês vieram para cá com um objetivo: prosseguir suas jornadas e realizar o que vossas almas anseiam. É como se tivessem negócios inacabados aqui. Em muitos de vocês o véu está bem cerrado para que não possam voar para longe e dizer: "O que estou fazendo aqui de novo? Vou cair fora!"

Quem compreende os planos mais elevados, diversas vezes já se sentiu muito só neste planeta. Existem milhões de pessoas neste momento formando um tremendo grupo de apoio. Vocês estão começando a se encontrar e a tecer vossas consciências – um fino fio de seda com outros fios de consciência. Irão ver a mais bela criação formar-se sem grande esforço, porque faz parte de um plano onde todos são motivados a fazer determinadas coisas.

O planeta inteiro tem sido controlado de forma a que, desde a primeira vez que chegaram aqui, fossem educados e treinados para achar que não controlavam a vossa própria realidade. Ensinaram-lhes que tudo é circunstancial pois depende de algo em que não podem interferir. Isto está *errado!* São vocês que controlam o vosso DNA.

Vocês possuem o controle absoluto sobre tudo. Até descobrirem e acreditarem nisso, estarão sujeitos a qualquer coisa que qualquer um deseje fazer com vocês, nesta zona de livre-arbítrio. Em vossa inocência permitiram que o vosso DNA, a vossa inteligência e muitas coisas mais fossem controladas.

Capítulo VI

Desvendando a história

O DNA é portador do código, pois este material genético e suas hélices são constituídas por filamentos de códigos-luminosos – fios de "teia de aranha" finíssimos que contêm informação, semelhantes aos sistemas de fibras óticas. O pilar de luz que vocês usam para se ativar e trazer informações para o vosso corpo também é composto por filamentos de códigos-luminosos. Estes filamentos carregam uma enorme quantidade de informação e o vosso corpo está preenchido por eles. Quando agrupados e colocados em determinado alinhamento, os filamentos de códigos-luminosos trabalham juntos liberando as informações que tornam coerente a história que eles contêm.

Os filamentos de códigos-luminosos dentro de vossos corpos assemelham-se a uma grande biblioteca – uma biblioteca tão gigantesca que contém a história do universo. Durante o desenrolar da história da Terra muitas espécies habitaram o planeta. Vocês convenceram-se de que a humanidade é nativa daqui. *Os seres humanos foram colocados aqui.* Em breve as pessoas levarão um choque ao descobrirem esqueletos de criaturas muito diferentes. Algumas delas já foram descobertas, particularmente na América do Sul, e, embora as notícias tenham saído nos jornais, foram consideradas embustes, matérias sensacionalistas, ou então, por medo, foram mantidas em segredo. Quando a consciência da humanidade se elevar à frequência de receptividade e o sistema nervoso da psique das massas estiver equilibrado a ponto de vocês poderem mudar o paradigma, a própria Terra revelará seus segredos de diversas formas, tais como alterações atmosféricas, mudanças na estrutura, descobrimentos psíquicos, etc.. Vocês vão desenterrar uma nova história.

A tarefa que têm à vossa frente é desejar, comandar e tencionar conscientemente a evolução do vosso DNA. Comandar, desejar e pedir isso não é fácil, pois para tal é necessário mover-se através de diversas identidades. A partir da perspectiva histórica da vossa existência multidimensional, ou da essência da vossa alma, vocês viveram os mais variados tipos de personalidade e algumas dessas experiências foram dolorosas, desafiadoras e difíceis.

Chegou a hora de ultrapassarem os desafios e desvendarem a história contida em vossos corpos, permitindo aos filamentos de códigos-luminosos se reagruparem formando novas hélices e permitindo a si mesmos serem receptivos às novas informações contidas no DNA. Nem sempre elas farão sentido para as vossas mentes lógicas. Vocês irão aprender que elas possuem um lugar, uma função, um propósito, mas que não constituem a vossa identidade. A mente lógica é excessivamente usada por muitas pessoas. É super solicitada, sugada, e quando usam e abusam da mente lógica, criam stress em vossos corpos. Nem sempre precisam entender logicamente o que estão experimentando. Observem-se, mantenham o senso de humor em todas as situações e sustentem a idéia de que estão evoluindo.

Irão viver muitas experiências porque estão subindo uma escada de identidade feita pelo vosso sistema de chakras. Os chakras são centros de informação energéticos ligados às diferentes vidas passadas, quando vocês ativaram ou se expressaram em determinadas áreas. Nos próximos anos, é imperativo que descubram estas vossas identidades.

Os filamentos de códigos-luminosos são instrumentos da luz, parte da luz e uma expressão da luz. Estes filamentos de códigos-luminosos são milhões de fibras fininhas dentro das células que correspondem a filamentos de códigos-luminosos existentes fora dos vossos corpos. Os filamentos de códigos-luminosos contêm a Linguagem da Luz geométrica que, por sua vez, contém a história de quem são vocês. Estes filamentos de códigos-luminosos não conseguiam chegar ao planeta porque havia muita poluição criada pelo time das trevas para mantê-los afastados.

Os filamentos de códigos-luminosos são como raios de luz contendo uma forma de linguagem geométrica. Eles provêm de um banco de dados cósmico e contêm informação. Muitos de vocês encontram-se num estágio em que não necessitam de tratamento corporal. Precisam de uma educação espontânea ou de um implante nos vossos corpos para ensiná-los. Isso é o que ocorrerá nos próximos anos.

Algumas pessoas neste planeta, especialmente quem trabalha com cristais, aprenderão a preencher e ativar outros corpos com estes filamentos. Os indivíduos que buscam esta experiência terão os filamentos ativados em seus corpos, proporcionando-lhes instantaneamente informação e conhecimento. A educação está evoluindo para isso. Haverá seres ajudando-os. Vocês precisarão ser capazes de os reconhecer e reconhecer outras realidades que existem ao vosso redor. Quando as informações dos filamentos de códigos luminosos foram espalhadas, não houve incêndio na biblioteca – foi simplesmente como se todos os livros tivessem sido retirados das prateleiras e jogados no meio da sala. Imaginem-se entrando numa sala repleta de livros, do tamanho de um estádio gigantesco e com todos os livros espalhados no chão. Como conseguiriam encontrar alguma informação lá, a não ser por acaso? Uma vez que os humanos não acreditam na ordem do acaso, jamais seguiram a ordem que está dentro deles.

A informação contida nos filamentos foi deixada dentro de vocês, embora não haja uma *lógica* que a faça coerente. Portanto, agora, como é que vocês encontram as informações? Elas lhes serão reveladas. Este é o processo. Vocês não precisam procurá-las porque esta revelação é a vossa herança, é o que vocês são. À medida que o DNA começar a formar novas fitas, elas viajarão pelo sistema nervoso do corpo que estiver sendo desenvolvido no momento e as memórias começarão a inundar a vossa consciência. Vocês precisam trabalhar para desenvolver este sistema nervoso, ligá-lo em vossos corpos, oxigenar o sistema, aprender como se movimentar através de acelerações de energia e atrair mais idéias e experiências para ele. À medida que este processo começar a crescer e se alimentar em vossos corpos, simplesmente o observem, pois terão vontade de saber como acessá-lo. Manter-se enredado nos próprios problemas é semelhante a ler apenas um dos livros da vossa biblioteca sem se permitir receber as informações contidas nos outros livros. E mais ainda: *existe uma outra história, uma história completa.*

Esta história inteira mantém correspondência com as vossas almas inteiras. Como membros da Família da Luz, vocês comprometeram-se a manter em vossos corpos físicos uma consciência de todas as vossas vidas, a aceitar o que fizeram e os papéis que desempenharam em todas essas vidas, e a invadir realidades diferentes alterando-as segundo as diretrizes do vosso acordo como representantes da Família da Luz. Vocês têm livre-arbítrio neste compromisso, é claro.

A tripla-hélice os traz para o centro do sentimento. O centro do sentimento são as emoções, e as emoções são o vosso caminho, ou ponte, ou o *bilhete de ingresso para o Eu espiritual.* Quando alguém nega o Eu emocional, não pode entrar no reino espiritual. O Ser Crístico disse uma vez: "Conhece-te a ti mesmo." *Conheçam-se a si mesmos.* É a mesma coisa. Esta mensagem chegou ao planeta há muito tempo mas foi distorcida para que as pessoas não percebessem o seu valor nem que necessitavam apenas reordenar-se.

O trabalho é sempre interno. Quando perguntam como mudar o planeta nós sempre respondemos *trabalhem dentro de si mesmos.* Desenvolvam-se. Ultrapassem os limites do ego. Aprendam a tornar-se multidimensionais, a viver no mundo astral, a viajar para fora do corpo físico. Parem de definir o vosso corpo físico como terminando 'aqui', isto é o que a sociedade incentiva para poder controlá-los. Numa zona de livre-arbítrio, controlar faz parte do jogo, porque alguém quer dominar. Vocês são membros da Família da Luz; a que hierarquia e a que deuses devem responder?

O DNA é a história viva da verdade e da vida. Quando uma pessoa consegue fundir-se com esta história, torna-se capaz de atingir realidades sem vídeos, fitas ou livros. É capaz de *experimentar.* Diversas culturas nativas foram treinadas para encontrar os remanescentes da Biblioteca Viva deixados no planeta. Isso explica a reverência que têm pela Terra e pelos animais e o conhecimento sobre a cooperação que envolve todas as coisas. Estas culturas nativas foram intencionalmente colocadas no planeta pois era uma área de treinamento onde havia potencial para a ativação da memória quando chegasse o momento.

O DNA contém o código. Ele contém o projeto da identidade, o plano da existência, a história do universo e a história da vida neste local específico. Está armazenada dentro das células dos humanos. O DNA original dos tripulantes deste planeta, os ocupantes humanos, possui um projeto de sistema genético baseado no número doze. Os doze fios de material genético estão, assim, conectados a várias outras fontes representativas ou informativas que também possuem o número doze. Não se esqueçam, realidade reflete realidade. Os doze fios de informação conectam o ocupante humano aos centros de informação correspondentes, dentro e fora do corpo.

A Terra está entrando agora em conjunção, ou alinhamento, com o propósito através do qual os Planejadores Originais voltam a reativar o sistema de doze hélices da espécie ocupante – a espécie humana – reconduzindo a Terra para sua rota original. Quando a biblioteca biológica foi concebida há eons e eons atrás, ficou decidido que os tripulantes do planeta possuiriam a chave que destrancaria os dados armazenados na Biblioteca Viva.

Como isso se liga aos doze centros de informação? Quando o sistema dos chakras humanos estiver ligado, aberto e ativado, as informações começarão a buscar sua própria expressão tornando-se disponíveis. Existem determinados elementos que agirão como código para acessar estas informações, trazendo-as para um plano de existência onde possam começar a expressar-se. Quando estiverem ligados a esses centros de informação – sete dentro do corpo e cinco fora – estarão prontos para receber energia através de outro grupo de doze centros de informação. Quando ativarem os vossos doze chakras, vão acessar a energia armazenada em grupos de doze centros paralelos, que por sua vez irão ativar o vosso processo. E assim o vosso cérebro atingirá a função plena, completa, semelhante a um computador.

As doze realidades paralelas possuem maneiras de desvendar as informações que estavam sendo mantidas em segredo. Existem vários passos necessários para desbloquear estas informações. Vocês podem comparar este processo com o alto nível de segurança existente nos arquivos do governo, onde a verificação de impressões digitais, senhas e outras barreiras protegem a informação final. Vários elementos precisam ser combinados para se ter acesso a algo muito secreto.

A ativação das doze fitas de DNA coincide com a ativação, movimento giratório e abertura dos doze centros de informação – os doze chakras, ou discos de energia etéricos. Este é o início da conexão do movimento rotatório dos doze. Quando este alinhamento de energia ocorrer, ele atrairá energia dos doze corpos celestes do vosso sistema solar. Estes corpos, então, recomeçarão a enviar energia para a Terra. Ao serem ativados, vão liberar o que guardavam, e a Terra pode tornar-se biogeneticamente viva. Existe uma quantidade imensa destes grupos de doze – os doze universos giratórios, por exemplo. O movimento giratório dos doze centros provocará um caos na nova consciência, porque, quando estes doze centros de energia – principalmente os cinco externos – começarem a ligar-se novamente ao planeta, irá ocorrer uma verdadeira inundação de energia nova.

A formação das doze hélices não significa que, como espécie, se tornarão instantaneamente informados, mas que, para impulsionar a espécie humana em direção a uma consciência mais elevada, existe um máximo e um mínimo de mutações necessárias para criar um novo padrão de operações. Estas mutações trarão um nível de frequência novo, que afetará cada pessoa individualmente. O processo pode ser comparado ao nascimento de um novo sol na atmosfera da Terra. Estas doze hélices não abrangem obviamente todas as informações contidas nos filamentos de códigos-luminosos. Contudo, a sua formação será suficiente para lhes dar, como espécie, um retrato bem mais amplo da vossa origem.

Vocês sabem, pela porção eterna do vosso ser, que fazem parte da Família da Luz e, como membros da Família da Luz, *sabem* quem são. Mas os humanos não sabem quem eles são. Como vocês estão disfarçados de humanos, por vezes podem enganar-se a si mesmos, achando que também desconhecem a vossa identidade.

Nós denominamos Biblioteca Viva o planeta Terra, porque todos vocês possuem a imagem do que consiste uma biblioteca: um lugar onde se guarda e obtém informação. Todos os lugares são verdadeiras bibliotecas. Cabe a vocês encontrar as informações dentro delas e descobrir como traduzi-las.

Gostaríamos que todos começassem a ter essa imagem. Isso vai criar um amor maior pela Terra e uma percepção maior de que nela existe sempre algo com o qual as pessoas podem se relacionar. Ninguém mais irá sentir-se solitário, pois descobrirá que existe vida inteligente desejando comunicar-se com os seres humanos. Quando as doze hélices estiverem formadas, ligando-os aos doze centros de informação, a biblioteca será ativada.

Os seres humanos foram designados para serem a chave que acessará as informações contidas na Biblioteca Viva. Existem muitas histórias sobre esse assunto que podemos lhes contar. Há milhões de anos atrás todas as vidas coexistiam neste planeta, especialmente durante a era dos dinossauros, quando estas enormes bestas operavam como guardiãs do planeta, enquanto determinadas energias construíam e armazenavam os dados aqui. Durante muitos milhões de anos isso aconteceu.

Neste exato momento, *doze* é o sistema que os conecta a algo em outro lugar. Não é o ritmo natural de vocês mas, através de um acordo grupal, decidiu-se usar a energia do doze em diversos sistemas de realidade. É uma fórmula codificada. Muitas coisas que não fazem sentido para a mente lógica, o farão para os filamentos de códigos-luminosos e para o corpo físico à medida que ele for se tornando mais sensível.

O fluxo do planeta foi ajustado para o sistema de doze, mas certas pessoas irão afirmar que este não é um sistema eficiente, não é um fluxo natural. Na verdade, vocês constituem um sistema de treze. Quantas vezes por ano ocorre a lua cheia? Treze. O sistema de treze vai chegar. Em breve irão abrir-se para ele, porque serão capazes de movimentar-se no tempo. A energia do treze movimenta-se além da lógica e além do sistema forçado.

A Família da Luz chegou ao planeta para receber energia dos Planejadores Originais. Esta energia vai criar uma alteração genética, vai reativar e reagrupar os filamentos de códigos-luminosos que irão compor o sistema de doze hélices. Isto vai possibilitar a ativação do corpo humano e tornar os seres humanos extremamente valiosos, pois estarão em condições de ser usados para acessar os dados que se encontram arquivados na Terra, espalhados por todo o lugar, dissimulados em insetos, flores, porcos, no rabo de um burro, nas orelhas de um coelho... Queremos enfatizar que, quando esses dados foram arquivados nas doze bibliotecas, foram colocados em diversas camadas. Assim, quando chegarem às bibliotecas, irão encontrar códigos de liberação diferentes. Em outras palavras, existem muitas vias de acesso às bibliotecas. Vocês não podem simplesmente ir entrando e dizendo: "Tenho passe livre para receber todas essas informações." Da mesma forma que existe um sistema de segurança no governo, as bibliotecas que contêm informações também possuem o seu sistema de segurança.

A razao para a construção das bibliotecas surgiu devido às vibrações de tirania que estavam pulsando naquela época. Os Guardiães do Tempo estavam temerosos de que as informações pudessem cair em mãos erradas. Este foi o motivo porque as bibliotecas foram projetadas de maneiras muito diferentes. As outras bibliotecas, ou mundos existentes, são completamente diferentes do vosso. A missão dos Guardiães do Tempo era desenvolver um projeto por meio do qual a consciência pudesse evoluir, informar-se e ser utilizada para acessar informações.

Originalmente, era de grande prestígio o papel dos ocupantes humanos como indicadores das vias de acesso às bibliotecas. Sem o ocupante humano não se podia acessar as bibliotecas e, quanto maior a sintonia do ocupante humano, maior a capacidade de acesso às bibliotecas. Os ocupantes humanos sentiam-se orgulhosos de serem suficientemente livres e conectados para encontrar informações em todas as coisas.

Os humanos eram os cartões de acesso às bibliotecas. Havia treinamento para ser cartão de biblioteca e, quando chegavam ao planeta seres buscando informações, fundiam-se com o ocupante humano que estivesse codificado para responder a determinados códigos. Se a pessoa tivesse um código baixo, só poderia ver uma certa quantidade de determinado assunto; cada ser vinha com o objetivo de acessar informações específicas. Algumas informações não estavam disponíveis para determinados seres, não por serem secretas, mas por não se adequarem eletromagneticamente a sua estrutura biológica.

Os dados devem ser capazes de penetrar no sistema de crenças de um indivíduo; caso contrário, ele pode explodir se for sobrecarregado com uma energia que não esteja intensamente temperada com amor. É assim que conceitos muito amplos são transmitidos para este planeta: eles viajam na frequência do amor.

A frequência da luz não conduz conceitos amplos porque não é conectada com a emoção. A frequência do amor é conectada com a emoção. Quando um indivíduo está criando um conceito expandido de si mesmo deve sempre sentir-se conectado a um objetivo para compreender a amplidão das coisas. Esse objetivo é o amor.

Um dia vocês vão descobrir que o sexo faz parte do processo. Quando se é dono da própria sexualidade, se percebem as oportunidades de expressá-la e se decide se se quer ou não manifestá-la em determinadas situações. À medida que se tornarem acessíveis e que outras pessoas puderem utilizá-los para descobrir a biblioteca a que dão acesso, poderão ter encontros muito interessantes com o passar dos anos. Se se voltarem para o passado e estudarem as escrituras e antigos manuscritos, irão descobrir que os deuses desciam à Terra e se uniam às filhas dos seres humanos.

A sexualidade tem sido usada para disparar o cartão da biblioteca. Contudo, há um grande perigo nisso, porque essa energia foi usada de forma indevida. Por isso é tão importante *ser dono* da própria sexualidade e estar muito seguro em relação à pessoa com quem partilhá-la. Nós não queremos que sejam comprados ou seduzidos. Recomendamos que observem e sintam se seus companheiros estão sendo honestos e íntegros, ou se estão se aproveitando de vocês. Vocês estão se tornando distribuidores de poder.

A Terra encaminha-se para uma grande colisão, e nada permanecerá preso. Estamos inundando o planeta, nós e muitos outros seres, com oportunidades para que vocês se lembrem. Certas entidades tradicionalistas acham que deveríamos supervisionar melhor as informações que estamos oferecendo. À medida que começarem a acumular estes conhecimentos e estas habilidades, atrairão outras pessoas que, através de vocês, conseguirão acessar o que necessitam.

Quando fazem sexo com alguém, é como se abrissem uma avenida para outras bibliotecas. Isso tem relação com muitas, muitas coisas. Queremos que cada um de vocês ame e respeite o seu corpo, ame a si mesmo e tenha a certeza de que quando fizer sexo com alguém, essa pessoa realmente o ama. Isso não significa que devam casar-se. Mas é imprescindível que haja amor, que conheçam a pessoa com quem estão se unindo; dessa forma, as descobertas que fizerem irão movimentar-se entre os dois. Não estamos fazendo recomendações, apenas os alertando, pois irão constatar o que pode acontecer com pessoas que não tomam cuidado com o seu poder.

Em outras palavras, a sexualidade não é algo para se brincar por aí. É uma forma de abrir muitas avenidas. Se as pessoas não a abordarem cuidadosamente, poderão atrair energias mesmo sem ter um parceiro. Usar a sexualidade para ativar informações pode convidar energias erradas. Portanto, estejam conscientes em relação à frequência da sexualidade, pois ela provoca emoções e as emoções são a chave para acessar os dados arquivados na Biblioteca Viva.

Capítulo VII

A fusão multidimensional

É um privilégio participar do evento da vida. O simples fato de existirem fisicamente os contempla com experiências e características que não poderiam receber de nenhuma outra forma. Fazer parte da fisicalidade na Terra nesta época particular, e durante os últimos 200.000 a 300.000 anos, não deixa de ser um acontecimento realmente importante porque significa terem vindo para um lugar onde reinavam as trevas. Tiveram que lutar para manter os olhos abertos para toda e qualquer oportunidade de reconhecer a alegria e a elevação. Se voltarem na história moderna, irão verificar que raramente as pessoas puderam ter vidas edificantes. É por isso que vocês precisam fazer brotar do vosso interior a elevação, e se convencer de que podem fazê-lo.

A natureza da existência na Terra tem sido uma luta entre a luz e as trevas há muitos eons. Algumas pessoas chamam de batalha entre o bem e o mal, ou entre a elevação e a maldade. Nós apenas afirmamos que se trata de um acontecimento num lugar onde existem certas leis e regras, e que a Terra certamente não é o único local que se depara com essa espécie de desafio.

Vocês são especiais pois a estrutura biogenética em que operam possui uma capacidade imensamente maior do que jamais sonharam. É muito interessante observar o vosso desempenho nessas lutas, porque vocês foram convencidos de que apenas podiam utilizar uma pequena porcentagem do vosso potencial. Na realidade, vocês são grandes criaturas, criadas à imagem e semelhança dos deuses. Mesmo dotados com um potencial incrível, foram controlados a ponto de negarem a existência deste potencial. A maioria das pessoas usa de 3 a 4% de sua capacidade. Os mais avançados chegam a usar de 12 a 15%. Como é que ficam a maioria das pessoas? Onde estão os outros 80 ou 90%? O que fazem estes 90% da capacidade? Estes 90% estão despertando agora, e os olhos da antiguidade vão começar a se lembrar e a enxergar o que o Eu é capaz de ser. Quando os olhos da antiguidade estiverem abertos e reconhecerem o vosso verdadeiro potencial, vão parar de brigar consigo mesmos. Vão parar de brigar pelas limitações e ultrapassar o que insistiam em usar e os puxava para trás.

No antigo Egito eram necessárias muitas vidas para que um sacerdote iniciado abrisse completamente seus olhos para outras realidades. Eles eram treinados para reencarnar em determinadas famílias e lembrar-se de quem eram. Mães e pais sabiam quem seriam seus filhos porque lhes era revelado em sonho. Sabiam quem viria para seus corpos antes mesmo da concepção. Os olhos estavam muito mais abertos naquela época, e eles podiam enxergar várias realidades diferentes. Eram chamados os olhos de Hórus porque viam muitos mundos diferentes – o mundo da vigília, o mundo do sono, o mundo dos mortos, o mundo dos sonhos.

Vocês que desejam abrir os olhos da antiguidade, que são mestres vigilantes, já passaram por treinamentos em muitas outras vidas. Agora chegou a vossa vez de integrar estes treinamentos num corpo e sistema que nada tem a ver com a vida templária – algo que não está esperando para lhes oferecer um lugar para as vossas habilidades. Vocês são renegados, por isso a vossa sociedade não está esperando que desenvolvam os vossos dons, como no antigo Egito. Não há espaço para os vossos talentos dentro da sociedade oficial. Ainda não estão vivendo como deveriam. Enquanto isso, seguirão o ritmo que o corpo, a alma e a mente julgarem apropriado para o uso dos vossos talentos.

Não se martirizem por não estarem acelerando no ritmo que o vosso ego considera adequado. O ego tem olhos que vêem uma parte de vocês. A alma, ou os olhos de Hórus que olham através de vocês, tem uma visão completamente diferente em relação ao que é apropriado. Conhecendo as vossas necessidades, a vossa constituição, o vosso projeto, poderão operar num ritmo que irá mantê-los intactos. Os hospícios estão cheios de pessoas que abriram os olhos da antiguidade e o que viram não fez sentido para elas, não conseguiram entender; não conseguiram encontrar a sua estação. Sem um local onde ligar suas tomadas, o delicado equilíbrio do sistema nervoso é afetado.

Vocês estão desenvolvendo o vosso sistema nervoso muito depressa, e há maneiras de perceber isso. De vez em quando, conseguem pegar as pulsações que os tira da conhecida realidade física – saem da frequência da identidade tridimensional. Então, são capazes de mudar para outra vibração e ver, sentir e perceber que algo fora do comum – extraordinário – está ocorrendo. Normalmente neste ponto vem a negação de tudo, porque a mente lógica não consegue explicar o que está acontecendo, nem controlar a situação; então vocês negam a experiência, ou bloqueiam a memória.

O ideal seria acreditarem na intuição – se vocês acreditam no que *sentem*, mesmo que pela lógica não faça sentido, podem atuar confiantes. A impaciência é uma armadilha para muitas pessoas. Não menosprezem as virtudes da tartaruga que se movimenta muito lentamente, pára, entra e contempla, está perto do chão – e enxerga muito bem.

Quando quiserem uma aceleração na abertura dos vossos olhos da antiguidade, afirmem a vossa intenção. *Pensem.*

O pensamento cria. Se o vosso pensamento for o desejo de uma mudança acelerada com maior crescimento e capacidade, é isto que acontecerá. *Quando vocês duvidam,* a dúvida também é um pensamento e também cria a si mesmo. Quando ocorre a dúvida o processo de expansão pára porque vocês estão negando a sutileza do que estão recebendo.

Vocês estão vivendo uma década que rotulamos de "a década inominável": os anos 90. Durante este período, todos os grandes eventos começarão a acontecer na Terra. Muitos destes eventos já estão ocorrendo, mas foram sequestrados e confinados pelas autoridades oficiais. O funcionalismo oficial cresceu muito e não cabe mais dentro de seus limites porque estes limites não mais comportam a evolução da realidade.

Aqueles entre vocês que são antigos – que são os mestres a despertar – quando despertarem, queremos que sejam capazes de enxergar através dos olhos da antiguidade e consigam acordar algo que já conhecem, algo de que se *lembram,* algo no fundo de vocês. Vão precisar acreditar, confiar em si mesmos. Precisam ser capazes de ver, de *entender o que estão vendo,* e de traduzir essa visão grandiosa para as outras pessoas. Vocês atingirão a compreensão de uma vasta implosão da consciência que os levará a conhecer quem sempre foram.

Cabe a vocês unicamente, soltar as amarras e permitir-se seguir adiante. Já falamos sobre as vossas crenças e a importância do pensamento. Enfatizamos muitas e muitas vezes que *vocês são o resultado do pensamento,* que *o pensamento é* e que esta é a essência da compreensão, da manipulação e do trabalho em vosso mundo. Quando começarem a retirar este processo do intelecto e a colocá-lo dentro dos vossos corpos, quando se comprometerem a viver a vida dessa forma, aí então os olhos da antiguidade começarão realmente a ver.

À medida que começarem a descobrir a história da vossa alma, a vossa identidade neste corpo particular – o "Eu"– pode parecer deveras insignificante. Vocês possuem uma essência magnífica, cuja expressão neste planeta data de tempos muito remotos, e há tantas coisas acontecendo atualmente que não conseguem perceber... Se a existência neste planeta fosse um livro de um metro de espessura, com o despertar da Nova Era vocês ainda estariam nas primeiras páginas. O livro inteiro será conhecido em muitas vidas.

Conforme forem computando todas essas informações, a história inundará as vossas consciências, e conseguirão ultrapassar as fronteiras do lugar onde achavam que a civilização se originou. À medida que forem desestruturando as vossas identidades, respeitem, acalentem e amem toda a variedade de identidades que constitui cada um de vocês, e não considerem nenhuma delas insignificante. Respeitem-nas todas, quer estejam colhendo morangos no campo, ou catando bitucas de cigarro na sargeta. Permitam ao aspecto do Ser que contém o fogo primordial expressar-se através de vocês. Podem continuar sendo o "Eu", quando for apropriado sê-lo. Então, quando a imensidão da energia desejar utilizar o vosso veículo físico como parte do plano para afetar a realidade, o "Eu" não será aniquilado, mas incorporado: *isto é ser multidimensional. Isto é ser capaz de mover-se.*

Cada um de vocês sabe que está aqui numa sequência de tempo razoavelmente profunda. O período sobre o qual já se escreveu muito, se sussurrou muito, e se falou muito está acontecendo. Trata-se da época em que a humanidade sofrerá uma mutação física à vista de todos e, literalmente, tornar-se-á muito diferente do que era anteriormente. No que se transformarão os seres humanos? Muito simples: os seres humanos se transformarão em seres multidimensionais.

Esta é uma palavra grande que encerra um conceito grande. No entanto, trata-se de uma coisa que será tão familiar quanto calçar sapatos. Humanos multidimensionais são seres humanos que conscientemente existem em vários locais diferentes ao mesmo tempo. Os humanos estão passando por uma mutação, estão evoluindo e tornando-se seres com capacidade para saltar de uma estação para outra e compreender a grandeza de quem são – compreender que não acabam onde termina a sua pele. Os seres humanos não terminam onde termina a sua aura ou o seu corpo etérico; eles existem em muitas realidades diversas.

Esta é a era do Eu multidimensional: o Eu que pode deslocar-se conscientemente em muitas realidades diversas; o Eu que pode eventualmente bilocalizar-se e desaparecer; o Eu que pode movimentar-se na quarta dimensão – *aquele que percebe,* não aquele que pensa. Esta é a era do Eu que compreende que a parte pensante de si é muito importante mas não deve ser a polícia do corpo físico: deve ser um conselheiro.

Vocês agora estão sendo orientados para cultivar a intuição, a avenida que vai conduzir ao casamento da consciência. Trata-se do casamento do aspecto masculino, que é o lógico, com o aspecto feminino, que é o sentimento. Implica em uni-los para que se tornem um.

Chegou a hora de agitar. Vocês encontram-se num ponto crucial e este é o momento de uma enorme mudança, um enorme salto, um abandonar, um liberar, um deixar ir. Chegou a hora de permitir, sem restrições, que a luz e o espírito movimentem cada um de vocês através de suas existências, chegou a hora de permitir que se tornem um com os aspectos multidimensionais do Eu, e com partes do Eu que nem imaginam existir. Estes aspectos do Eu *existem* realmente. Estão ligados a vocês e os usam, pois vocês são portadores de suas almas, como veículos de movimento da luz neste universo, neste momento.

Aqueles do nosso grupo que articulavam as probabilidades do Criador Primordial estavam corretos em suas viagens no tempo e em suas antecipações. Realmente, o Criador Primordial está enviando uma mudança de vibração para esta área de existência, esta zona de consciência de livre-arbítrio. A ação está acontecendo aqui na Terra, agora.

Esta é uma experiência de enorme amplitude e é com grande emoção e ansiedade que cada um de vocês veio participar dela. Tenham coragem. É difícil enfatizar suficientemente: *tenham coragem*. Sigam a vossa orientação interior e confiem em si mesmos. Chamem a energia para os vossos corpos físicos e utilizem-na. Desafiem as leis da humanidade, porque foi isso que vieram fazer aqui. Vocês são renegados, assim como nós.

Existem pessoas que não conseguem viajar nesta rota de consciência, e tudo bem. Não é uma rota muito fácil mas trará as recompensas que suas almas estão buscando, mesmo que elas cheguem através de batalhas. Vocês estão desmatando a consciência e chegarão a um lugar onde a vista é muito ampla, onde terão opções completamente novas em relação a onde ir, dentro e fora do planeta. As pessoas que se envolverem com vocês irão descobrir que também elas terão novas opções. Toda a conscientização atraída para este planeta nesta época acenderá a centelha de evolução que irá alterar a estrutura do universo. *Pensem grande.* Pensem realmente grande e sigam em frente.

Quem são estes seres multidimensionais? Muitas vezes vocês foram induzidos a acreditar que existem outras porções de vocês mesmos que estão muito mais unidas e sabem muito mais do que vocês. De certa forma isto foi e ainda é verdade. Contudo, vão descobrir que, sendo os portadores de suas almas, começarão a ativar dados arquivados dentro do corpo que contêm a história integral de vossas existências.

Como saber quando estes outros aspectos do ser começarão a se manifestar? Pode ser de forma muito sutil, ou de forma violenta, como se levassem uma pancada na cabeça.

Depende, simplesmente, de cada um. Podem estar sentados um belo dia e, de repente, num piscar de olhos, se encontrarem num lugar diferente. Isto é como levar uma pancada na cabeça. De forma mais sutil, podem estar andando na rua, olhando uma vitrine, quando de repente um manequim, um desenho, ou uma palavra dispara algo dentro de vocês; por um momento dão uma guinada e captam a imagem clara de uma identidade simultânea – existindo ao mesmo tempo que vocês.

Começarão a descobrir aspectos de si mesmos que existem não-fisicamente, ou partes de vocês que são criaturas trabalhando no espaço, seres extraterrestres de verdade. A alma vai despertar. Ela conhecerá cada aspecto de si mesma, e cada aspecto seu compreenderá tudo a respeito de si instantaneamente.

Tornar-se-ão conscientes de todas as realidades de uma só vez, ao aprenderem como entrar no ritmo vibracional da quarta dimensão. Desenvolverão esta capacidade equilibrando primeiro três ou quatro realidades, depois cinco ou seis, e assim por diante. Despertarão as faculdades do Criador Primordial e cada um se tornará o *seu próprio* Criador Primordial. O objetivo do Criador Primordial ao criar este universo e todos os outros, era desenvolver-se a ponto de possuir tantos canais de dados multidimensionais abertos que ele – cuja consciência está em todas as coisas – estaria consciente de si em todos os eventos que envolvessem cada uma destas coisas, e conseguiria computar tudo isso sem enlouquecer.

Vocês estão desenvolvendo esta faculdade. Basicamente, a parte que estão atravessando agora é a mais árdua, porque estão duvidando e questionando se tudo isso é realmente verdade. O corpo diz uma coisa e a mente diz outra. O corpo diz uma coisa e a sociedade diz outra. O conhecimento está crescendo, e trata-se do conhecimento daquilo que está despertando dentro de vocês.

Precisam estar empenhados o tempo todo. Quando começarem a vivenciar estas habilidades, estes dons, precisam aprender a trabalhá-los. Comecem sabendo que possuem orientação divina e que todos os acontecimentos atraídos para vocês os levam ao crescimento, não importa a revolução que pareçam produzir em suas vidas. E, principalmente, estes eventos tornarão vocês mais ricos. A situação atual pode ser comparada a alguém descarregando barris cheios de ouro no vosso quintal e vocês dizerem: "Droga! O ouro está estragando a grama!" Vocês podem achar que o gramado não está tão bonito quanto era por causa do ouro.

Aprendam a participar de qualquer experiência que vivenciem; participem plenamente do vosso corpo físico. Desfrutem dele, tenham bons momentos com ele e aprendam a, simultaneamente, observar suas experiências, o efeito que estas experiências provocam nas outras pessoas e em vocês mesmos, e os resultados que obtêm de cada uma delas. E assim, sempre que algo de natureza extraordinária ocorrer, poderão dizer para si mesmos: "Uau! Outra vez! O que é que eu posso aprender com isto?"

Quando não estiverem tendo estas experiências, imaginem-se assumindo o controle de suas vidas, *agindo como* se pudessem comandar ou alterar uma destas experiências a próxima vez que elas surgirem. Vocês conseguem fazê-lo, da mesma forma como aprenderam a despertar no meio de um pesadelo e a ordenar que não seriam raptados pelo bicho papão, ou a fazer o sino tocar bem na hora em que iam ganhar um zero. Como indivíduos e como espécie, devem cultivar essa credibilidade ou intenção em todas as experiências da vida.

Uma convergência de seus "Eus" está prestes a ocorrer neste planeta. Os "Eus" que vão encontrar estão chegando de todos os confins do universo. Existem "Eus" que a simples lembrança petrifica, e "Eus" que a simples visão poderia matá-los de um ataque cardíaco. *Estes "Eus" são vocês.*

A Terra está passando por uma iniciação. Vocês passarão por uma iniciação porque fazem parte da Terra, e não podem separar-se deste sistema. A Terra está se transformando e pretende agir como um dominó para o seu sistema solar. Pretende fundir múltiplos mundos em um, pretende estar ancorada o suficiente para permitir que todos esses mundos existam e para traduzir a experiência. A Terra está pronta para isso. E, claro, todos vocês também devem estar.

O mundo 3-D (tridimensional) está fadado a uma colisão de dimensões – não uma colisão de mundos, mas uma colisão de dimensões. Muitas dimensões irão chocar-se. Algumas destas dimensões podem parecer pavorosas, aterrorizadoras. O teste, a iniciação – e iniciação significa sempre atuar em outra realidade para conquistá-la e transmutá-la – será defrontar-se com estas energias e entidades aparentemente de um horror total e compreender que elas vieram fundir-se com vocês porque *são* vocês. Elas fazem parte do ser multidimensional que vocês são, e vocês são os portadores da alma, *vocês são luz*. As trevas virão à luz. Sejam muito claros quando lidarem com estas coisas. Se estiverem hesitantes sobre algo, não o façam. Sejam claros.

Nós definimos luz como a promoção, a distribuição e o partilhar de informação. Trevas são o controle e a retenção de informação. Pensem sobre isso, sintam. Vocês vieram a este planeta com um programa codificado para trazer luz e provocar uma transformação planetária colossal. Vieram para serem os porta-estandartes das vossas almas, a parte das vossas almas que vai liderar e que diz: "Eu estabeleço o ritmo aqui, e o ritmo é luz e informação; nada de sombras."

Alguma vez já pensaram que existem porções do vosso Eu que se encontram nas trevas e que não conseguem chegar à luz, a não ser com a vossa ajuda? Elas também querem luz. Elas querem respostas e soluções. O que vocês sentem pode não ser a intenção das forças das trevas, e sim a emoção das forças das trevas – o medo que vibra decorrente da falta de informação. Partes dos vossos Eus que estão desinformadas virão a vocês para receberem informação. Como vão informá-las? Espalhando luz; compatilhando a luz. Dizendo: "É minha intenção que todos os meus outros Eus venham comigo nesta jornada e que também eles recebam a luz". É muito simples.

A batalha entre a luz e as trevas na verdade não serve a vocês. Faz parte da história de separação que os confunde. Na verdade, trata-se simplesmente de aspectos individuais de almas que adotaram aparências diferentes, entrando em conflito consigo mesmas. Vocês estão lutando consigo mesmo. A batalha da luz contra as trevas, ou do bem contra o mal, não passa de uma batalha entre porções de vocês mesmos. Estas porções são extensões multidimensionais, ou reencarnações, do mesmo coletivo de energias de que fazem parte como indivíduos. Quando não compreendem determinada coisa, vocês a temem. Como formas separadas da consciência que faz parte do jogo do Criador Primordial, encontram-se num universo feito por dualidades. O Criador Primordial trouxe este universo à existência com os componentes do livre-arbítrio para que este conduzisse ao caos e depois a um realinhamento de energia e a uma percepção do Criador em todas as coisas.

Com o livre-arbítrio tudo é permitido e as oposições acontecem. Estas oposições retalham o Eu, da mesma forma que o Criador Primordial está em todas as coisas e permite todas as coisas. As coisas que os amedrontam são *vocês*. Portanto, quando se concentrarem na história do bem e do mal e quiserem compreendê-la, precisam apenas perceber que estão jogando bola com outros aspectos de vocês mesmos que lhes permitem jogar do vosso ponto de vista.

O assim chamado mal serve a um grande propósito. Vocês julgam-no apenas porque parece ruím. Como membros da Família da Luz, quando vivem em outros lugares, vivenciam vários aspectos de si que podem atingir a perfeição. Quando vêm para a Terra, entram na densidade do planeta e só podem atuar com a limitada dupla-hélice, por isso esquecem muitas coisas. Agora, à medida que forem despertando e reconhecendo a vossa potencialidade, vão descobrir que *vocês* são vossos próprios inimigos.

Como membros da Família da Luz têm acesso a um tremendo arsenal de entendimento que outros seres não têm. Vocês vêm com ele, são lembrados de que ele existe e agora estão aprendendo e aceitando isso. Parte da vossa tarefa consiste em permitir a vocês mesmos a fusão com os vossos Eus que aparentemente são inimigos e se encontram separados de vocês. Estes Eus encontram-se em todas as variedades de existência. A vossa tarefa consiste em manter a frequência do amor, que é a frequência da criação, da luz, da informação, através de toda a coleção das vossas almas. Vieram juntos como alma para adquirir experiência e enriquecer o Criador Primordial. Ao se separarem, partem e agem de acordo com o vosso livre-arbítrio, quaisquer que sejam as vossas escolhas, sem julgamento, para adquirir as informações corretas que os trarão de volta ao todo.

A história do bem-e-do-mal pode atrapalhá-los se não conseguirem superá-la. Vocês constituem uma coleção de personalidades de riqueza incrível, que encarnam em diferentes sistemas de realidade. Como membros da Família da Luz, vêm a esta realidade para trazer informação, e o fazem em diferentes sistemas. Existem versões vossas que estão executando o mesmo trabalho na comunidade dos lagartos, dos insetos e dos pássaros. *Vocês são uma coleção de personalidades.* Como membros da Família da Luz, a experiência das vossas reencarnações inclui formas não humanas.

Uma característica que os membros da Família da Luz têm em comum é a sua participação em diversas versões de realidades sencientes ou compostas. Muitas das formas que escolheram para encarnar podem parecer-lhes muito estranhas e assustadoras; contudo, esta é a maneira pela qual as vossas almas evoluem. Vocês não encarnam numa só espécie; são viajantes. Assim como estão fantasiados de humanos, também o podem estar de lagartos ou de outra coisa. Fazem isso para poderem se unificar e compreender a essência do Criador Primordial, através de uma variedade de espécies que aparentemente nada têm em comum.

Como membros da Família da Luz, vocês conhecem os bastidores. Vêm como embaixadores para fazer as realidades se fundirem e absorverem as informações umas das outras, para que todos os envolvidos no processo possam liberar o medo e perder as inibições. Parte do vosso trabalho consiste em encontrar estes outros Eus, fundir-se com eles, e sentir como é. O ideal seria que se tornassem viajantes multidimensionais e fossem capazes de extrair a força de seus corpos. Assim, se estivessem trabalhando no campo, talvez cultivando a terra, ou conversando com alguém, ou colhendo morangos e de repente algo os atingisse – um som, vocês pediriam licença e diriam: "Estão me chamando. Volto mais tarde." Saíam do lugar, sentavam-se e permitiam que a vossa personalidade atual terrestre partisse. Conscientes, levavam então esta personalidade para onde ela estava sendo chamada, para que contribuíssem com a qualidade da Família da Luz que estava sendo necessitada naquela realidade. *Vocês irão saber.*

Todos se tornarão jogadores multidimensionais. Não se importarão quando um de vocês pedir licença ao ouvir o chamado. Viajarão com a consciência e a diversão virá do Eu. Não precisarão ler livros, ouvir músicas ou ir ao cinema, pois estarão vivendo tudo isso. Ao trazer as faculdades da Família da Luz para este planeta, muitas pessoas não vão querer tê-los aqui, porque vocês não se submeterão a seus deuses.

Nem todos querem a liberdade. Vocês, como membros da Família da Luz, vão criar uma nova Terra que será livre. Quem não quiser ser livre, também possuirá a Terra. Haverá uma divisão, um tempo de separação. Os membros da Família da Luz sabem que não há necessidade de se forçar nada. Vão simplesmente trabalhar em harmonia, sustentar uns aos outros e buscar apoio uns nos outros porque o que irão fazer será muitas vezes considerado uma afronta.

Cada um de vocês ofereceu-se para vir à Terra agora para sustentar uma frequência. Neste período, a frequência é luz, mas posteriormente irão aprender como sustentar a frequência do amor. A grande maioria de vocês não tem a menor idéia do que seja a frequência do amor. Nós estamos falando de amor e de luz, no entanto, vocês não compreendem suas ramificações, nem o seu verdadeiro significado. Luz é informação; amor é criação. Precisam estar informados antes de criarem. Compreendem isto?

À medida que crescerem e atingirem estes planos superiores de reconhecimento, vão esbarrar no que parecem blocos de cimento – camadas de vocês próprios que os seguravam. Imaginem a frequência que limitou a experiência humana como uma estação de rádio. A experiência humana ficou na mesma estação por 300.000 anos! Sempre o mesmo velho som. A experiência humana era incapaz de mudar o dial e ouvir uma banda diferente, sempre a mesma frequência era transmitida. Isto criou uma quarentena – o planeta lacrado.

Os raios cósmicos criativos enviados pelo Criador Primordial e pelos Planejadores Originais bombardeiam a Terra e atravessam esse escudo de frequência, mas precisam ter alguém para recebê-los. Sem um receptor, estes raios cósmicos criativos criariam a confusão e o caos. Como membros da Família da Luz, vieram a este sistema para receber estes raios de conhecimento. A vossa missão é disseminar o conhecimento, o novo estilo de vida e a nova frequência para o resto da população alterando o planeta inteiro.

Como membros da Família da Luz, estão aqui para ancorar a frequência e permitir que o processo de mutação ocorra dentro dos vossos corpos, para que possam torná-lo possível em todo o planeta. Vocês vivem o processo e o irradiam para o planeta. O que isso significa? Significa que finalmente a vossa realidade vai mudar e a maneira como lidam com a realidade também. Vocês vão deixar de ser vocês, como se conhecem, e se tornar mais conectados com todas as vossas outras partes que estão querendo dar o mesmo salto de consciência que *vocês* deram.

Este processo envolve encontrar, fundir-se e usar o ser multidimensional. À medida que atingirem um maior conhecimento, vão perceber que não estão sozinhos e que existe uma infinidade de Eus; estão desafiados a entender isso. Não há como atingir um conhecimento superior sem passar pelo ser multidimensional. Isto significa atingir a realização plena e vivenciar, encontrar e fundir-se com um coletivo de inteligências existentes no agora-sempre-em-expansão, além do tempo e do espaço.

Acreditem em nós quando afirmamos que vocês, como membros da Família da Luz, se prepararam realizando uma extensa pesquisa histórica sobre a manipulação que vem ocorrendo no planeta, da mesma forma que um missionário é treinado por um longo período antes de ser enviado a seu campo de ação. Cada um foi treinado individualmente, e o conhecimento está dentro de vocês. Nosso papel consiste em vibrar as cordas chave que irão ativar a vossa consciência, para que possam compor os vossos concertos, tocar as vossas melodias, ou dançar, dependendo da preparação que lhes foi ministrada. O conhecimento está dentro de vocês e, se concordarem em descobri-lo, ele despertará e revelar-se-á a partir de níveis cada vez mais profundos do vosso ser. Tornar-se-ão auto-suficientes se concordarem com isso e incrivelmente sábios também, se não tiverem medo e não interromperem o processo.

Estamos lhes contando, com muita honestidade, que o medo sempre fará parte do vosso processo evolucionário, portanto é bom se acostumarem com ele. Não devem achar que o medo é ruím. Se sucumbirem aos vossos medos e se permitirem entregar-se a eles, poderão circular por eles, vivenciá-los e, assim, vencê-los. Comecem a dizer: "Eu transmutarei este medo. Eu compreenderei que ele me serve." Lembrem-se que o vosso poder e capacidade de criar a realidade através da força de vontade terminam onde o medo começa. A vida é encontrar o medo. Comecem a observar os eventos das vossas vidas e como os criaram. Vocês foram treinados e codificados para isso.

Capítulo VIII

Fora da tirania suprema

A tirania suprema numa sociedade não é controlada pela lei marcial. É controlada pela manipulação psicológica da consciência, através da qual a realidade é definida de tal forma que as pessoas que nela vivem nem mesmo percebem que são prisioneiras. Nem mesmo cogitam a existência de outras coisas fora de seu habitat. Nós representamos uma outra realidade, exterior àquela que lhes foi ensinada como a única existente. É como às vezes imaginam – e onde nós queremos que vocês morem; é fora do lugar determinado pela sociedade.

Vocês foram controlados como carneirinhos no curral por aqueles que se consideram seus donos – o governo, o Time de Administração Mundial e os controladores espaciais. Foram privados de conhecimento através do controle da frequência. Imaginem a frequência como sendo um transmissor e receptor individual no qual vocês podem escolher a estação. É a irradiação de ondas condutoras de inteligência. A amplitude da frequência é ilimitada, e a amplitude do material inteligente transmitido é ilimitada.

O controle da frequência limita o número de estações que podem sintonizar. Como membros da Família da Luz, necessitamos ancorar as novas frequências através do caos da estática e trazê-las para o plano físico. A amplitude de acessibilidade de uma grande variedade de frequências a este planeta tem sido mínima, há muito tempo, devido a situações que vocês necessitam urgentemente ficar cientes. À medida que forem conhecendo melhor a vossa história pessoal, vão descobrir padrões de comportamento ineficientes que devem ser quebrados e mudados. O planeta também pulsa dentro de um padrão de comportamento próprio. Vocês estão prestes a repetir a história a nível planetário de uma forma mais dramática.

É vossa tarefa alterar e remover a frequência de limitação e trazer a frequência de informação. Quando estão informados, conseguem mudar sem medo. Quando perdem o controle, sentem-se desinformados e não conseguem enxergar o quadro completo. Cada um veio para despertar algo dentro de si, dentro do código do seu ser – o DNA – e vocês estão respondendo a isso. Esta é a razão da procura em todas as dire-ções que caracteriza as vossas vidas.

O processo de mutação no planeta foi iniciado. À medida que ocorre a mutação eletromagnética, vocês alteram a vossa frequência ou a sintonia em que operam. Finalmente, vão ultrapassar a frequência que os segura e os bombardeia continuamente com o caos e a confusão. Posteriormente, quando alterarem, sustentarem e mantiverem a vossa própria frequência, vão vibrar diferente, e assim afetarão todos à vossa volta. As pessoas sentirão a disponibilidade desta alteração de frequência que se propagará como uma onda por todo o planeta. Conforme o planeta for aceitando esta nova frequência que vocês trabalharam duro para obter, as pessoas que se encontram no fim da cadeia do dominó irão recebê-la. Esta nova frequência é chamada conhecimento, luz e informação. Chama-se a saída da escravidão. Vocês estão saindo da falta de informação e da informação deturpada e se tornando informados; estão vindo à luz.

Quando se comprometem a tornar-se informados e a provocar a alteração da frequência do planeta, precisam aprender a tornar-se Portadores de Frequência. Devem atingir um determinado nível de conhecimento e, continuamente, permanecerem lá. Precisam assumir o comando de seus corpos para que permaneçam imóveis ou ativos. Devem ser capazes de entrar dentro de si mesmos e curar o que estiver desequilibrado emocional ou fisicamente. Devem começar a investigar a floresta do vosso ser e encontrar a clareira, para que possam indicar o caminho para as outras pessoas. Muitas vezes mostrarão o caminho sem falar, simplesmente sustentando, vivendo e trabalhando em suas próprias frequências, tendo simplesmente a coragem de fazê-lo.

Como destruidores de sistemas e Portadores de Frequência em potencial vocês, obviamente, atuarão nas áreas em que as vossas especialidades serão mais necessárias. Muitos dos membros da Família da Luz encarnaram nos Estados Unidos porque este é o país onde podem progredir mais. Acontece também que este é o país onde a restrição é mais difundida. Vocês acham que estão vivendo na terra da liberdade, na pátria dos corajosos e no entanto vivem na sociedade experimental mais controlada do planeta. A tirania estabelecida neste país é interessante, pois trata-se de uma tirania sem muros. Como país e como consciência coletiva, os Estados Unidos ainda não atingiram a percepção de que algo está errado. O ambiente dos Estados Unidos é, na verdade, muito mais controlado do que o da antiga União Soviética, onde o controle era óbvio.

Devido ao medo que as pessoas possuem de abandonar o sistema nos Estados Unidos, serão *forçadas* a fazê-lo. O sistema é corrupto, não funciona, não respeita a vida, não respeita a Terra. É o fim da linha. Se algo não respeita a vida, nem a Terra, podem apostar que vai desmoronar, e com estrondo.

A consciência deve mudar. Isto faz parte do Plano Divino, e uma oportunidade destas não deve ser perdida. Houve um excesso de dedicação ao mundo material, e uma completa falta de atenção ao mundo não-físico que os envolve a todos, mas agora haverá uma mudança nas prioridades. As pessoas se levantarão, quando tiverem perdido tudo, e despertarão para o incrível potencial que há nelas mesmas.

Nos próximos anos, ocorrerá nos Estados Unidos um início de união e cooperação comunitárias, acabando com as segregações político-ideológicas. Estas desagregações foram planejadas. Quando as pessoas se separam, concentram-se naquilo que não possuem em comum, ou rotulam-se de diferentes, e isto é o disfarce perfeito para impedi-las de descobrirem o que possuem em comum. Estas separações impedem as pessoas de se unirem, de se tornarem fortes como grupo.

A maioria das manobras políticas, principalmente nos Estados Unidos, destinam-se a separar vocês. Observem a Nova Era. Já repararam como a Nova Era é segregadora? Todos os tipos de coisas são afirmadas para impedi-los de descobrir o que vocês têm em comum com os vossos conterrâneos. Quando as pessoas descobrirem isso, ficarão furiosas. Certos acontecimentos causarão a impressão de que o país está desmoronando, mas estarão servindo ao propósito de unir as pessoas. Um novo orgulho, um novo sentido de integridade surgirá, pois isso é o que foi planejado desde o início dos tempos.

O plano material é uma área à qual todos estão relacionados. A vida nos Estados Unidos resume-se em quanto dinheiro se tem no bolso, e quanto dinheiro o governo quer tirar do vosso bolso. Os impostos provocarão a maior devastação nos Estados Unidos e, ao mesmo tempo, criarão a maior união, pois todos possuem impostos em comum. Vocês podem não adorar o mesmo Deus, mas todos pagam impostos.

Através de uma manobra inteligente, a crise do Oriente Médio permitiu ao governo conseguir o que queria, sem necessidade de enfrentar o problema de pedir permissão para aumentar o imposto sobre a gasolina. Percebem como eles são espertos? Com o acréscimo de impostos sobre impostos, as pessoas começarão a examinar a sua qualidade de vida. Irão ver muita raiva neste país, porque muitas pessoas vão sentir-se impotentes. A raiva é uma das primeiras emoções que irá ocorrer quando as pessoas finalmente perceberem a manipulação a que estiveram sujeitas e começarem a entrar em contato com os seus sentimentos.

A tecnologia moderna é uma das maiores armas do controle da frequência. Foram vendidos a vocês equipamentos para diversão e conforto, e todos eles estão ligados ao controle da frequência. Recomendamos veementemente que se desfaçam de suas televisões. Elas constituem o primeiro instrumento usado para manipular a consciência numa base diária. Trata-se de uma experiência em que a televisão, através de sintonia fina, provoca respostas subliminares em vocês causando doenças. Existe, portanto, uma geração inteira que está se matando por assistir televisão – e sustentando os médicos.

Ocasionalmente, uma ou outra informação liberadora é difundida – talvez até um show de música New Age. Contudo, enquanto assistem ao show que mostra o quanto podem ser elevados e ilimitados, subliminarmente estão sendo bombardeados com uma frequência que os impede de receber o pensamento original. Esta mensagem subliminar os mantém imobilizados numa sociedade cheia de exigências "sobreviva, chegue, seja-pontual, seja-silencioso, vá-trabalhar". A televisão também propicia a inatividade, a passividade, uma vida sedentária, obesa. Observem ao vosso redor. *Humanos, acordem!*

A maioria das mensagens subliminares difundidas pela televisão foi criada através de uma tecnologia desenvolvida em conjunto com seres extraterrestres. O uso de mensagens subliminares para desestabilizar a consciência humana tornou-se um programa de âmbito mundial. Se vocês notarem que há casas com dois, três ou quatro aparelhos de televisão, hão de convir que se trata de um programa de marketing muito bem sucedido. Algumas pessoas, que têm consciência dos efeitos subliminares da televisão, acham que estão imunes a eles. No entanto, os efeitos da televisão são tão penetrantes que elas acabam perdendo o controle do quanto a tecnologia interfere em sua frequência vibracional.

Nós já contamos sobre a existência de entidades que se alimentam dos vossos corpos emocionais. Imaginem só que instrumento maravilhoso é a televisão para elas! No mundo inteiro, bilhões de humanos jorram sucos emocionais na atmosfera em consequência daquilo a que estão assistindo na tela. Elas não precisam mais provocar tantas guerras para emocionar vocês – podem, simplesmente, fazer filmes!

As pessoas que precisam ver televisão estão perdendo a riqueza de informações facilmente acessíveis que há dentro de suas mentes ou ao seu redor. Na verdade, quem quiser realmente evoluir, não precisa ler jornais, ouvir rádio, ou assistir à televisão. Se forem capazes de permanecer livres da mídia por alguns períodos e se desligarem da frequência de caos, ansiedade, stress, corre-corre e tentações de todas as espécies desnecessárias, vocês começarão a limpar-se, a escutar o que há dentro de vocês, a viver no mundo e não a perder-se nele. Tornar-se-ão limpos, claros.

Os jogos eletrônicos também congestionam a vossa frequência. Mesmo quando não são projetados especificamente para congestioná-la, às vezes há uma incompatibilidade entre a frequência dos joguinhos eletrônicos e a de vocês. Além disso, muitos deles são projetados para criar estática, mantendo-os constantemente numa determinada vibração que os transforma num rebanho produtivo, seguro, inofensivo e inativo.

E os computadores? Depois da televisão, os computadores são os aparelhos eletrônicos mais usados nos Estados Unidos. Quantos de vocês vão trabalhar em computação e terminam com dor de cabeça, principalmente se trabalham para grandes corporações que os capturam em suas redes. Grandes empresas trabalham com o controle da mente; elas usam as vossas mentes para gerar energia em proveito delas. Já os PC, computadores caseiros, não são tão potentes nem tão poderosos.

Muitas invenções novas surgirão nos anos 90 – invenções clandestinas, pois jamais serão patenteadas e anunciadas no mercado. Haverá uma economia alternativa baseada na troca, em que determinadas invenções serão comercializadas entre pessoas, sem intermediários. Haverá tecnologias que conseguirão neutralizar grande parte do controle da frequência: estas tecnologias podem mudar a qualidade do ar, da água e até eliminar interferências e selar vossas casas, permitindo que a vossa energia permaneça integral e nada possa bombardeá-los. Existem tecnologias que fazem coisas fenomenais. Imaginam por ventura o quanto a tecnologia tem sido usada contra vocês? Ela nunca foi usada *para* vocês. A televisão em si não é má, mas foi empregada com um propósito maléfico. Não há nada de errado com a tecnologia. *A maneira pela qual a tecnologia tem sido usada* é que é incorreta. Aí está a diferença.

O sistema educacional é outra área de controle. A maior parte do que lhes ensinam é bobagem. Vocês trabalham duro, fazem empréstimos e pagam caro para aprender algo que já está ultrapassado antes mesmo de deixarem a sala de aula, principalmente no campo da ciência, da matemática, da psicologia e da medicina.

O que fazer quando se vive numa sociedade que recompensa por graus? Comecem a dizer: "Eu acredito que meu mundo é formulado por mim. Eu acredito que não preciso destes diplomas para definir a minha existência. Eu posso ser único e soberano para mim." Precisa surgir um método ou uma forma de explorar o mundo sem graduações. A educação, na verdade, é a procura do conhecimento, e o conhecimento pode vir de uma caminhada pelo deserto. Não é necessário que venha de folhear um livro. Estudar não faz mal a ninguém, mas não acreditem que tudo o que ensinaram a vocês é correto.

Vocês são controlados e separados por assuntos que atingem o âmago das vossas emoções. Muitas vezes tem-se a impressão de que vítimas inocentes são massacradas por eventos que aparentemente nada têm a ver com elas. É claro que isso foi o que lhes ensinaram – que vocês não têm poder algum e contam apenas com a boa vontade dos deuses, o que absolutamente não é o caso. Aqueles que perderam suas vidas em acidentes ou de formas violentas *escolheram isso.*

A questão do aborto/pró-vida foi intencionalmente desenvolvida nos Estados Unidos por diferentes facções dentro do governo para criar a desarmonia. Divida, conquiste e possuirá o povo. Conceda ao povo escolha, liberdade e a capacidade de continuamente melhorar sua vida e você não os possuirá. Sempre que houver oposição entre pessoas, quem estiver controlando se beneficia, mesmo na questão do aborto.

Como eles se beneficiam? Impedindo, nos Estados Unidos, a união entre as mulheres, e entre os homens também. Mantendo as pessoas com medo. Trazendo continuamente à tona a questão de que a mulher não tem controle sobre o processo de nascimento em seu corpo. Vocês não precisam de aborto: não precisam sequer engravidar, se não o desejarem. Como? *Pela vontade.* Uma mulher pode dizer a si mesma: "Não estou preparada para ter um filho agora." Ou, no caso oposto: "Estou receptiva para ter um filho." Quando você se possui a si mesmo, não precisa da permissão do governo para usar o seu corpo.

A violência nas ruas das grandes cidades é outra forma sutil de controle. As grandes cidades dos Estados Unidos –

Los Angeles, Nova York, Washington, etc., são como baldes de energia, ou buracos, por onde a energia entra no continente Norte Americano – ou entrou, até agora. Tem havido um aumento de violência nestas cidades pois é sabido que, se a inquietação for mantida fermentando e sempre noticiada, pode ser um excelente veículo de manipulação da nação inteira. Estes eventos são desencadeados intencionalmente no nível físico e assistidos no nível etérico porque quanto mais medo for gerado mais alimento para os controladores.

Se é difundida a notícia de uma mulher que sai para passear com a família e é assaltada e seu filho mais jovem, aparentemente uma vítima inocente, luta com os bandidos, é esfaqueado e morre de forma totalmente inesperada no meio de seu passeio, o medo difundido nas multidões alimenta muitos seres. O medo que a guerra do Oriente Médio desencadeou foi fenomenal.

A vossa força vital foi raptada. Se existe algo que vocês, como membros da espécie humana, têm em comum é que foram roubados em suas emoções. Houve seres que as tocaram como se fossem instrumentos, e nunca os deixaram conhecer o poder que elas contêm.

A história sempre acaba voltando às emoções. Emoções são como ingressos que permitem a entrada e vos ligam. Vocês são incrivelmente ricos. Se ao menos percebessem a riqueza que possuem com as suas emoções... Os seres de vibrações mais baixas, tomemos a liberdade de chamá-los assim, não possuem emoções e vivem numa oscilação de frequência muito pequena – emoções baseadas no medo, no caos e na violência.

A capacidade de usar a vontade humana sobre a mente humana é o vosso recurso supremo. A capacidade de governar o corpo de acordo com a vontade é exatamente o que os seres que controlam o planeta não querem que vocês descubram. Quanto mais vocês se tornarem soberanos e responsáveis por vossa própria frequência, maior será a interferência daqueles que não querem a nova frequência aqui; eles trarão a frequência oposta para criar confusão, caos, polaridade. Sempre que uma sociedade está prestes a dar um grande salto, ou mudar radicalmente, ocorrem atividades diametralmente opostas.

Procurem sempre observar um assunto pela perspectiva do quadro global, da forma mais neutra possível, porque o quadro vai-se tornando cada vez maior. O planeta encaminha-se para um grande confronto com certas entidades. Estamos apenas alertando-os, não estamos aqui para causar medo. Medo é o que o outro time quer que vocês sintam. Queremos que compreendam que *vocês podem mudar tudo o que desejarem.* Isto será um jogo de números no futuro, porque trabalharão juntos para atingir um lugar de muito poder.

Estamos pedindo aos humanos que cheguem ao seu funcionamento pleno como membros da Família da Luz, imaginando e energizando um pilar de luz e puxando-o para dentro de seus corpos. Comandem isto. Façam com que vossas intenções todos os dias sejam operar com um cordão de luz, pois a frequência da luz liga vocês, além de os proteger e informar. Sintam a luz dirigindo-se para a base da vossa coluna, descendo pelo vosso corpo, entrando na Terra, bem como saindo do plexo solar como uma fonte irradiante formando um escudo de luz dourada à vossa volta. Quando usarem a região do plexo solar para definir o que está acontecendo, aprendem a *discernir através do sentimento.*

Os proprietários da Terra não querem que os humanos descubram que seus sentimentos e emoções são como uma plantação, como o trigo, por exemplo, que pode ser colhido. Se forem responsáveis pela vossa colheita, ninguém poderá aproveitar-se de vocês, nem usá-los, a não ser com o vosso consentimento. Quando operam numa determinada frequência, aqueles que desejam controlá-los perdem o interesse em vocês. Eles querem a frequência do caos e do medo que os alimenta. O medo e o caos predominaram neste planeta porque estas entidades os cultivaram. Elas dividiram e conquistaram todas as regiões para criar esta frequência. Quando começarem a operar em paz, com amor e informação, irão alterar a estrutura deste lugar drasticamente pois trarão a escolha da frequência de volta a este planeta.

Capítulo IX

Novas fronteiras profundas

Uma vez que vocês constituem uma sociedade de frequência controlada, a capacidade que a humanidade tem de criar novas tecnologias manteve-se limitada. Numa sociedade menos controlada, que possua uma capacidade maior de ultrapassar seus limites e viajar através do espaço, favorecendo um maior intercâmbio entre sistemas diferentes, os avanços tecnológicos são crescentes e surpreendentes. Muitas doações e influências vindas de fora do planeta foram abafadas. Mas alguma informação conseguiu chegar ao planeta de formas variadas e as tecnologias resultantes destas informações trouxeram grandes mudanças na vida dos habitantes da Terra.

Uma das mudanças ocorridas neste século foi a introdução do cinema. Uma nova forma de influenciar o pensamento foi trazida ao planeta através da indústria cinematográfica. Da mesma forma que existe na Terra a indústria cinematográfica, existe no espaço a indústria holográfica. Eles fazem inserções holográficas – representações que parecem reais – e introduzem-nas através dos portais da vossa realidade. Como os seres extraterrestes andam por aqui há centenas de milhares de anos e a frequência da humanidade tem sido controlada foi bem fácil enganar os seres humanos.

As inserções holográficas têm sido usadas na Terra para manipular e controlar a consciência e para transformar a informação em desinformação – uma quantidade limitada de conhecimento. Do nosso ponto de vista, aqueles que utilizam as inserções holográficas não parecem estar procurando trazer luz, informação, ou desenvolvimento para as pessoas. Eles têm motivos ocultos, embora finjam trazer luz.

As experiências holográficas, especialmente as aparições no céu, são feitas para influenciar grandes grupos de pessoas ao mesmo tempo. Muitas, mas não todas, aparições de UFOs têm sido hologramas. Inserções holográficas de um indivíduo, com aparências diversas, têm sido projetadas simultaneamente em culturas diferentes. É por isso que algumas das histórias religiosas da Terra encontram paralelos em regiões cujos habitantes nunca tiveram contato físico.

Hologramas parecem exatamente a realidade em 3 Dimensões. Trata-se da criação de eventos manufaturados e inseridos na vossa realidade para causarem a impressão de que fazem parte de uma ação sequencial. São usados para influenciar a mente dos observadores e é muito difícil identificá-los. Esta prática será frequente nos próximos anos quando – no Oriente Médio e em outras regiões do planeta – muitas atividades extraterrestres chegarem com força total e começarem a ser divulgadas. Haverá eventos grandiosos totalmente legítimos, já outros serão holografias destinadas a levar a consciência da humanidade para uma ordem mundial a ser controlada.

As holografias possuem campos de energia e podem ser detectadas pela rabdomancia. Os pêndulos oscilam diferente neles porque os campos energéticos são diversos e vibram num ritmo incrível. Vocês podem caminhar dentro deles, participar deles. As pessoas que tomam parte neles juram que são reais. Mas trata-se de eventos orquestrados destinados a influenciar a mente dos humanos. As inserções holográficas não têm como objetivo informar, mas controlar. Tratam-se apenas de um aspecto da tecnologia, nada mais.

Realidades podem ser construídas e inseridas da mesma forma que um filme. Cinema, televisão, etc. são a vossa versão de criar realidades. Existem seres muito evoluídos que criam realidades tão "reais" que vocês nem percebem a diferença. São como raios. Da mesma forma que holofotes podem ser projetados à noite, hologramas podem ser projetados neste planeta através dos portais. Uma tremenda energia é necessária, pois o processo envolve a fusão de dimensões. Esta tecnologia não existe na terceira dimensão, existe em outras dimensões, por isso é necessária a fusão de dimensões.

Qual a diferença entre as dimensões? Porque uma dimensão é importante para outra? Porque cada dimensão possui um ritmo vibratório, ou seja, a forma pela qual as moléculas se movimentam é diferente. Estas inserções holográficas têm necessidade de locais onde as dimensões já estejam fundidas porque precisam atravessar as outras dimensões para entrar aqui.

A humanidade tem sido cega, ludibriada constantemente devido às hélices pouco desenvolvidas onde as informações não conseguiam ligar-se. A Família da Luz veio mudar tudo isso. Vocês estão aqui para serem os portadores da nova frequência no planeta e sustentá-la em seus corpos para que o resto do planeta possa começar a vibrar na mesma frequência. Esta frequência vai provocar uma ruptura nas estruturas baseadas no DNA com dupla-hélice em todo o planeta. Não há como impedi-lo: é hora de evoluir. A Terra está pronta a enfrentar o que for necessário para esta evolução.

Os seres humanos precisam aprender a ler energia. Precisam aprender a usar mais do que os sentidos de seus olhos, narizes, ouvidos, boca para perceberem a realidade. Nós afirmamos que os olhos, ouvidos, nariz, boca e o sentido do tato são *enganadores da realidade*. Eles trancam a realidade. Vocês acham que estão percebendo a realidade com estes sentidos quando, na verdade, eles limitam a vossa percepção da realidade. Vocês foram treinados desde pequenos para confiar em seus olhos, ouvidos, nariz, boca e tato para interpretar a existência. Agora, vão precisar contar com outras formas de sensoriais para determinar uma experiência. Uma das formas que desprezaram foi o sentimento. O sentimento – o seu Eu psíquico, intuitivo, sábio – foi bloqueado pelo controle de frequência neste planeta, para que ninguém conseguisse encontrá-lo. Se tivessem descoberto a vossa própria sabedoria e intuição, não poderiam ter sido controlados.

Como descobrir o que é controlado e o que não é? Parte da vossa experiência aqui consiste em aprender isso – "entrar na água morna e saber quando saltar fora." No âmago mais profundo de vossos seres, existe uma integridade a ser descoberta e operada. Trata-se de uma integridade que respeita a vida, vos respeita e, antes de tudo, respeita a vida pela qual vocês são responsáveis. *Vocês são responsáveis por si próprios*, receberam essa dádiva e devem respeitar a vossa luz, corpos e experiências o melhor que puderem.

Ao começarem a cuidar com seriedade da vossa integridade, a cultivá-la e a descobrir o milagre, o potencial contido nela, descobrirão que o vosso corpo, aparentemente um fardo pesado que arrastavam por aí, possui um valor inestimável. Confere-lhes uma riqueza incalculável. Com vosso corpo físico, vocês são milionários. Precisam aprender a usar a vossa central de sentimento, ativá-la e agir de acordo com as informações arquivadas no seu interior; precisam aprender a confiar nela.

Como membros da Família da Luz, estão destinados a fundir dimensões. A vossa tarefa consiste em puxar outras dimensões para esta realidade, controlar as flutuações moleculares através do vosso sistema nervoso, e fazê-lo bem. Estão aprendendo a perceber através da vossa central de sentimento e vão ensinar os outros a fazerem tudo isso que aprenderam. Vocês vão mostrar o caminho.

Vão reconhecer as inserções holográficas pelo sentimento. Vão *sentir* que alguma coisa não está certa – uma sensação estranha, suspeita. Quando as inserções holográficas forem colocadas na vossa realidade alguma coisa irá parecer errada. Como membros da Família da Luz, vossos códigos e filamentos não irão sentir-se bem se forem expostos a hologramas, pois eles são usados para controlá-los, e não para possibilitar o vosso crescimento. São usados para manter as vossas emoções num determinado ponto para que outros seres possam alimentar-se delas e trazê-los a um determinado nível operacional novo.

Estas tecnologias serão mais usadas na próxima década. Esta é a razão de afirmarmos que a humanidade despertará de maneira drástica para o que é verdadeiramente real. As fronteiras da realidade são um tanto profundas.

Referimo-nos ao portal do Oriente Médio como sendo a porta dimensional ou a entrada no planeta para certas energias que buscam a civilização. Devem ter presente que, quando deixam uma esfera planetária e vão para o espaço, ao atravessarem determinadas faixas de consciência *precisam* encontrar o portal adequado para voltar ao planeta no período de tempo preciso, ou ao corredor do tempo que estiverem procurando. É desta forma que os sistemas são mantidos fechados e intatos, e como assaltos e dominações são prevenidos. Existem portais no continente sul americano, no continente norte americano, na Ásia, China, em todo o globo. O portal imenso ao qual estamos nos referindo agora é o portal do Oriente Médio. É gigantesco.

Muitas inserções holográficas, ou representações dramáticas, foram introduzidas por este portal para desestabilizar as mentes e as convicções da população. Como este portal se encontra no meio das crises é o primeiro candidato a inserções holográficas, bem como o primeiro onde o sistema de crenças poderá alterar este mundo caótico levando todas as pessoas a caminharem numa outra direção. Estejam conscientes da vossa central de sentimento quando esses tipos de eventos começarem a ocorrer no planeta.

O Oriente Médio é um portal onde muitas dimensões se encontram e por onde entidades de outras dimensões podem chegar ao planeta. É um lugar quente. Recentemente, nos últimos quarenta ou cinquenta mil anos, diversas civilizações surgiram e muitos dramas religiosos se desenrolaram no Oriente Médio. Devido ao vórtice, é mais fácil produzir inserções holográficas nesta área, da mesma forma que é mais fácil produzir filmes na Califórnia.

Um potencial para inserções holográficas neste portal seria a chegada de extraterrestres do espaço. Ou a volta de Cristo. Ou a volta de algum deus, algum salvador, ou alguma razão para que todos comecem a seguir uma nova maneira de pensar. Nesta época, do nosso ponto de vista, estas montagens não são da luz. Um exemplo de inserção holográfica colocada no planeta em tempos passados para mudar o curso da história foi a crucificação de Cristo. O drama representado, que passou à história, não se trata da realidade que o Ser Crístico veio vivenciar. Uma *versão* da vida desta entidade foi produzida como um holograma filmado que foi introduzido e exibido como se fosse real.

O Cristo veio numa comitiva de seres em determinada época. A história que lhes contaram é uma versão dramatizada como uma campanha publicitária – uma versão muito controlada sobre quem era e é esta entidade. Parte da história de Cristo contada a vocês foi uma inserção holográfica. E parte do que irão descobrir no futuro sobre o Ser Crístico tem potencial para ser outra inserção holográfica. Portanto, fiquem atentos. Muita gente vai dizer que nós somos sacrílegos e que estas afirmações só podem ser obra do demônio. Como podemos questionar o que a Bíblia afirma? Como podemos questionar tudo isso? Podemos, porque tudo foi dito por organizações patriarcais para se promoverem. Todos eles eram assim. Foram utilizados para trazer de volta o controle da energia do planeta.

Na realidade, o Ser Crístico foi enviado como um desestabilizador de sistemas, um membro da Família da Luz, para trazer luz através do portal do Oriente Médio. Isto criou um caminho para *muitos* entrarem e semearem uma realidade que iria preparar a consciência da humanidade para o ciclo que terminaria aproximadamente dentro dos vinte anos seguintes, dependendo do desenrolar dos acontecimentos. O Ser Crístico veio, não como uma única entidade, mas sim como várias entidades para influenciar a noite negra da humanidade, o momento em que os seres humanos estariam prontos para compreender os seus mistérios. O Ser Crístico foi muito bem recebido aqui na Terra, o que não foi contado a vocês dentro da campanha promocional da história toda. O tipo de energia que os seres Crísticos trouxeram ao planeta foi muito bem recebida.

Há um grande número de histórias ligadas à entidade Crística. Existe o plano original: o plano que o Ser Crístico veio executar, de trazer luz, ou informação, e mostrar à humanidade o que o corpo humano é capaz de fazer. Então, houve seres que disseram: "O que vamos fazer com isso? Ele está vindo por nosso portal, e nós queremos controlar este portal. O que faremos para conseguir usar essa energia? Este é um universo de livre-arbítrio, nós podemos fazer o que quisermos." E assim eles criaram hologramas com a cena de Cristo sendo crucificado para provocar medo e emoções alheias à vontade das pessoas, para conduzir a consciência de uma forma que não era absolutamente a intenção original. Isto significa que, num universo de livre-arbítrio, é possível, principalmente nas áreas dos portais, que um grupo de deuses roubem a história de outros e introduzam a sua versão no lugar. Na época, é provável que isto não afete muitas pessoas, ao longo do tempo, porém, o impacto das inserções holográficas é bem conhecido.

Nós sabemos que isto é frustrante para muitos. Contudo, ao partilhar esta informação com vocês estamos levando-os a se moverem, se lembrarem, sentirem – e a não *pensarem* muito. Este não é um processo de pensamento lógico, mas de sentimento. O que está acontecendo em vossos corpos? Perguntem-se: "Qual é a minha identidade? Como isso pode ser? Quem sou eu dentro disso tudo?" E então vão começar a liberar mais informações sobre quem são vocês para si mesmos, e serão capazes de descobrir muitas coisas.

Entendem por que vieram aqui para desestabilizar o sistema? Percebem a importância do controle da frequência? O controle da realidade estará disponível à espécie humana – se os humanos se harmonizarem uns com os outros, acreditarem, agirem como se todos fossem capazes de controlar a realidade e a criarem através de suas mentes.

Já afirmamos que a luz é subestimada neste planeta. De verdade. Se viesse à tona o número de indivíduos que adquiriram o domínio sobre seus pensamentos e suas vidas, e o número daqueles que estão disseminando este ensinamento, os controladores do sistema rapidamente tomariam uma atitude. A luz é subestimada, o que é muito bom, porque ela vai liberar todos vocês.

Vocês têm uma missão emocionante – um trabalho invejável – e contam com toda a ajuda que necessitarem para concluí-la. Há um tremendo afluxo de entidades e naves-mãe a este planeta agindo como intermediários ou, literalmente, transformadores de energia. Os raios de luz que chegam ao planeta estão sendo captados por um grande número de naves-mãe orbitando em volta da Terra, são filtrados para um sistema inteiramente diferente e depois enviados ao planeta; eles vêm de antigos sistemas estelares, que trabalham com a Terra há eons e eons. Muitos deles foram simplesmente numerados pelos astrônomos da Terra, enquanto outros possuem nomes fami-liares tais como – Sírius, Arcturus, Órion, Plêiades, etc.

Muitos de vocês possuem implantes dentro dos vossos corpos que respondem a esta comunicação e desviam interferências negativas, campanhas belicosas psicotrônicas que bloqueariam as vossas frequências, impedindo-os de receber as informações. Estes implantes não são negativos. Vocês não foram raptados e forçados a recebê-los contra a sua vontade. Trata-se de implantes etéricos, que vocês solicitaram como instrumentos para receberem energias extraterrestres. Estes implantes estão sendo ativados agora. Muitos de vocês estão se sentindo inclusive alterados. Em momentos variados do dia, especialmente na hora de dormir, ouvem ruídos ou sentem uma espécie de vibração elétrica em seus corpos.

Quando estas informações lhes forem transmitidas, os vossos corpos devem estar prontos para recebê-las. Para que isso aconteça, eles precisam encontrar-se num determinado estado. A informação é como uma corrente e, se o corpo não consegue suportar a corrente, entra em estado de desconforto. As pessoas na Terra foram programadas para esta época, e não há uma única pessoa encarnada no planeta que possa afirmar ter havido um engano, que não sabia o que iria ocorrer aqui. Ninguém nasceu neste planeta sem o mecanismo interior que pode ser ativado para sintonizar, para ligar a capacidade de hospedar estas frequências.

Nós os temos incentivado a abandonarem a vossa mente lógica, porque ela irá entrar em conflito com estas informações e com a energia eletrônica. Nos próximos anos, compreender e vibrar em sintonia com estas frequências será como ligar um rádio pessoal. Terão uma ligação telepática direta com as naves-mãe. Chegará o dia em que nem cogitarão em participar de sessões de canalização pois terão o vosso próprio canal direto com as informações. A riqueza destas informações lhes trará muita confiança; elas serão transmitidas para mantê-los informados de tudo o que está acontecendo.

À medida que forem adquirindo maior confiança, serão capazes de manifestar diante de si uma entidade de luz que virá fisicamente para ensiná-los. A canalização, ou o processo de trazer informação através de outro ser, tornar-se-á completamente arcaica conforme cada um de vocês for capaz de trazer à manifestação seus próprios mestres para ensiná-los. Enquanto isso, estaremos aqui para ensiná-los, para lembrá-los quem são e para dar-lhes uma idéia do que podem atrair para vocês. O nosso principal objetivo como membros da Família da Luz é dar assistência a vocês, para que consigam libertar os humanos. Concentrem-se na vossa própria dança. Em que tom querem dançar, que mágica querem executar e a que alturas querem elevar a vossa consciência para lhe dar uma nova definição de possibilidades?

CAPÍTULO X

Um novo paradigma de luz

Quem são os Mensageiros do Amanhecer e em que consiste o seu papel? Os Mensageiros do Amanhecer são portadores dos raios de sol e trazem luz e conhecimento. Possuem, desde a antiguidade mais remota, uma organização, uma sociedade e uma ligação espiritual que os mantém executando um determinado trabalho dentro de um determinado sistema estelar. Vocês fazem parte deste grupo, os Mensageiros do Amanhecer; se não fizessem, jamais sentiriam atração por este livro. Os membros desta elite organizada vêm à Terra em épocas variadas para executar o seu trabalho. Isto ocorre quando se estabelece um ciclo que permite à energia cósmica mais elevada fundir-se à energia telúrica dentro destes seres.

A energia cósmica está sempre descendo à Terra, e a energia telúrica está sempre subindo aos céus. A humanidade cria a ponte sagrada entre o céu e a Terra, também chamada ponte do arco-íris. Os Mensageiros do Amanhecer permitem a fusão destas energias para que o alvorecer, ou a luz, desperte dentro deles. E assim eles trazem este amanhecer para as civilizações. *Isso é o que vocês são. Isso é o que estão fazendo.* Existem milhares de outras pessoas fazendo o mesmo. Vocês são os Mensageiros do Amanhecer.

Como Mensageiros do Amanhecer, existe uma certa atitude que facilitará o compromisso que assumiram. Esta postura consiste em *permitir* e abandonar a auto-indulgência e o desprezo por vossas experiências. Para os Mensageiros do Amanhecer, cada elo vai formar o todo, não importa como esse todo é construído, se é forte ou fraco, nem tampouco se o seu papel é grande ou pequeno. Força, fraqueza ou influência não devem necessariamente ser comparadas; tratam-se apenas de atitudes cujo enfoque a consciência escolhe dentro da elaborada dança da realidade.

Nós estamos aqui para lhes ensinar algo sobre vocês e ajudá-los a desbloquear o que está trancado no vosso interior. Como Mensageiros do Amanhecer, vocês encontram-se naquela escuridão mais profunda que antecede o alvorecer, quando nascem as dúvidas sobre se realmente irá ou não haver um raio de luz. Então, quase instantaneamente, a luz aparece do nada. De onde ela vem? Como ela pode mudar a vossa maneira de pensar? Como a existência pode atingir o máximo da escuridão num momento e, no instante seguinte, surgir a luz? Como Mensageiros do Amanhecer, são vocês que *trazem* a luz da alvorada. Foram treinados para isso.

Vocês, os Mensageiros do Amanhecer, também conhecidos como a Família da Luz, concordaram em submeter-se a um processo de mutação evolutiva – através do compromisso consciente e intencional – para se tornarem seres superiores. Vocês trazem a luz de volta ao planeta, a nova evolução da humanidade. Tornam possível o salto evolucionário cósmico da consciência e da inteligência ancorando a frequência dentro dos vossos corpos, e vivendo-a.

A Família da Luz tem como local de origem uma central de operações – uma fonte dentro deste universo que atua como estação transmissora. Existem estrelas solares dentro do vosso sistema galáctico, e uma estrela solar central dentro deste universo. Os Mayas chamavam este sol central Alcyone. Outros conhecem-no por nomes diferentes. O sol contém luz, e a luz contém informação. Explicando de forma simplista, os membros da Família da Luz vêm do armazém central das informações do universo.

Vocês saem deste sol central descrevendo círculos, ou espirais, e conduzem as informações de lá para os diversos sistemas deste universo; vocês arquitetam, planejam e viajam. São muito especiais sob esse aspecto, e sabem disso. Sabem quando e como olhar para as populações tão diferentes de vocês. Adoram incitar as massas, desestabilizar sistemas e abri-los. Quando encontram uma placa "Proibido Ultrapassar", sabem que a ordem se aplica aos outros, nunca a vocês. Vão a todos os lugares onde existem coisas fechadas para poderem abri-las. O método operacional que utilizam consiste em desmembrar-se em várias identidades multidimensionais, para então se dirigir aos sistemas e modificá-los.

Às vezes encarnam num sistema por milhares de séculos preparando-se para o momento em que serão chamados para explodi-lo. Um exemplo para ajudá-los a entender. Vocês encarnam na Terra diversas vezes; quando chega o aviso de que irá haver uma abertura na Terra e o paradigma será alterado, podem dizer: "Estive 247 vezes neste planeta, sob diversas formas, e fui capaz de ascender meu corpo. Eu fiz tais e tais coisas. Se participar deste plano para detonar o sistema, tenho certeza de que conseguirei refrescar minha memória, trazer à tona minhas lembranças, desafiar as leis e cumprir minha missão."

Às vezes isto não ocorre e o plano precisa ser abortado por alguma razão. É uma experiência extremamente frustrante para vocês. Contudo, quando o plano dá certo, conseguem explodir o sistema e criar um novo paradigma de luz: é como se tivessem um orgasmo cósmico.

Os membros dos Mensageiros do Amanhecer, ou a Família da Luz trabalham em grupos. Nunca vão a um sistema sozinhos. Precisam uns dos outros para realizar este trabalho, porque é impossível uma única pessoa manter a frequência. Trabalhando em grupos, aumentam as possibilidades de sucesso do plano. A vossa aparência é de espirais ou raios luminosos que partem da estrela solar central, muito inteligentes, guiados pela imensa inteligência deste sol.

A luz é um nível da consciência que possui um propósito existencial. A história que estamos lhes contando hoje é uma história que vocês conseguem entender. Todas as vezes que falamos aos humanos e eles compreendem mais, nós fornecemos mais informações. Não queremos que fiquem pensando que a luz é mais nobre do que outras coisas. Algo na essência de vossas almas os liga a esta fonte de luz e os dirige a esta profissão, tal fato, porém, não torna esta profissão melhor do que as outras. Existem seres provenientes de outras fontes, que partem em espirais com diferentes propósitos, e esta diversidade viabiliza o jogo. Vão aprender mais sobre esse assunto.

Não se esqueçam de que o Criador Primordial criou tudo isso, e concedeu a todas as coisas um dote de si mesmo. Ele busca a auto-conscientização da mesma forma que vocês. Procura estar consciente de si mesmo em todas as coisas, e concede a todas elas a consciência de si mesmas e também de que fazem parte dele. A consciência assemelha-se a um espelho entre o Criador Primordial e toda a criação, refletindo infinitamente de um lado para outro desde as mais pequeninas coisas, como micróbios ou insetos formigando pelo chão. Da mesma forma que o Criador Primordial se encontra na luz, também se encontra no assim chamado mal, sabendo que o "mal" possui igualmente um propósito divino.

Existem muitos planos de consciência. "Planos de consciência" são palavras muito em voga, que gostaríamos de fazê-los compreender. Dentro dos planos de consciência existe uma similaridade energética. Existem também diversas espécies de planos de consciência. A Família da Luz é originária de um determinado plano de consciência.

Quando a vossa consciência aprende as leis da criação, manipulação e administração da realidade, torna-se fácil se manifestarem na forma que tiverem escolhido. Se alguns de vocês ativaram suas memórias xamanísticas, ou de culturas nativas, sabem muito bem que grande parte dos ensinamentos desses povos consiste em deslocar-se dentro de várias realidades e mudar de forma. Os xamãs destas culturas nativas eram reverenciados por possuirem essa capacidade. Eles eram portadores do código genético, e constituíam uma pequena minoria em relação à população inteira do planeta. Eles preservavam a mágica e o mistério, mantendo vivo o processo. Eram capazes de transformar-se em animais e assumir várias outras formas. Dominavam uma ciência de grande amplitude.

Uma vez que esta ciência existe *no* planeta, é claro que existe também *fora* do planeta. A Terra, atualmente, é um "happening", um lugar onde as coisas estão acontecendo, um lugar "quente". Está codificada para iniciar sua revolução própria – não apenas uma revolução nos Estados Unidos visando mudar o estilo de vida, mas uma passagem dimensional que provocará alterações em todo o espaço.

Muitos extraterrestres, curiosos em relação a formas de vida que sabem rearranjar suas estruturas moleculares, chegam ao planeta disfarçados de humanos. Em épocas de mudanças e tumultos, quando existe o potencial de fusão e colisão de dimensões – como as que vocês estão provocando aqui na Terra – uma grande quantidade de energias vêm participar do grande show.

Este grande show ocorre em vários níveis, não apenas na terceira dimensão. Uma reação em cadeia percorre todas as dimensões da existência e todas as consciências. Alguns seres irradiam-se para a Terra disfarçados de humanos, ou encarnam, aproveitando a oportunidade de adquirir um ingresso para esta realidade, pois querem estar aqui para o grande evento. Talvez vocês sintam que alguns destes seres não são nativos do planeta, nem vieram com a missão de destruir o sistema, vieram simplesmente observar, participar e compreender, para depois levar a informação de volta a seus sistemas que estão sempre evoluindo.

São criaturas inteligentes, capazes de manifestar-se na forma humana, desempenhando perfeitamente o seu papel; algumas possuem a memória intacta, em outras o véu está estendido. Não é fácil para estes seres virem para cá com a memória plenamente consciente de sua identidade em outros lugares, devido ao controle da frequência. Nos próximos anos, aumentará a conscientização de que vocês são membros da Família da Luz disfarçados de humanos. Uma parte da planejada evolução da espécie humana, e do planejado rearranjo do DNA humano, se refere à abertura do banco de memória de cada pessoa, que passará a lembrar-se quem ela é.

Em dimensões de realidade diferentes existem experiências diferentes e leis diferentes. Na terceira dimensão – onde por tanto tempo vocês, como espécie humana, foram aprisionados – as experiências são muito limitadas. A terceira dimensão é projetada para focalizar uma realidade de cada vez. É projetada de acordo com a frequência e a pulsação nervosa, e com o ritmo em que a frequência se ajusta à pulsação nervosa dentro do corpo.

Vocês são magnética e biogeneticamente projetados e sintonizados. Os membros da Família da Luz são *muito mais do que humanos.* Possuem, como característica, a realização suprema no plano multidimensional.

Como membros da Família da Luz, vocês encarnaram neste planeta preparando-se para a execução do vosso trabalho. Em que consiste este trabalho? É muito simples: vocês levam a frequência para sistemas onde a frequência luminosa é limitada, porque luz é informação. Não se trata da informação fria, de dados-computadorizados; é uma informação transmitida biologicamente através de emissões eletromagnéticas de consciência. Se tivessem um cartão de visita, impresso quando estivessem de posse da memória plena da vossa identidade, seria mais ou menos assim: "Membro Renegado da Família da Luz. Especialista em Implosão de Sistemas. Alteram-se sistemas de consciência dentro do universo de livre-arbítrio. Telefone..."

É isso que vocês fazem. Este é um aspecto comum da vossa identidade. Existem milhões de vocês aqui na Terra, neste momento. O principal motivo de se encontrarem aqui é *se lembrarem quem são,* operarem multidimensionalmente dentro do sistema, e ensinarem aos humanos – os nativos deste lugar que por tanto tempo tiveram sua frequência controlada – um novo sistema. *Vocês estão disfarçados de humanos.* Assim que começarem a perceber isso conseguirão desembaraçar-se do drama da humanidade e do dilema que é o controle da frequência.

Antes do controle da frequência ser instituído, há 300.000 anos atrás, pelo grupo dos deuses criadores que saquearam o planeta, as espécies nativas eram razoavelmente evoluídas. Possuíam um sistema receptor de informações bastante desenvolvido, ligado diretamente a bases espaciais. Possuíam, também, diversas formas de transmitir o conhecimento conforme o recebiam. Atualmente, a transmissão de conhecimento baseia-se na tecnologia – fora de vocês. Vocês foram vendidos como mercadorias valiosas que deviam ser controladas. Há muito tempo atrás, a comunicação neste planeta ocorria através do contato entre as pessoas por meio de mecanismos internos, não através da tecnologia externa.

A maioria dos humanos não consegue admitir que sua história remonte a muitos milhares de anos. Vocês vão aprender, recordar-se e ensinar ao planeta que a vossa história possui milhões de anos. Primeiro, vão desvendar e integrar a história do planeta nos últimos 300.000 anos, para que possam expandir o quadro do dilema humano. Lembrem-se, a história encontra-se inteirinha dentro de vocês, e não fora. A tecnologia atual cria filamentos de códigos-luminosos fora dos vossos corpos de forma simbólica, como representação da transmissão da inteligência através das fibras óticas. A espécie humana cria *fora* de si aquilo que deveria aprender olhando para *dentro* de si. Isto faz parte da soberania da luz.

Quando a grande biblioteca da humanidade foi dispersa de maneira caótica, uma pequena parcela de dados foi mantida intacta para que a espécie pudesse ser controlável, manejável, e ainda mantivesse autonomia – como forma de vida e de consciência – produzindo uma determinada frequência: o medo. Este medo foi desenvolvido no planeta durante os últimos 300.000 anos como uma substância controlável em variadíssimas versões.

Quando um ser humano ressoa eletromagneticamente e irradia a frequência do medo ocorre uma transmissão de consciência. Para onde vai esse medo? Para onde vão os seus pensamentos? Para onde vão as suas emoções? Já lhes contamos que, coletivamente, a consciência gera alimento. Como desestabilizadores de sistemas, vocês vieram para erradicar a fonte de alimento, ou para alterar a fonte que produz os alimentos medo e caos. Aqueles que se nutrem desta fonte de alimento terão de mudar a dieta, ou abandonar o planeta. Vocês estão aqui para trazer informação, luz e a conscientização de que existe tanto o potencial para a mudança, quanto uma fonte de alimento que ressoa e coopera com a luz. Esta é a vossa responsabilidade e o resultado que devem alcançar.

Sabemos que muitos podem estar confusos em relação à forma de atingir este estado de impecabilidade em suas próprias vidas. A coisa mais importante que lhes pedimos, de agora em diante, é *não basear nenhuma de suas experiências futuras no vosso passado.* Todos vocês adoram desenterrar fatos ocorridos no passado como desculpa para o que possa vir a acontecer no futuro. São famosos por isso. Mas devem agir como se acabassem de ser irradiados para cá, inocentes como bebezinhos, prontos para entrar na vida cotidiana. Ao acordarem todas as manhãs, antes de começarem suas atividades do dia, mentalizem com clareza o que pretendem viver nesse dia. Se não fizerem isso, nem cultivarem esse hábito, então é melhor desistir! Assim é forjada a realidade. Como já referimos, o grande segredo do qual a espécie humana foi privada é que *o pensamento cria a experiência, o pensamento cria a realidade.* Toda a realidade é criada através do pensamento. Trata-se de uma experiência subjetiva. Contudo, eletromagneticamente, vocês estão sendo controlados de forma a criar experiências dentro de um determinado espectro da realidade.

Como membros da Família da Luz, foram preparados e estão sintonizados com a possibilidade de trazerem as novas frequências. Vocês vieram para sustentar as novas frequências que lhes são enviadas do espaço e estão ativando um novo padrão dentro dos vossos corpos. Quando começarem a descobrir que este é o vosso propósito, começarão a programá-lo conscientemente, vossos desejos ficarão claros e vocês conseguirão realizá-los, não importa a área em que estejam situados. Esta é uma verdade absoluta.

Todos vocês, cada um à sua maneira, gostam de um drama. Sentem tédio quando não acontece nada fantástico. Foi por isso que formularam este plano – este saque. Na verdade, esta realidade, ou mundo, foi criada por entidades da Família da Luz há muito tempo atrás, antes que a realidade fosse saqueada. Como membros da Família da Luz, vocês eram os Planejadores Originais. Havia imensas reservas de consciências disponíveis para serem utilizadas. Quando entidades de outras famílias, que vocês vieram a chamar de "sombrias", tomaram o planeta, foram muito eficientes em seu trabalho de impedir a entrada da luz. O paradigma da luz possui a amplitude que vocês são capazes de assimilar, mas existem também outros grupos de entidades e planos de consciência que desconhecem. No momento, vamos trabalhar apenas com a luz e a sombra. O time das trevas foi muito eficiente mantendo a luz afastada do planeta por tanto tempo. *Contudo, esse tempo esgotou-se!*

Vocês são renegados da luz, decidiram voltar e empreender um novo saque de consciência – milhões de vocês desta vez – porque sabiam que trabalhando com a energia do Criador Primordial havia grande probabilidade de que todos atingissem uma imensa riqueza de consciência. À medida que começarem a atrair luz para seus corpos e para o planeta, muitas pessoas que gostam de um drama serão afetadas. Elas serão atingidas pela luz e poderão reagir, porque quanto mais luz for trazida, mais rápido ela se espalhará. E ela aumenta à medida que vocês se vão conscientizando de que constituem a espécie nativa do planeta, e que trabalham junto com os Planejadores Originais para resgatar o vosso mundo das mãos dos usurpadores.

Capítulo XI

O nome do jogo

Para sobreviver nos tempos que se aproximam, torna-se imperativo adotar a idéia da manifestação do pensamento, ou superconsciência. Superconsciência, hoje, não passa de uma palavra para vocês. Não constitui, ainda, um conceito intrínseco, porque é impossível conceberem um estado de tanta sintonia e a assimilação de uma quantidade tão grande de informação. Contudo, conforme forem evoluindo, caminharão em direção à superconsciência. Existem pessoas que percebem a mudança que este movimento de consciência provocaria no planeta e tentam impedi-lo. *Ele já ocorreu.* Nós voltamos ao vosso passado para assegurar-lhes este fato.

O pensamento vem primeiro. A experiência é sempre decorrência. Nunca ocorre o contrário – vocês vivem uma experiência e depois pensam sobre ela. A experiência é sempre um reflexo direto daquilo que estão pensando.

A clareza e o reconhecimento do vosso poder constituem os alicerces. Os vossos pensamentos formam o vosso mundo *o tempo todo.* Como são bombardeados com tantas vibrações controladoras de frequência que procuram impedi-los de ter a mente clara, vocês flutuam. Precisam, como espécie, ter a intenção de permanecer sempre com a mente muito clara, sempre centrados e sempre presentes. Parem de viver no futuro, ou no passado, e vivam o agora. Digam para si mesmos:

"O que é que eu quero? Quero acelerar minha evolução pessoal. Quero que o Espírito me ajude a aumentar minha capacidade. Quero que meu corpo se regenere. Quero emanar saúde. Quero abandonar as dificuldades para ser um exemplo vivo daquilo que a humanidade pode atingir." Esta é a linha de pensamento – o comando para o vosso ser, determinando com clareza tudo aquilo que vocês querem – e que vos trará tudo num ritmo acelerado.

Observem os vossos padrões. Se negam a criação de uma parte das vossas experiências e não querem tê-la como vossa criação, simplesmente olhem para ela. Digam: "Não é interessante? Eu faço isso o tempo todo. Não quero possuir o que estou criando. E como não gosto, ponho a culpa nos outros. Vamos ver quanto tempo vou ficar agindo assim, e vamos encontrar uma solução que me permita desenvolver um padrão de comportamento diferente."

Não se julguem. Comecem a dizer para si mesmos: "Eu assumo a responsabilidade por tudo em que estou envolvido. Eu assumo a responsabilidade por tudo o que acontece comigo. Se não gosto do que acontece comigo, vou começar a me perguntar porque crio coisas de que não gosto. Talvez seja para chamar minha atenção para algo que não consigo ver e assim poder mudar o que realmente não funciona para mim."

Devem agir sempre como se houvesse um propósito impecável em tudo o que fazem, como se para atingir o valor mais alto, a melhor oportunidade, fosse necessário trabalhar cada evento em que estejam envolvidos. Devem agir sempre assim. Se estiverem andando na rua e alguém os abordar: "Estou com um revólver nas suas costas. Passe a carteira!" devem agir como se estivessem recebendo uma oportunidade única para o vosso crescimento. Se todos pudessem adotar essa atitude e *agir como se* cada evento estivesse designado a impulsioná-los em seu crescimento e conscientização, poderiam virar-se e descobrir que a pessoa apontando o revólver às suas costas é uma réplica, uma porção de vocês mesmos. Devem ser capazes de curar algo; podem estar recebendo a oportunidade de tomar uma atitude que os amedronta.

Não tenham medo daquilo que criam. *Confiem no que vocês criam.* Acreditem que, em vossa criação, existe sempre algum crescimento. Não varram vossos dramas para baixo do tapete como se fossem coisas horríveis que nunca mais queiram ver. Acabem com esses dramas: parem de andar em círculos, de perder-se neles. Precisam contudo, compreender que o drama que vivenciaram com vossa mãe, irmão, irmã, namorado, poderá ser usado, vinte anos depois, para ajudá-los a atingir uma nova realização. Deixem, portanto, que esses dramas sejam como uma lição de casa. Terminem, resolvam-nos da melhor maneira possível, façam as pazes, reconheçam o vosso papel neles, e deixem que eles circulem de volta à vossa consciência para lhes ensinar algo. Deixem que sejam os vossos tesouros vivos de experiência, em vez de espinhos dos quais querem se desvencilhar. A emoção está ligada a estas coisas e, não se esqueçam de que ela pode levá-los a outros níveis de atividade.

Vocês acham que conseguem criar a vossa realidade apenas em certas áreas, mas em outras não têm este poder? Acreditam não possuir controle sobre algumas áreas de vossas vidas? Abdicam daquilo que é naturalmente vosso, porque a sociedade diz que não podem tê-lo? Pois vão descobrir que os acontecimentos não surgem do nada. Algumas pessoas acreditam criar a própria realidade, mas acham que as outras não conseguem criar as suas – especialmente bebezinhos que sofrem todo tipo de acidentes, ou crianças que são violentadas. É um conceito difícil para muitos compreenderem que crianças aparentemente indefesas, ou mendigos famintos, também criam suas próprias realidades. Quando adotam a mentalidade de vítimas, enviam às pessoas a idéia de que elas são fracas, impotentes, criando também para vocês a mesma probabilidade. Devem aprender a respeitar os dramas e as lições das outras pessoas. Precisam perceber que os jornais jamais revelarão o potencial de mudança existente em todas as pessoas envolvidas em determinado cenário, pois esta não é a forma com que as reportagens da imprensa cobrem os acontecimentos. Vocês não compreendem a sincronicidade subjacente aos eventos: a mídia expõe apenas os assim chamados fatos externos, ignorando a riqueza do significado emocional que acompanha os dramas e as lições dos seres humanos.

Pessoas envolvidas em dramas onde existem aparentes vítimas geralmente se encontram tão distantes de seus sentimentos que são incapazes de conectar o que estão sentindo com o que estão pensando. Vítimas encontram vítimas. Vencedores encontram vencedores. Portanto, quando virem nos jornais dramas mundiais onde as pessoas parecem ser vítimas indefesas, por favor, respeitem-nas e respeitem a si mesmos, rejubilando-se porque elas criaram suas próprias realidades. Talvez não seja a realidade da qual vocês queiram extrair algum ensinamento – nem o evento que sentissem necessidade de participar. É necessário que compreendam que outras pessoas podem estar precisando passar por esferas muito densas para atingir a luz. Muitas vezes, as maiores iluminações surgem das maiores catástrofes, das maiores dificuldades.

Quando vão a um restaurante e pedem o que desejam comer, o chef prepara o prato e o garçon o traz para vocês. Vocês pedem o prato, não o fazem. O cozinheiro, ou a energia espiritual, faz a comida; contudo, são vocês que escolhem o que desejam receber. O prato não será colocado à vossa frente se não forem ao restaurante pedi-lo. Vocês são responsáveis pelo pedido e pagam por ele.

O mesmo acontece na vida; a vida é como um restaurante. Aprendam a pedir o que querem da vida, exatamente como fazem num restaurante, e acreditem que, uma vez que o pedido foi feito, vocês irão recebê-lo. Quando vão a um restaurante, não ficam examinando cada prato e julgando se merecem ou não comê-lo. Bem, algumas vezes, sim. Às vezes dizem: "É, eu não mereço este prato. Custa quinze dólares. Eu só posso gastar até sete dólares."

A maneira como se comportam num restaurante é uma indicação maravilhosa de como se comportar na vida. É um ensinamento incrível, que precisam aprender. No restaurante, vocês simplesmente escolhem, dizendo: "Eu quero isto" e confiam que é isso mesmo que vão receber, ou será que ficam com medo de não serem atendidos? Ao efetuarem o vosso pedido, vocês por acaso seguem o garçon até à cozinha perguntando se a alface está fresquinha, se eles vão fazer as cebolas sautées como vocês gostam ou se têm aqueles champignons que você queria? Não. Vocês acreditam que lhes será apresentado exatamente o que foi pedido, e não interferem, deixam acontecer. Quando o pedido é apresentado, dizem: "Muito obrigado". Se algo não está do vosso agrado, pedem o que estiver faltando e pronto.

Observem com que despreocupação divina vocês pedem o que desejam num restaurante. É assim que devem pedir o que desejam na vida. Decidam com clareza o que querem, peçam e pronto. Não fiquem chamando o Espírito para ver se ele anotou o pedido direitinho, ou para dar conselhos de como realizá-lo. Vocês efetuaram o pedido. Devem acreditar que ele chegará.

Vocês são o resultado dos vossos pensamentos. Se não aprenderem nada mais neste planeta, pelo menos aprendem que esta é a regra não só para esta como para muitas outras realidades. *Os pensamentos criam a experiência.* Por que não se dar um presente e começar a pensar sobre si mesmo como possuidor de uma capacidade excepcional, magnificente, enaltecedora; libertem-se da necessidade de ter toda a sociedade concordando com vocês. *Autorizem a si mesmos.* Para muitos de vocês, isto é muito difícil. Como autorizar a si mesmo quando não se tem esse hábito?

As vossas palavras têm a capacidade tanto de 'dar poder' quanto de 'tirar poder'. Nós queremos que vocês tenham a coragem de viver a vossa luz, e não nos cansamos de enfatizar que os vossos pensamentos formulam o vosso mundo. Eliminem as palavras *deveria* e *tentando* do vosso vocabulário. Se pagassem uma multa cada vez que proferissem estas palavras, teriam contraído uma grande dívida. Vocês possuem uma enorme dívida de falta de poder e impotência. *Deveria* implica operar sob a soberania de outrém. Gostaríamos de lembrar-lhes que os vossos soberanos são vocês mesmo.

Se alguém está *tentando* editar um artigo ou *tentando* mudar seus padrões, pode ficar tentando o resto da vida. *Tentar* não é *fazer*. Sempre que vocês usam a palavra *tentando*, não realizam nada, porque tentar é uma desculpa: "Eu tentei fazer aquilo. Eu tentei. Eu tentei." Em vossas vidas, usem as expressões: "Estou criando", "Estou fazendo", "Estou manifestando", "Tenho a intenção", "Estou realizando". Esqueçam "Estou tentando".

Ao se tornarem *realizadores* vocês são capazes de manifestar o que querem da vida, e passam a ser um espelho para muitas pessoas.

Se se colocarem atrás dos outros e tiverem medo de possuir o que eles têm por achar que não há o suficiente para todos, é porque ainda não compreenderam que à medida que permitirem aos princípios divinos trabalhar em vossos corpos e ancorar no planeta, vocês se tornam um exemplo vivo de luz. Vocês permitem que o propósito da luz se movimente através dos vossos corpos, tornando-se exemplos vivos daquilo que as outras pessoas também podem realizar. Esta é a alta vibração que queremos ensinar a todos vocês. Queremos que compreendam que *não há limite.*

Não há limite no planeta inteiro. Cada pessoa do planeta pode operar em cooperação, numa unidade de ser. Tudo aquilo que receberem, seja espiritual ou material, não constitui um privilégio vosso. Precisam compreender que são capazes de deixar os princípios divinos operarem em vosso corpo físico e que podem mostrar às outras pessoas como isso ocorre. Vão poder dizer: "Olhe, isso funciona. Eu faço. Você também pode fazer."

Não devem ter medo de se manifestar. Vocês sentem medo porque cresceram obedecendo a uma ética que afirma: "As coisas só têm valor quando lutamos por elas. Se você não dá duro, não consegue nada." É imperativo que todos observem bem esta idéia de trabalho duro e descubram a sua origem. Observem os vossos pais e o sistema de crenças que eles tiveram. Nós estamos falando do nascimento de uma consciência que representa a nova espécie humana que aprende como fazer as coisas *sem esforço.*

Se é preciso muito esforço para que façam algo, esqueçam. Se parece que vai dar muito trabalho é porque alguma coisa está querendo lhes dizer que esse não é o caminho. Somente quando a coisa chega sem esforço e se adapta facilmente sem que ninguém faça muito por ela está certa. Se todos começarem a viver assim, mudarão completamente a maneira pela qual a vossa consciência aborda a vida. Não se trata de falta de responsabilidade ou de cooperação – é uma nova maneira de carregar tijolos de um lugar para outro.

Uma vez perguntamos a um grupo de pessoas perto de uma grande pilha de tijolos: "Como vocês fazem para mudar os tijolos de lugar?" Todos responderam: "Bem, nós pegamos um por um." E nós retrucamos: "Vocês nunca pensaram em contratar alguém para fazer isso?"

Se a vossa tarefa consiste em mudar os tijolos de lugar, a vossa primeira resposta ao que fazer pode ser: "Vou mudá-los. Vou carregá-los." Contudo, podem chamar alguém e dizer: "Mude estes tijolos para mim." Se fizerem isso, ainda estarão cumprindo a vossa tarefa. Estão fazendo o que precisa ser feito. O trabalho foi feito. Percebem a diferença?

O dinheiro parece ser um problema para todo o mundo. Todos têm idéias definitivas sobre a forma pela qual o dinheiro chega a vocês. Quanto mais acreditarem que precisam trabalhar duro para ganhar dinheiro, mais duro terão que trabalhar. Muitos acham que é normal trabalhar muito para ganhar dinheiro, e que se não trabalharem, esse dinheiro é "sujo". Permitam-nos pedir-lhes que se lembrem das palavras *sem esforço* e as incorporem a seu vocabulário. Digam para si mesmos: "É minha intenção que isto se realize sem esforço." Realizar sem esforço é comandar a realidade para que ela se ofereça de uma forma que permita a expansão de muita energia para outras experiências.

Não se esqueçam, a vossa realidade é o resultado dos vossos pensamentos. Se acham que as coisas são difíceis, o que estão criando? Muitos de vocês passaram vidas inteiras honrando e respeitando membros da família ou pessoas da sociedade que consideravam cidadãos dignos, que representavam determinada ética e sistema de valores no trabalho. Vocês nunca pensaram em questionar essa ética para ver se haveria alguma outra. Por isso acreditam que, para ganhar dinheiro, precisam dispender grande quantidade de energia, ou ser empregados por alguém que pague os vossos serviços, ou coisas no gênero. Estas idéias são total e completamente erradas. Quando vocês permitem, o Espírito os compensa de formas totalmente inesperadas. A única razão de isto não ter ocorrido antes é porque vocês simplesmente não acreditavam que fosse possível. Quando acreditam que as coisas são possíveis, a realidade muda.

Estado mental é o nome do jogo aqui. O que vocês sentem em relação à realidade e como programam a realidade, será como irão responder a ela, ou como ela irá se apresentar a vocês. É por isso que dizemos: "Vão com tudo! Sejam impulsivos! Nada de moderaçao! Façam o que vos dá prazer! Façam o impossível!" Vocês podem fazer isso. Podem fazer tudo o que tiverem vontade. Vocês vão transformar o vosso mundo, não importa em que estado ele se encontre.

Não esqueçam que quando aprendem as regras do jogo – que vocês são o resultado do pensamento, e que isto é uma lei dentro do vosso universo – tudo o que precisam fazer é pensar como querem ser, e assim serão. Uma vez descoberto esse princípio, podem projetar o vosso corpo, a vossa idade e consertar tudo em relação a vocês mesmos, pois estarão auto-motivados, auto-fortalecidos e serão auto-geradores.

CAPÍTULO XII

Ser portador de luz é uma tarefa respeitável

Chegou a hora de todos redefinirem suas identidades num senso muito mais amplo. Nem vocês nem vossos líderes políticos têm a menor idéia dos eventos que transpiram pelo cosmos. Precisam parar com definições ingênuas sobre os deuses – que do céu vieram a este planeta seres muito talentosos e capazes, todos ligados entre si espiritualmente. Nos próximos anos vocês, como espécie, terão acesso a idéias muito perturbadoras. Estamos preparando-os, por um decreto da Família da Luz, para que possam informar-se e compreender as opções que lhes pertencem por direito.

Insistimos sobre a idéia da multidimensionalidade – o conceito de que podem estar em muitos lugares e transportar a consciência. Compartilhamos com vocês a idéia de que existem muitos mundos além da Terra. Em alguns momentos, poderão duvidar de todas as informações que lhes passamos. O vosso sistema entrará em choque, vocês não vão querer acreditar na extensão da ignorância a que foram submetidos e por isso, pelo menos por um tempo, negarão a veracidade das nossas informações.

Nós só podemos fornecer-lhes informações de acordo com a vossa própria aceleração. Precisam evoluir, e precisa partir da vossa própria inteligência o *pedido* de informação, pois há uma lei divina relativa à interferência. Existem muitos seres que não respeitaram esta lei e interferiram na Terra: mesmo seres do nosso plano ancestral o fizeram. Como mencionamos anteriormente este é um universo de livre-arbítrio, cujo tema subjacente não poderia deixar de ser 'tudo é permitido'. Contudo, sempre aparecem seres que desejam exercer autoridade sobre outros, que desejam ser os senhores, os soberanos. Vocês foram muito simplistas em relação à quantidade de seres controladores existentes no planeta.

A Família da Luz possui como característica uma inclinação, ou predileção por criar sociedades onde há um tremendo movimento em todas as direções dos raios de luz. Qual o significado disto? Luz é informação, portanto a Família da Luz é a família da informação. Existem certos tipos de consciências – famílias da guerra – que gastam bilhões de anos, de acordo com a vossa concepção de tempo, estudando, promovendo e exercendo o controle sobre outras consciências. Num universo fora da limitação do tempo, todos os cenários dentro de uma zona de livre-arbítrio tendem a esgotar-se.

Chegou a hora de mudarem radicalmente a visão de si mesmos e romper barreiras. De passarem por cima dos probleminhas corriqueiros, dos dramas quotidianos, para se ligarem a nível cósmico ao drama maior que esteja ocorrendo. Assim, informem-se melhor sobre as vossas próprias intenções, propósitos e dramas. Sejam capazes de compreender tanto a vossa identidade, quanto a vossa capacidade de transportar esta identidade para qualquer mundo que venham a escolher.

Esta história da Família da Luz, ou "A Volta das Camisetas Brancas", como gostamos de chamá-la, é a história de *quem são vocês.* Vocês comprometeram-se a realizar determinada tarefa, a cumprir uma missão, e a se lembrar e executar o que vieram fazer aqui. Nós lhes contamos que vossos mundos e vossas identidades dentro deles irão mudar drasticamente, e que estão se aproximando desse momento. Muitos de vocês já sofreram mudanças. Se olharem para trás e observarem quem eram há um ano, irão constatar que agora estão muito mais fortes, muito mais poderosos.

Cada um de vocês começa a sentir que, a todo o instante, cria sua própria realidade e que, cada situação vivenciada, quer estejam empregados ou desempregados, ocorre por decisão própria. Teoricamente, neste momento, cada um, sem exceção, deveria ser capaz de dominar a arte da manifestação, pois esta é a hora de atrair e inserir em seus corpos a rede de informação cósmica, ligá-la a suas mentes e difundir estes dados para todo o planeta. Esta é a rede de informações que se liga aos filamentos de códigos-luminosos fora dos vossos corpos.

Precisam tornar-se mais perspicazes em relação ao quê e a quem diz estar vindo dos céus, pois serão enganados, ludibriados e não vão entender porquê. Nós percebemos isso porque sabemos muito bem como é fácil enganá-los. Algumas vezes agimos assim para impulsioná-los. Já lhes dissemos que fomos bastante ardilosos com vocês em determinadas épocas.

Na verdade, instilamos em vocês confiança e também um novo suplemento de informações para que pudessem pegar os tijolos básicos da construção deste sistema – o conceito de que *vocês se criam a si mesmos,* de que *criam a vossa realidade por meio dos vossos pensamentos* – e formular um mundo projetado pela Família da Luz. Desta forma, um plano e uma nova rede poderão abranger parte da Terra, para que uma possibilidade totalmente nova possa expandir-se. Sem vocês, e sem a nova possibilidade que estão trazendo, existe o potencial para que um dia uma guerra cósmica gigantesca irrompa na Terra.

Procurem sentir – através do vosso centro de sentimento – a confusão que se espalha no mundo devido às novas ocorrências. Este planeta vem operando numa frequência muito baixa, uma frequência baseada na luta pela sobrevivência, no enfraquecimento. A vossa identidade esteve voltada para o que vinha de fora. As doze hélices tornarão irrelevante tudo aquilo que envolvia as duas hélices, ou era representado por elas. Todo o dinheiro poupado e as propriedades adquiridas – toda a segurança baseada nas duas primeiras hélices que fornecem a vossa identidade – tornam-se completamente irrelevantes à evolução do planeta.

Sintam o medo e a incerteza que invade a vida dos seres humanos quando começam a perceber que a maneira pela qual suas vidas foram definidas está se desintegrando. Percebam que a luz é a culpada por esta desintegração e que vocês, como membros da Família da Luz e Portadores da Frequência, a estão provocando uma vez que são portadores da carga eletromagnética que irradia a nova frequência para o planeta. Vocês ajudam a criar o caos da nova consciência.

Façam uma retrospectiva de suas vidas nos últimos dois anos e observem quantas vezes vocês mesmos atravessaram uma incrível confusão mental. Passaram por um verdadeiro caos para decidir quem eram, onde gostariam de morar, quem gostariam de ter como companheiro, se gostariam ou não de ter um companheiro, se gostariam ou não de ter filhos, se gostariam de permanecer no papel de pais, e muitas outras coisas.

Ampliem a percepção para as vossas comunidades e sintam como as fundações sobre as quais as pessoas basearam suas vidas estão se desfazendo lentamente. A fundação está ruindo e muitas pessoas não conseguem perceber isso agora. A razão mais significativa para este desmoronamento consiste no acesso a novas informações, o que torna as informações antigas arcaicas e decrépitas. De certa forma, vocês são responsáveis por evoluirem através disto e por serem as vossas próprias fontes de inspiração – por serem exemplos vivos para os outros.

Vocês têm um papel de grande atuação. Muitos dizem: "Ah, não, a luz está chegando!" pois a luz é conhecida por alterar todas as frequências vibratórias que encontra. A luz carrega consigo informação, e a informação expande sistemas, de modo que sistemas antigos não podem continuar existindo. Assim, da mesma forma que o movimento da luz destrói, gera também novos sistemas com o que deixa para trás. Forma-se uma nova ordem.

Alguns de vocês sentem dificuldade em se considerarem destruidores, pois possuem um sistema de convicções em relação à destruição. Trata-se de um paradigma e, se permanecerem estagnados nesta vibração, sem exterminarem tais conceitos, irão se tornar muito confinados e restritos para vivenciar a realidade. É verdade: vocês são, indubitavelmente, destruidores. Destroem sistemas onde prevalece o time das trevas e a ignorância. A luz penetra para destruir todos os sistemas e a experiência da destruição é proporcional à intensidade e ao fervor com que a consciência se agarra ao que está sendo destruído.

Quem irá ajudá-los a fugir quando as coisas piorarem? Onde está a equipe de resgate? *São vocês.* Para que esta transformação ocorra, devem usar os vossos próprios recursos. Existe uma assistência incrível, proveniente de todos os planos; no entanto, tudo depende de vocês. Vocês vão alterar a frequência simplesmente por vosso compromisso, determinação e força de vontade.

Descubram porque se encontram neste corpo físico: porque é através dele que ampliam a vossa força, o vosso poder aqui na Terra. Ao carregar luz dentro dos vossos corpos, vocês trazem a frequência para o planeta, e essa frequência contém informação. A frequência da luz contém a história da vossa identidade, da vossa consciência individual. Como já foi dito, esta consciência foi misturada nos vossos arquivos, ou estrutura celular, para que os seres que pretendiam tornar-se vossos deuses pudessem controlá-los. Realizaram, então, experiências biogenéticas e mutações que foram chamadas "a Queda". Foi nesta época que a ignorância da espécie humana se tornou predominante. Durante um longo período de tempo foram executadas diversas experiências.

A luz representa a reunião daquilo que foi espalhado, e para realizar esta tarefa, tudo o que precisam fazer é *ser.* Se vocês simplesmente *forem,* à medida que evoluirem e deixarem vossa vida pessoal evoluir, podem ter a certeza de que outros membros de luz estarão evoluindo junto, isto é *verdade.* Vocês enviam irradiações telepáticas informando sobre a vossa presença aqui, da mesma forma que sempre lhes dizemos: "Nós estamos aqui." Nós também somos membros da Família da Luz, trazemos informações conosco e as difundimos por toda a parte.

Existe a necessidade de que cada um de vocês examine as fronteiras que estabeleceram ao seu redor. Vocês realmente progrediram muito em relação ao que eram. Contudo, garantimos que ainda não estão percebendo os limites que estabeleceram para si próprios, limites que continuam definindo o que acreditam poder, ou não, fazer. São eles que os acorrentam a esta versão, ou frequência, da realidade.

Estes limites que vocês mesmos estabelecem e anunciam sobre si próprios, impedem a mudança que as informações que estão despertando dentro de vocês deveriam provocar. A informação faz parte do desenvolvimento espiritual. Diversas camadas da realidade são removidas para que entrem em maior sintonia com os planos espirituais. Nisto consiste o avanço espiritual. Queremos que abandonem os limites e parem de definir e proteger cada aspecto de suas vidas.

É uma tarefa tremenda ser portador de luz. Uma vez que autorizem a luz a entrar em seus corpos, inicia-se o processo de mudança – que nem sempre é alegre, enlevante, divertido, como muitos já tiveram a oportunidade de descobrir. Neste processo, quando as coisas começam a não ser nada divertidas, vocês podem impedir o vosso desenvolvimento e a mudança respondendo aos distúrbios emocionais com medo. Podem culpar alguém, lamuriar-se, lamentar-se ou sentir e acreditar que outra pessoa os prejudicou.

O resto do planeta acredita nisso, mas eles não fazem parte da Família da Luz. Existem milhões de membros da Família da Luz aqui, e a luz está voltando a este planeta, há tanto tempo dominado pelos 'Camisetas Negras'. Os 'Camisetas Negras' alimentaram as vossas emoções negativas, medo, guerra, ganância; como estamos num universo de livre-arbítrio, tudo isso foi permitido. O Criador Primordial é o time das trevas, bem como a Família da Luz. O Criador Primordial é *tudo*.

Nossos ensinamentos são ministrados através de histórias. Talvez um dia consigam enxergar através das histórias que contamos para vocês. Aí não precisarão mais delas e serão capazes de destruir paradigmas e chegar ao conhecimento de realidades mais amplas. Até esse dia, falaremos a vocês em parábolas, para prender o vosso interesse e lhes permitir o acesso a áreas onde se sentem paralizados ao penetrar – áreas que vocês, no mais profundo das vossas almas, assumiram o compromisso de explorar.

Num curto prazo de tempo, haverá uma grande necessidade de perceber quem são os Portadores da Frequência. Os Portadores da Frequência serão chamados a estabelecer o equilíbrio no planeta, pois sabem, 100% do tempo, que criam a sua própria realidade. Eles aprenderam a desafiar as leis da humanidade por meio da direção consciente de sua energia. Aí reside a profundidade da perfeição e do empenho de que estamos falando.

Estamos aqui para lembrá-los quem são vocês e o que concordaram fazer – o que vieram realizar neste planeta. Estamos aqui para ser os vossos *cheerleaders*, animadores de torcida, para incentivá-los a recordar – para dar-lhes assistência e orientação para que descubram por si mesmos o milagre que aguarda dentro do corpo humano.

Neste momento, a melhor forma de agir é procurar manter a própria frequência sem se preocupar em "ajudar" os outros. Concentrem-se ao máximo, buscando permanecer o tempo todo conscientes, percebendo o que está ocorrendo à vossa volta. Sejam constantes com a frequência da luz, que lhes traz informação, e com a frequência do amor, que é a frequência da criação.

À medida que a fonte de alimento dos deuses criadores se for esgotando e a barreira da frequência for atravessada, a rede de informações da Terra mudará. Na verdade, a Terra passará por uma iniciação. A Terra cuida de todos os seus habitantes e ela própria evolui, à medida que os seus habitantes evoluem para uma existência onde maiores possibilidades irão ocorrer diariamente – onde milagres podem tornar-se a vida normal, pois acontecerão dentro da frequência que se tornará disponível. Cada um de vocês ajuda a manter viva a frequência no planeta simplesmente vivendo suas vidas de acordo com a luz e de acordo com aquilo que sabem. Trata-se de um trabalho de natureza individual. Vocês podem trabalhar em grupos, ter líderes, mas precisam evoluir individualmente. Ao agir assim, guiados por vossa luz, terão uma vida extremamente emocionante.

Não precisam trabalhar continuamente conosco – nem com *ninguém* – para adquirir informação. A necessidade única reside em trabalhar-se continuamente, buscando o significado daquilo a que chamamos exaltação do ser. Sintam o que a *exaltação do ser* significa – atingir o triunfo, a liberdade, a felicidade, a realização mais sublime.

Este planeta necessita desesperadamente de entidades que se comprometam a buscar a exaltação do ser. A continuidade de que estamos tratando – e que cabe a vocês trazer para suas vidas – significa estarem conscientes, a cada momento, de que se comprometeram a descobrir esta exaltação. Ela pode ser traduzida em palavras como frequência, onda de sentimento, ou vibração. Todos compreendem o que significa vibração em termos de luz ou de som. Vibrações são movimento – carregam e transmitem formas de inteligência. Ao olharem para si mesmos, lembrando-se de que estão neste caminho – não se esquecendo de que estão atraindo luz para seus corpos, procurando elevar a vossa frequência, desafiando as leis da humanidade e alterando a frequência do planeta – estão produzindo a continuidade cujo poder é maior do que todos os livros e fitas do mundo.

Não existe nada mais forte do que o vosso compromisso com a exaltação do ser. Uma vez comprometidos com a energia da luz, a energia da exaltação, a frequência elevada, vocês estão marcados. Ao pedirem a aceleração, devem viver de acordo com aquilo que estas energias colocam na vossa frente.

Acima de tudo, *vivam a vossa luz.* Vivam a luz que existe no vosso interior com coragem. Não vivam escondidos – *vivam a luz.* Falem aquilo que sabem, sem ter vergonha, sem gesticularem como fanáticos. Afirmem simplesmente: "Acredito nisto. Vivo isto." Por exemplo, quando alguém disser: "Cuidado, você pode pegar uma gripe!" devem responder: "Eu não acredito em pegar gripes. Eu não uso o meu corpo para ter doenças." Fazendo afirmações deste tipo, ajudam as outras pessoas a despertar. Falem o que sabem em conversas triviais com parentes e amigos.

Onde quer que estejam, usem o pilar da luz. Recomendamos que visualizem um pilar de luz entrando pelo topo da cabeça, abrindo o chakra da coroa e inundando o vosso corpo de luz. Imaginem este pilar de luz cósmico vindo do espaço sideral mais elevado, vos inundando, preenchendo vossos corpos e depois saindo pelo plexo solar, formando uma bola de luz em volta do vosso corpo, para que vivam sempre dentro de um ovo etérico fulgurante.

Quando amam a si mesmos e à Terra, e sabem que estão aqui para redefinir, reprogramar e romper os limites da humanidade, vocês transmitem isto. Vivem suas vidas com esse compromisso. Se nos perguntarem quanto tempo precisam dedicar a esta tarefa, responderemos: "É muito simples: *todo o vosso tempo.*" Não se trata de preocupar-se com algo, trata-se de algo que vocês simplesmente *são*. Vocês vivem isso – é a vossa divindade. Descobrirão que ao viver a vossa luz, atrairão outras pessoas que estão muito interessadas em viver suas vidas de forma semelhante, e o número dessas pessoas não pára de crescer.

Quando assumem o compromisso dizendo: "Espírito, eu quero trabalhar por você. Arranje-me trabalho e mostre-me o que fazer. Conceda-me a oportunidade de viver a minha luz, dizer a minha verdade e ser portador da luz em todo o globo", o Espírito vai fazê-los trabalhar. Tenham em mente, bem claro, seu potencial disponível e estabeleçam um contrato com o Espírito. Digam ao Espírito o que desejam em pagamento. O Espírito permitirá que negociem e redijam o contrato que quiserem, se estiverem operando em serviço próprio e visando elevar a vossa vibração. Quando vocês operam em serviço próprio, comprometendo-se pessoalmente a evoluir e mudar, elevam todos ao seu redor. Isto é servir. Servir não é sair, martirizar-se e dizer: "Eu vou salvá-lo". Servir é trabalhar-se e viver de maneira a que todos aqueles que entrarem em contato com vocês sejam afetados pela vossa presença de luz.

Não há nada de errado em dizer ao Espírito: "Escute aqui, estou pedindo, quero agir. Por favor, acelere este processo." Se querem aceleração, sejam claros, preparem-se e estejam abertos para ler os símbolos à medida que se apresentam a vocês. Quando um livro cai da prateleira, leiam-no. Quando surge a oportunidade de ir a algum lugar, não digam: "Ah, que pena, não tenho dinheiro". *Não deixem de ir!* Quando estão querendo namorar e uma pessoa surge no vosso caminho, mas sua 'embalagem' é esquisita, *namorem!* Vocês não estão agindo mesmo de maneira sensata, e talvez tudo isso seja a forma que o Espírito encontra de quebrar os vossos padrões. Se forem claros e se comunicarem em todas as situações poderão progredir muito.

Vocês se preocupam muito com o que vai acontecer, com a aparência das coisas. É importante perceber isso. Portanto, quando pedirem a aceleração, estejam preparados para enfrentar situações que a mente lógica não aceita. A mente lógica vai esbravejar, espernear, simplesmente porque terá medo. Se se flagrarem dizendo: "Não posso fazer isso!" ou "Isso é uma loucura!" prestem atenção. Estas são palavras chave. Digam apenas: "Recebo orientação divina. Desejo uma aceleração. Tenho intenção de trabalhar, minha capacidade será cada vez mais elevada e me atiro nesta aventura. Sinto que estou agindo de forma correta, mesmo parecendo estranha, por isso vou em frente." Contudo, se não se *sentirem bem* e a coisa parecer loucura, então não façam. Confiem nos vossos sentimentos.

Está havendo uma seleção – a seleção dos escolhidos. O que significa ser chamado de "escolhido"? Os escolhidos são aqueles que escutam o som de sua melodia interior, são aqueles que se reunem para ouvir a nossa mensagem. O simples fato de ser um escolhido não significa passar automaticamente para níveis mais elevados, nem executar a tarefa a ser desempenhada. Quem escolhe vocês? *Vocês se escolhem.* Não são sócios de um clube exclusivo – mas, por outro lado, não deixam de ser. Entrar para sócio deste clube é um ato voluntário; todos vocês decidiram quem seriam e por que viriam para cá. 'Coragem' será o sobrenome de todos vocês.

Muitos levam uma vida escondida não deixam ninguém conhecer seus credos íntimos. Sentem-se seguros discutindo vários assuntos, mas no trabalho, ou em família, colocam um zipper na boca e não se permitem expressar suas verdades.

Existem milhares de pessoas cujos códigos estão esperando ouvir a sua voz. Foi para isso que os escolhidos foram chamados agora. Foram sorteados por sua coragem. Se não conseguirem ter coragem agora não temos muita certeza se irão consegui-lo mais tarde.

Cada um de vocês veio a este planeta com uma missão, realizar uma tarefa. *E o momento é agora.* A década da mudança já chegou e, à medida que entenderem o significado desta mudança e a integrarem, a vida de cada um de vocês será completamente alterada. A mudança significa abandonar muitas coisas, separar-se de muitas coisas e unir-se a outras coisas porque vocês confiarão. *Confiança* é a palavra que todos irão apreciar muito como sobrenome, e contudo, confiança é algo que todos negam possuir.

O que significa confiar? Significa possuir o conhecimento interior de que os vossos pensamentos criam o vosso mundo – simplesmente ter certeza, com a divina despreocupação e sabedoria interior, de que *se você pensar algo, isso acontece.* Este é o tema que tentamos apresentar a vocês, através de todas as formas possíveis de expressão, para que um dia destes o consigam absorver. Uma vez que o tenham absorvido e comecem a vivê-lo, começarão a modificar suas vidas.

O tempo da mudança é agora. Não quer dizer que estejam perdendo tempo. Acontece que o tempo irá exercer pressão sobre vocês e, se não agirem, sentir-se-ão desconfortáveis. Como já dissemos, existe uma seleção dos escolhidos. Vocês se escolheram; portanto, se não trabalharem no projeto que idealizaram para si mesmos, estarão de certa forma, perdendo tempo. Ainda faltam alguns anos para que ocorra a grande confusão, tudo vire de pernas para o ar e, se não estiverem vivendo na verdadeira eminência da luz, que vocês mesmos escolheram viver, poderá ser muito tarde. Em outras palavras, se continuarem adiando, serão varridos pelos vagalhões do maremoto – talvez até literalmente.

Não importa que trabalho vocês recebam orientação para executar, ele faz parte do projeto, do plano da vossa evolução. E, ao evoluir, estarão afetando a evolução do planeta. Tudo o que fizerem serve à vossa evolução. Ao compreenderem quem são os seres humanos e o que é este lugar, começarão a abrir novos caminhos para outras pessoas trilharem. Descobrirão que eventos, nem sequer imaginados por vocês, serão, de alguma forma, colocados à vossa frente. Estas são coisas que estão além da vossa compreensão – "disposições", como gostamos de chamá-las, ou oportunidades nas quais nunca pensaram. Quando isto ocorrer, saberão que estão vivendo a vossa luz, e fazendo-o corajosamente.

Há uma grande probabilidade de que os portadores de luz sejam questionados nos próximos anos. Devem entender que isso faz parte do plano. Todos devem ter intenções claras ao projetar a sua realidade. Isto não quer dizer que deixem de ser flexíveis; significa que devem operar com clareza. Digam: "A meus guias e a todos os que me dão assistência em minha jornada evolutiva na Terra: É minha intenção que eu tenha sucesso. É minha intenção que eu seja sempre protegido em tudo aquilo que fizer. É minha intenção que eu receba amor e dê amor em todas as coisas que fizer. É minha intenção que tudo corra bem para mim, e que haja prosperidade de acordo com as minhas necessidades. É minha intenção que eu não permaneça enamorado demais do mundo material."

Embora devam executar seu próprio trabalho para evoluir, existem muitos seres extraterrestres, não-físicos, prontos para trabalhar com vocês. Só precisam chamá-los e pedir a sua ajuda. Ao fazerem isso, afirmem sempre com clareza que toda e qualquer assistência recebida vem da luz. Permaneçam íntegros e conscientes. Neste planeta existe a convicção de que se uma pessoa é inteligente, é também espiritualmente desenvolvida. *Isso é absolutamente falso!* Uma pessoa pode ser brilhante, pode ter aprendido a transcender as leis da humanidade e, ainda assim, não operar dentro da frequência da luz, nem da frequência do amor. Tenham consciência disto e sejam claros ao pedir ajuda.

Já mencionamos diversas vezes que a frequência da luz traz informação. A frequência do amor traz a criação, bem como conexão e respeito a toda a criação. A frequência do amor, sem a frequência da luz, pode tornar-se muito desequilibrada. Se acharem que a frequência do amor vem de fora e não de dentro de vocês, farão o que sempre tem ocorrido neste planeta: vão adorar quem está promovendo a frequência do amor como se fosse um santo.

O ideal é ser portador da frequência luminosa da informação – tornar-se informado – unindo-a à frequência do amor. Esta atitude permitirá se sentirem parte da criação, sem julgá-la nem temê-la, percebendo simplesmente sua divindade e perfeição à medida que ela evolui e ensina sua essência a cada consciência que faz parte dela.

CAPÍTULO XIII

Vocês são o próposito de quem?

Nós dissemos que há um propósito para vocês existirem. Propósito de quem? Já pensaram sobre isso? Vocês são o propósito de quem?

Vocês têm um propósito porque todos os aspectos da consciência estão ligados entre si. Nenhum existe fora do sistema; cada um faz parte do todo. Este é o propósito que queremos vê-los procurar. A essência do veículo que ocupam, bem como a energia que geram, fazem parte de uma sequência de desenvolvimento que possui o propósito da busca pessoal de cada um na vida. Mas que propósito vocês acrescentam ao todo? Conseguem conceber outros seres usando o vosso propósito e crescendo por isso? Uma energia que vocês nem sabem que existe?

Este universo combina-se como um jogo de dominó. Todos os aspectos de consciência se juntaram neste universo para afetar uns aos outros, porque trata-se da única forma que a consciência, neste sistema particular, consegue vivenciar. Em outro sistema, ou em outra estrutura universal, toda e qualquer modalidade da consciência pode ser completamente livre. Em outras palavras, pode-se ficar sozinho e não servir ao propósito de ninguém. Isso não acontece neste universo.

Existem muitos temas e universos diferentes. Da mesma forma que cem pennies perfazem um dólar, determinadas coleções de universos perfazem algo que constitui uma coleção de energias. Posteriormente, começarão a compreender e a reconhecer sistemas de existência inteiros que nada possuem em comum com a existência em que estão trabalhando. Este sistema foi projetado para ser uma zona de livre-arbítrio, onde tudo está interligado e interage com todo o resto.

Existem outras espécies de zonas, que talvez se possam também denominar zonas de livre-arbítrio, onde tudo é independente de tudo. Aqui na Terra, tudo está interligado. Há muito mais espaço num sistema onde tudo é independente. Ou, melhor dizendo, há muito mais *consciência* de espaço, não do espaço propriamente dito. Tal espécie de universo poderia, na realidade, ser muito menor do que este universo mas, devido ao fato de não operar fora da densidade, a consciência de espaço pode ser maior.

O vosso propósito é serem portadores de informação, e assim sendo, tornarem esta informação acessível através da frequência. Ao compartilharmos esta história com vocês, acabam forçosamente recebendo informação. Informação é luz; luz é informação. Quanto mais se tornam informados, mais alteram a vossa frequência. Vocês são criaturas eletromagnéticas, e tudo aquilo que são transmitem aos outros. Da mesma forma que reconhecem alguém com medo, podem reconhecer alguém radiante de alegria, se aprenderem a usar o vosso corpo para sintonizar esta forma de percepção.

A vossa missão consiste em serem portadores de informação e evoluir ao potencial mais elevado da espécie humana. Quando isto ocorre, passam a afetar multidões. Podem até achar que a vossa ocupação específica não é muito grandiosa, mas não se esqueçam que as aparências enganam, e todos aqueles que entrarem em contato com vocês serão afetados pela vossa vibração. Alguns podem estar desempenhando tarefas subalternas, pequenas, simplesmente criando seus filhos, ou executar um trabalho que sentem não se tratar exatamente do caminho para a glória. Contudo, haverá um determinado período em que precisarão assimilar toda essa informação que, sem dúvida, é fundamental. Devem trazê-la para suas vidas, para a história do vosso mundo, vivê-la, percebê-la, acostumar-se com ela. Quando forem capazes de manter constantemente a frequência de informação, deixando de viver a montanha-russa de emoções, para cima e para baixo, por desconhecerem quem são, uma tarefa lhes será apresen-tada. Ela será colocada à vossa frente, e fará parte do vosso projeto. O vosso projeto consiste num plano pessoal detalhado, um plano de ação para esta vida.

Muitos já conhecem seus projetos e para onde serão guiados. Cada um sabe que seu plano se encontra na porção mais profunda do ser. O que bloqueia o vosso conhecimento é o pensamento lógico de que vocês não possuem talento, ou não vão conseguir executar o vosso projeto. Se entrarem num estado meditativo, receberão um quadro da vossa identidade, da realidade e da etapa seguinte da vossa missão, dia a dia. A meditação é um estado de comunicação; não é um caminho que os leva a se perderem. A meditação é o caminho que leva à informação, que os conduz ao alimento.

Irão caminhar em direção ao vosso propósito que, certamente, será relacionado com a frequência: traduzi-la, encaminhá-la para as outras pessoas, explicá-la, usá-la para curar os outros e estabilizá-la para a raça humana. Quando cada um de vocês for capaz de manter a frequência da informação sem divagações, de forma constante, a frequência será ancorada no planeta. Esta frequência é reconhecível. Não deixa um rastro palpável, mas pode ser percebida e está sendo percebida agora. Esta é a razão da disposição frenética para alterá-la. Vocês encontrarão um controle de frequência muito maior em todas as direções, só que agora serão capazes de percebê-lo.

Vão constatar que todas as ocorrências da vossa vida tiveram como objetivo prepará-los para a missão que devem executar agora. Em determinado período, podem ter sido chefes de escoteiros e ter aprendido a trabalhar com garotos. Em outra época, podem ter sido empregados num restaurante, aprendido a trabalhar com alimentos e a servir. Através dos vossos empregos criaram certos aspectos da realidade que, mais tarde, quando precisarem ensinar a estes sistemas como ultrapassá-los, terão uma idéia da procedência desses seres humanos.

Nós não nos dirigimos a vocês como se fossem humanos porque, para nós, não o são. Vocês fazem parte da Família da Luz e nós conhecemos os vossos seres multidimensionais. Falamos-lhes sobre como lidar com humanos porque é vossa missão integrar-se a eles, acalmá-los e despertar a centelha luminosa no seu interior, para que não sejam todos destruídos e este local possa, então, abrigar uma nova espécie e um novo plano de atividade.

Já falamos diversas vezes sobre a evolução do DNA e a modulação da frequência que manteve a espécie e toda a experiência manejável e controlável. Vocês foram contratados e vieram do futuro, em missão, impelidos de volta para este ciclo de existência – e encarnaram muitas vezes para entender o que manteve os humanos sob controle. Dessa forma, podem operar de dentro e alterar o sistema. Quando lutam com a vossa mente lógica, estão vivenciando um conflito entre a porção humana de vocês que comprou a história, e a porção de vocês que é da Família da Luz, que não comprou a história e está compreendendo o quadro global.

Comecem a perceber que a porção de vocês que opera fora da lógica lhes está ensinando alguma coisa. Está dando a vocês, em primeira mão, a experiência de como a maioria da população opera e o que terão que fazer para atingir os outros.

É bem fácil mudar para a intuição e operar através dela, completamente entregue; contudo, se não possuissem a dualidade da compreensão através da mente lógica, com o passar do tempo se tornariam muito impacientes com o resto da humanidade.

Os seres humanos foram controlados por frequência durante muito tempo. Acostumaram-se tanto à frequência controladora, a mente lógica desenvolveu-se tanto recentemente, que existe muito medo e desconfiança – uma parte negra do ser tão controlada que amedronta as pessoas, impedindo-as de chegar até ela e acreditar que é possível receberem informações por si mesmas. Se imaginarem as entidades que modularam a maneira pela qual os seres humanos transmitiam suas frequências rearranjando o seu DNA, além de criar várias cenas e eventos neste planeta – e canalizando o resultado desta energia psíquica através de vários portais em direção ao espaço, por razões particulares – verão aquilo que estão combatendo.

Existem seres querendo que vocês, e o planeta inteiro, funcionem unicamente através da lógica – uma lógica aterrorizante. O melhor conselho que podemos lhes dar, nesta situação, é que usem esta mesma lógica. Digam: "Estou sendo lógico agora, observando o que faz minha mente lógica. Ela está querendo assumir o controle. Disseram-me que era assim. Disseram-me também que existia outra forma de funcionarmos igualmente verdadeira. Vou simplesmente observar como me inclino ora para um lado, ora para outro. Sinto raiva? Estou inseguro? O que me traz elevação? O que me traz segurança? De que modo cada forma de pensamento age em mim? O que estou percebendo em relação a mim mesmo? Como estou me sentindo?"

Observem e procurem compreender tudo isso. Digam, então: "Agora que dei a todos a oportunidade de subirem ao palco, o que é que *eu* quero? Reafirmem o que *vocês* querem. Vocês sabem que desejam evoluir. Já perceberam que a volta cíclica à dúvida faz, na verdade, parte do Plano Divino? Faz parte da necessidade de compreender o que os outros, que seguirão os vossos passos, terão de enfrentar. Precisam aprender a abrir o vosso centro da compaixão, ou o chakra do coração, que é uma das coisas mais difíceis para vocês. Aprendam a sentir compaixão por si mesmos e pelas outras pessoas, pois todos possuem a coragem de desapegar-se e sentir.

É muito importante observar como lidam com os acontecimentos. Diversos eventos são trazidos até vocês para que possam observá-los. Aprendam a observar o vosso comportamento e a passar mais tempo sozinhos – mesmo à custa de se sentirem solitários. Com o passar do tempo, irão nos agradecer muito por tê-los orientado a buscar um encontro mais significativo consigo mesmos. Vocês possuem a riqueza e a maturidade que pode conduzi-los à realização plena.

Existe uma ordem dentro da qual operam que uma parte de vocês não é capaz de enxergar. Às vezes, quando uma das vossas partes está operando sem visão, ocorrem eventos que os puxam para trás. Tenham em mente que, neste novo caos de consciência, confusão, mudança, incerteza, existe uma ordem divina.

Podemos comparar esta situação ao processo de fazer um bolo. Cada ingrediente da receita é, em si, integral, completo e possui sentido de estrutura próprio: os ovos, a farinha, a manteiga, o açúcar. Quando começam a misturá-los, tem-se a impressão de caos. Um observador poderia dizer: "Vocês estão destruindo tudo. Vocês destruiram esse ovo. Aonde foi parar o açúcar? Vocês estão destruindo todos os elementos essenciais!" Este observador provavelmente desconhecia a fórmula catalizadora mágica do calor.

No momento em que todas as estruturas individuais começam a derreter e a fundir-se num caos aparente, denota-se a presença de uma energia catalizadora no planeta. Algo novo nascerá deste processo, exatamente como um bolo nasce do caos provocado pela mistura de determinados ingredientes. Muitas pessoas no planeta não percebem a existência de uma ordem superior por trás do caos – e de que existe uma receita sendo seguida.

Cada um de vocês possui um papel específico dentro dessa receita. Embora o plano divino deva ser executado, vocês como ingredientes da receita, têm o livre-arbítrio para escolher como segui-la. O livre-arbítrio lhes permite especificarem como gostariam de viver vossas vidas e lhes dá a oportunidade de impor vossos limites.

O que dizer para convencê-los a derrubar todas as vossas fronteiras? Se existe um objetivo que desejamos alcançar é ver cada um de vocês livre e sem limites, sabendo que cada pensamento que tiverem irá, de alguma forma, determinar as vossas experiências. Se conseguirmos que vocês vivam 100% do tempo fazendo o que quiserem, este terá sido para nós o ano de maior sucesso!

Pediremos a cada um que assuma este compromisso e viva uma vida mais limpa, íntegra. Pediremos que assumam responsabilidade por certas áreas que jamais cogitaram sentir-se responsáveis. Queremos que cada um aja como se soubesse o que está acontecendo. Ajam como se fossem guiados por deus em cada escolha efetuada, e comecem a acreditar que estão sempre no lugar certo, na hora certa. Afirmem para si mesmos: "Eu recebo orientação divina. Estou sempre no lugar certo, na hora certa. Tudo aquilo que faço está orquestrado para meu crescimento mais elevado, minha consciência mais elevada e minha evolução mais elevada." Queremos que a partir de agora operem desta forma o tempo todo. Sejam Portadores da Frequência vivos. Quando a luz é trazida para os vossos corpos, acende os filamentos de códigos-luminosos e ajuda a reagrupar o DNA, criando a mudança de frequência. A frequência é o que vocês sabem. *A frequência é a vossa identidade.*

Houve períodos em que muitas dimensões diferentes existiram neste planeta simultaneamente. Nos últimos milênios estas dimensões variadas recuaram à medida que o grande caos e as trevas assolaram a população. Estas dimensões (ou outras realidades, ou ainda locais onde as leis de existência são um pouco diferentes) estão voltando. Vocês ajudam-nas a voltar, atraindo-as ao planeta e criando o que se chama fusão dimensional.

Às vezes chegam a estas dimensões sem se aperceberem. Vocês entram em uma espécie de transe, uma frequência dimensional diferente especialmente quando vão a locais sagrados da Terra, e tudo muda. Vocês sentem-se felizes, cheios de energia, ou o vosso estômago pode ficar embrulhado. Alguma coisa acontece quando vocês entram em outro estado.

No entanto, nem sempre *sabem* que se encontram em estado alterado de consciência. Este é o início da fusão dimensional. Ao voltarem para casa de um local sagrado, podem pensar: "Uau, o que foi que aconteceu lá?" Esta é a sensação de vivenciar dimensões diferentes.

Colisões dimensionais são outra história. As pessoas tomadas pelo medo, que se recusam a mudar mesmo tendo o propósito de estar no planeta nesta época de mudança, sentirão as colisões dimensionais. A fusão dimensional para elas será como um muro sólido de cimento chocando-se contra outro muro igual. Para muitos ocorrerá um grande desconforto. Isto já está acontecendo em pequena escala manifestando-se como desconforto no sistema nervoso. As pessoas podem desenvolver doenças do sistema nervoso simplesmente por se recusarem a evoluir e a mudar suas posições em relação a si mesmas e à realidade. Todos aqueles que trabalham com outros seres humanos na qualidade de médicos, massagistas, professores, músicos, etc., devem compreender o dilema que os humanos estão vivendo: *a necessidade de mudar a definição de si e da realidade.*

Usem a vossa vontade e mente para decidir como gostariam que a realidade fosse construída. Fazendo isso, acabarão descobrindo que existe uma vontade superior e um plano superior, e ao levarem suas consciências até ele, conhecerão o caminho divino. Este caminho divino conduz à evolução da consciência. Como espécie humana, acreditaram por eons naquilo que outros seres lhes contaram sobre vocês mesmos. Como dissemos, havia um propósito em tudo isso: estes outros seres queriam controlá-los. Mesmo estando empenhados em evoluir, era muito difícil que o conseguissem aqui no planeta porque o vosso DNA foi misturado e guardado, portanto não importa aquilo que quisessem, as conexões vibracionais não estavam disponíveis. Agora que as conexões vibracionais estão chegando ao planeta, o Plano Divino – que vocês podem imaginar como um projeto, uma planta – aproxima-se da Terra e as dimensões irão encontrar-se. Depende de vocês a hora deste encontro. O Plano Divino não está agendado para chegar aqui numa data específica; depende da rapidez com que os seres humanos conseguirem atender a suas necessidades e dominar a si mesmos.

O que significa dominar a si mesmos? Para compreender o Plano Divino e chegar ao projeto, devem olhar para si mesmos. Precisam ser capazes de ter o domínio sobre *quem são.* Há muitas coisas em vossa sociedade que precisam estar sob controle para que possam afirmar: "É, passei no teste. Estas regras estão sob controle. Eu as utilizo e submeto-as à minha vontade." Por exemplo, precisam saber dirigir um carro para tirar a carteira de motorista. Quantos de vocês sabem dominar seus corpos e submetê-los à vossa vontade? Bem poucos. Por quê? Porque ninguém lhes contou que isso era possível. Nós estamos aqui para lembrá-los de muitas coisas.

A Terra, agora, é um lugar muito difícil para se estar, simplesmente porque as pessoas codificadas para efetuar as mudanças planetárias estão codificadas para ensinar a si mesmas. Vejam vocês, o problema deste planeta, sempre, têm sido os deuses. Um deus após o outro. Mas quem são esses deuses? Vocês foram criados por eles. Foram projetados por eles. Querem bem a vocês. Contudo, existem alguns que não os estimam muito porque não conseguem entender o que sejam emoções ou sentimentos. Além disso, apreciam realidades diferentes das vossas.

É permitido à consciência expressar-se livremente, no entanto, os seres que os governavam permitiram apenas uma expressão limitada da vossa consciência. Vocês não tinham a menor idéia de que eles existissem, nem sabiam que estavam sendo controlados. Eles trouxeram ao planeta simulações da realidade sob o disfarce daquilo a que vocês chamam de religião, liderança ou até inspiração. Certos eventos, mesmo quando são programados para atingir determinados objetivos, reunem muitas vezes as pessoas envolvidas, criando várias probabilidades inesperadas.

Queremos comunicar-lhes que uma mudança drástica está ocorrendo. A Terra vai passar por uma chacoalhada de proporções gigantescas. Esta chacoalhada envolve a concepção e o processamento de dados que se encontram totalmente fora do atual paradigma da humanidade. Isto significa que o sistema nervoso de vocês será invadido por estes dados e precisará ser capaz de libertar-se de seus conceitos de percepção e controle da realidade.

A tarefa dos membros da Família da Luz que desejaram trazer dentro de si estas informações, consiste em ancorar uma nova frequência ao planeta, começando por ancorá-lo no seu interior. Isso não é fácil. *Nunca teve a pretensão de ser fácil.* Vocês não vieram numa missão fácil. Vocês são renegados, *sempre* foram renegados. Se pudéssemos dar a cada um de vocês um minuto de suas memórias multidimensionais, saberiam do que estamos falando. Saberiam, na porção mais profunda dos vossos seres, que muitas e muitas vezes, sob os mais variados aspectos, as mais diferentes formas, vocês se dirigiram ao lugar onde a mudança necessitava ser ancorada. Foram muitas vezes, destruíram os paradigmas, libertaram-se e ultrapassaram o que pensavam ser a vossa identidade. Este é o Plano Divino: a fusão do ser.

O Plano Divino possui muitas ramificações e reúne diversas espécies de forças. Vocês já nos ouviram falar sobre as forças da luz e as forças das trevas. Apelidamos estas forças "Camisetas Brancas"e "Camisetas Negras" para tornar a situação neutra e lhes mostrar que se trata de um jogo. Um jogo muito sério, de gravidade imensa, e que dentro, fora e acima deste jogo encontra-se o Plano Divino. O Plano Divino pode ser ancorado, como uma vibração, dentro de determinados corpos de seres humanos que foram codificados para isso e vieram para cá com a missão de serem portadores desta frequência. E assim vocês podem elevar-se a esse próprio projeto de impecabilidade.

Quando a vossa própria vida se eleva à posição onde nem vocês mesmos a reconhecem como sua, passam a permitir à energia dos reinos não físicos usá-los como condutores – para fundir as dimensões e liberar a consciência para uma nova forma de percepção. Mesmo ocorrendo morte e destruição em vosso mundo, lembrem-se de que morte e destruição ocorrem no outono, todos os anos, neste planeta. As flores e as folhas das árvores são mortas pelo frio; definham e morrem. Pessoas que moram em locais onde é sempre verão, podem ficar muito perturbadas ao verem o outono pela primeira vez. Podem pensar: "Meu Deus, o mundo está sendo destruído aqui. Tiraram toda a beleza deste lugar!" Exatamente a mesma coisa está acontecendo na Terra. Trata-se de uma estação em que muitas coisas morrerão, para que muitas outras coisas novas possam nascer. Tudo isso faz parte do Plano Divino.

Capítulo XIV

Emoções – o segredo nas crônicas do tempo

Existem seres neste universo que ainda não descobriram as emoções humanas. Quando vocês visitam terras antigas e observam as criações de outras épocas, podem sentir as frequências e as vibrações inerentes a estes locais. Vocês *sabem* que lá existem chaves, *sabem* que existem mensagens – que há algo guardado dentro daquilo que outrora existiu, e irá revelar-se novamente. Da mesma forma, os seres humanos possuem escondido dentro de si algo de enorme valor para a evolução do universo. Estamos nos referindo a tais dados como códigos e números mestres: fórmulas geométricas de luz essenciais à recriação e produção de formas de vida por todo o universo.

Os seres humanos foram largados, escondidos e esquecidos desde os primórdios dos tempos, desde que seu DNA foi rearranjado. E aqueles tempos foram esquecidos. Vocês ficaram de quarentena, como se estivessem nas masmorras do tempo por um período tão longo que, ao despontarem as novas eras, ninguém mais se lembrava que vocês estavam lá.

Contudo, há os que não esqueceram. Enviaram vocês com a missão de mudar tudo: trazer de volta a memória e *o valor da existência humana à frente da criação*. Vocês são necessários por serem portadores de algo que muitas outras espécies desconhecem inteiramente: a emoção. E, do mesmo modo que vocês precisam trabalhar juntos para atingirem individualmente a plenitude e a riqueza do ser multidimensional, existem seres tentando impulsionar o universo inteiro para uma nova oitava – buscando criar um novo território.

Os Guardiães do Tempo sabem onde os dados estão guardados, e vocês foram encontrados; foram escolhidos para trazê-los à luz. Nós avançamos – ou retrocedemos em relação a nosso tempo – para dar assistência àqueles cuja missão é desvendar os anais do DNA humano. Estamos aqui para ajudá-los a rearranjar o DNA no vosso interior, para então se tornarem parte da Biblioteca Viva.

Como já foi mencionado, o que está ocorrendo na Terra irá afetar muitos lugares. A energia enviada neste momento destina-se a redirecionar determinadas forças universais que, ao se alinharem, conduzirão este universo à conscientização simultânea de sua identidade. O que existe na Terra pode ser comparado a um segredo escondido nas crônicas do tempo, relacionado à emoção. Nesta dádiva da emoção há riqueza e abundância; há uma capacidade incrível de se transcender realidades diferentes e vivenciar estados de consciência inteiramente diversos. As emoções permitem que certas energias se liguem, se misturem, se fundam e percebam a si mesmas. Sem emoção, tal ligação não existiria.

Existem seres muito antigos no universo que perceberam a essência do planeta Terra. Eles vêm trabalhando há eons. São veneráveis anciões, mesmo para nosso sistema, respeitados como homens e mulheres de grande sabedoria, no conceito de vocês, embora não sejam, de fato, homens nem tampouco mulheres. São considerados Guardiães da Existência deste sistema. São eles que fazem os movimentos e dirigem o sistema, como um capitão dirige o navio. Eles guiam o universo em seu curso; este é o seu trabalho. Assim como vocês têm o vosso trabalho, o deles é dirigir este universo rumo à descoberta. A partir do próprio aprendizado e da própria jornada, eles descobriram que precisam entrar em contato com outros universos.

Há um plano que consiste em impulsionar e enviar energia para experiências novas. Neste momento, a Terra e vários outros sistemas onde vocês existem simultaneamente, servem como instrumento no renascer da emoção, com o propósito de compreender todas as identidades condensadas em uma só. Os universos estão descobrindo o que são capazes de fazer quando se unem e realizam um trabalho conjunto, da mesma forma que vocês estão descobrindo o que podem vir a ser. Não existe uma idéia preconcebida sobre aquilo que vai acontecer. *Trata-se de um novo território.*

A emoção é a chave de tudo isso. Como seres humanos, vocês precisam da emoção para entrarem em contato com o vosso Eu espiritual. A emoção é essencial à compreensão da espiritualidade porque *emoções geram sentimentos.* Os corpos mental e físico estão estreitamente ligados, da mesma forma que o estão os corpos emocional e espiritual. O corpo espiritual, é aquele que existe além dos limites físicos. Vocês precisam da emoção para compreender o não-físico, e é por isso que as emoções têm sido tão controladas neste planeta. Foi-lhes oferecido muito pouco espaço emocional, e vocês foram incentivados a se sentirem impotentes e amedrontados.

Muitos de vocês não querem ultrapassar estas barreiras emocionais nem superar seus limites pessoais porque creêm poder ser doloroso. Gostariam de dizer "abracadabra" e que, num piscar de olhos eles desaparecessem. A dor traz-lhes sentimentos. Se não conseguem sentir de outras maneiras, algumas vezes, para chamar sua atenção de seres humanos teimosos, vocês criam a dor para mostrar a si mesmos toda a gama de suas capacidades e para trazê-los à vida. Desse modo, conseguem sentir a riqueza de estarem vivos.

A maioria dos seres humanos tem medo de seu centro emocional, ou centro do sentimento; tem medo de sentir. *Confiem em vossos sentimentos, não importa quais sejam eles!* Tenham confiança de que eles os guiarão, acreditem que os sentimentos podem levá-los à realização. Todos querem estar dentro e fora da vida ao mesmo tempo. Costumam dizer: "Quero ficar aqui e ser uma pessoa poderosa, mas não quero sentir nem participar muito porque posso me machucar, ser sugado. Não confio na vida."

Quando ultrapassam o medo dos sentimentos, superam os julgamentos e permitem aflorar tudo o que sentem, conseguem uma tremenda abertura porque *podem levar os sentimentos para outras realidades.* Se quiserem conseguir uma aceleração, mergulhem em algo que provoque sentimentos. Parem de contornar o assunto, achando que está tudo sob controle. Mergulhem bem no meio do sentimento, para poderem perceber se o estão controlando mesmo.

Não se trata de não saber sentir, o que ocorre é que vocês *têm medo dos sentimentos.* Não sabem o que fazer com eles quando aparecem. Como lhes trazem uma sensação de impotência, os associam com a expressão: "Ah, não, que droga!" Quando surge uma emoção que provoca dor ou raiva no vosso sistema de conceitos, a rotulam de nociva. Chega de pisar em ovos e evitar as emoções!

A raiva tem um propósito. Todos querem detoná-la e agir como se ela fosse uma coisa ruím. Comportam-se como se a raiva fosse uma verdura podre, um lixo a ser enterrado no quintal, como se não houvesse um propósito em sua existência. Insistimos em enfatizar que existe um propósito para o medo e um propósito para a raiva. Se se permitissem vivenciar e expressar os vossos medos ou o que pode levar à expressão da vossa raiva, aprenderiam alguma coisa. Quem evita desesperadamente o medo e a raiva, quem realmente teme estes sentimentos, tem muito o que aprender com essas emoções. São técnicas que lhes permitem superar os limites pessoais de comportamento e identidade e vocês simplesmente têm medo de experimentá-las.

Vocês querem ser aceitos o tempo todo. Acham que ninguém vai apreciá-los, caso sintam ou façam certas coisas, e por isso não se permitem tais sentimentos. A raiva vem daí. Sentem raiva porque emitem julgamentos em relação ao que podem, ou não, fazer. Se não se permitirem sentir, não poderão aprender. São os sentimentos que os ligam à vida.

Os sentimentos servem a vários propósitos dos seres humanos. Incentivamos todos vocês a acreditarem, cultivarem e confiarem em seus sentimentos. Devem encará-los como bilhetes de viagem para realidades multidimensionais, onde precisam ir, caso estejam jogando este jogo para valer. Nas realidades multidimensionais aprendem a focalizar e manter simultaneamente muitas versões diferentes de si mesmos. Os sentimentos são capazes de transportá-los a estes lugares, especialmente aqueles em que vocês confiam. Deixem aflorar todos os vossos sentimentos e ao invés de os julgar, permitam-lhes que se manifestem para poderem observar aonde eles podem levá-los, ou o que eles podem fazer por vocês.

Quando sentem medo de alguma coisa, evitam experimentá-la, erguendo uma muralha onde se pode ler: "Se eu for lá, vai ser ruím." E pisam no freio. Na verdade, o medo que sentem acaba energizando a experiência no nível do desenvolvimento de cada um, pois todo o pensamento assume forma de acordo com a influência emocional a que está sujeito. Por isso, às vezes, o melhor que se tem a fazer é simplesmente dizer: "Bem, vou entrar nessa. Eu me entrego." Depois, então, dediquem-se a estar lá, sem se preocuparem em estar ou não centrados enquanto estiverem mergulhados no centro do sentimento. Se pretendem entrar no vosso centro do sentimento e manter tudo sob controle, não estarão permitindo a si mesmos a amplitude de movimentos necessária para aceitar as emoções que derrubam as limitações e preconceitos.

A raiva tem o seu propósito. Ela não acontece por acaso, nem a dor acontece por acaso. Ambas os levam a alguma situação. Intencionalmente, podem entrar no centro do vosso sentimento e aprender a permanecer centrados ali, enquanto exploram as oportunidades que se apresentam. Se vocês disserem: "Vou permanecer centrado lá", isto soa como se não permitissem nenhum movimento ali dentro. Em vez disso, proponham-se simplesmente a ter um centro. Ter um centro não significa que as coisas não flutuem; significa que vocês lhes permitem flutuar. *Vocês decidem* se o barco vai naufragar, ou navegar em águas calmas. Comandam os acontecimentos, portanto a calma ou a agitação destes acontecimentos dependem de vocês. As vossas emoções não alimentam apenas os outros, *são fonte de alimento para o Eu.* É assim que vocês se alimentam e criam a vossa identidade. Esta é a vossa identidade como frequência através das vossas emoções. As emoções os alimentam e dão vida ao prefixo da vossa estação transmissora.

Vão ter de lidar com cada uma das vossas limitações, simplesmente porque não querem fazer isso. Adorariam dizer: "Poeira dourada das estrelas, elimine minhas limitações. Bum! Estou livre!" Na teoria, isto seria simples. Trata-se do exemplo clássico de se evitar o centro do sentimento.

Vocês possuem sentimentos e preconceitos emocionais que ajudam a criar limites externos, por isso, quando rompem uma barreira, precisam enfrentar a emoção que originou o limite. É através do corpo emocional que contatam o corpo espiritual. Para ultrapassarem as dificuldades, precisam *sentir todo o processo.*

Na verdade, as dificuldades são jóias preciosas. Mesmo descobrindo que têm 101.000 limitações, não sintam-se frustrados. Digam apenas: "Que interessante". Olhem para elas e, em vez de amaldiçoá-las, observem-nas simplesmente e descubram como apareceram. Descubram a que propósito elas serviram – em que mercearia foram compradas estas mercadorias.

Quando reconhecem, identificam e desejam liberar alguma coisa, a mudança acontece. Quando existe apego ou medo, ou pensam: "Gosto deste limite; está me servindo muito bem", vocês criam as limitações.

Precisam aprender a *amar as vossas emoções*. Quando rotulam alguma coisa como difícil, vocês a tornam difícil. Não são os outros, são vocês mesmos. Persistem em resistir e julgar as mudanças que surgem. Sentem que não sabem o que está surgindo, e não querem perder o controle. O controle é algo muito conveniente e muito prático. Deve ser aplicado na hora certa, no lugar certo, como uma cola instantânea. Já alguma vez colaram os seus dedos, ou os lábios, com uma cola instantânea? Precisam aprender a exercer o controle da mesma forma que usam a super cola. Se se lambuzam com uma super cola, ficam grudados e nada podem fazer. O mesmo acontece com o controle: ele os prende a coisas às quais vocês absolutamente não precisam ficar presos. Sejam muito seletivos em relação ao que decidirem ou não controlar. O antigo padrão do ser humano, ou o paradigma existente, afirma que "Vocês têm que assumir o controle."

Vocês precisam das vossas emoções. Fiquem seus amigos porque, através dos sentimentos, podem subir a escada que os leva ao Eu multidimensional, ao sistema de doze-chakras, e a explorar o que descobrirem. É por intermédio dos sentimentos que detectam se algo está ou não funcionando. A mente lógica não perceberá certos acontecimentos se o corpo não estiver ligado aos sentimentos. São os sentimentos que registram a alteração da frequência, não a mente lógica.

Vocês estão vivenciando o despertar de uma alteração de frequência. Estão sendo levados a mudar diversas áreas de suas vidas, a abandonar muitas coisas. Não devem resistir a estas mudanças, nem sentir que perderam o controle por desconhecerem o que está por vir, ou por acharem que estão tomados pelas emoções. As vossas emoções estão apenas querendo lhes mostrar algo; vocês não gostam, porque acham que elas estão interferindo em suas vidas, ou que podem constrangê-los.

Fiquem espertos. A próxima vez que se depararem com uma destas situações emocionais, digam imediatamente: "Tudo bem, sei o que está acontecendo; desta vez não caio nessa. Sei que existe alguma coisa aqui para eu aprender, alguma coisa que devo mudar. Acredito que estou sendo guiado, que estou executando um projeto, portanto vou procurar o que devo aprender, sem julgamentos, seguindo o fluxo. Peço que todas as minhas mudanças venham com alegria, segurança e harmonia. Este é o meu decreto. Ele abrange tudo aquilo que eu quero em minha evolução: eu vivo a alegria, a segurança e a harmonia. Por isso, sigo com essa energia e vejo o que está mudando para mim e o que preciso abandonar."

Como as vossas memórias não estão claras e vocês não cultivaram a confiança interior, fecham-se porque não percebem que estão sendo preparados para a mudança. É imperativo que confiem no centro do sentimento e trabalhem com ele. Quando "algo" aciona o vosso centro do sentimento e os incomoda devem enfrentar os sentimentos que os desagradam. Esta é a vossa essência. Estes sentimentos constituem as vossas jóias, tesouros, pedras preciosas, onde vão encontrar ensinamentos acerca da vossa identidade. São o vosso trampolim e a vossa relação com eles nunca terá fim. Não podem jogá-los fora e dizer: "Hum, não gosto desse ser que eu era!" Mas podem alterar o Eu que conseguiu perceber estas realidades. À medida que se forem tornando conscientes e adquirindo uma compreensão mais ampla sobre quem são, poderão olhar para trás, observar tal entidade naquela época e ter uma percepção completamente nova de quem eram então. Este é um processo contínuo. Irão começar a percebê-lo uns nos outros.

Respeitem os vossos amigos quando *atravessam* o processo deles, mas não se envolvam. Se for o caso, tomem uma atitude, mas não ajudem os outros a prolongarem seus dramas. É tempo de ultrapassar os vossos obstáculos, não de manter a peça em cartaz por um ano. Sugerimos que contem as vossas histórias uma, duas ou três vezes no máximo. Não precisam contar tudo para todo o mundo, pois as outras pessoas também estão atravessando os seus processos. Quando ficam falando sobre os vossos problemas, deixam escapar uma oportunidade, porque *falam* em vez de *fazer* e *ver* sobre o que estão falando. Ao contar para todo o mundo o que está acontecendo, vocês estão simplesmente querendo chamar a atenção, e não precisam fazer isso.

Os acontecimentos não param, e vocês nunca colocam um ponto final neles, porque são as "vossas coisas". Se em determinado momento sofrem, garantimos que, ao se depararem com uma situação semelhante no futuro, terão adquirido uma compaixão jamais experimentada. Irão enxergar a situação a partir de uma perspectiva completamente diferente.

O que está vindo à tona agora são as coisas que originalmente os impediam de perceber a realidade. São partes do vosso corpo emocional onde as vias de comunicação foram cortadas bloqueando o fluxo de informações. Isto lhes causou sofrimento e acabaram transferindo a dor emocional para o corpo físico. Recomendamos a todos que desenvolvam um trabalho corporal. O trabalho corporal traz a energia cósmica para o corpo físico, distribuindo-a depois para os outros corpos – mental, psíquico, emocional e espiritual – fazendo com que a frequência energética se ajuste. No momento em que a frequência energética se encaixar, se não bloquearem a memória celular e permitirem que a energia penetre em seus corpos, essa energia irá percorrer vossos chakras e alimentar o vosso corpo com as informações que possui. Quando sentem medo, se fecham, culpam as outras pessoas ou negam as emoções, vocês empacam. Nesse caso, mesmo que a luz inunde os vossos corpos, ela não corresponderá à frequência energética. Penetram então, no caos, e todo o mundo se afastará, porque estarão emanando caos. No entanto o caos é um bom lugar para se estar; não há nada de errado com ele, desde que não permaneçam ali para sempre.

Quando negam as emoções, estão pedindo que grandes mudanças da Terra ocorram em vossa psique. Quando permitem que ocorra um tornado aqui, um furacão ali, ou uma erupção vulcânica por aí, estão conferindo liberdade de expressão às vossas emoções, não lhes permitindo voltar contra o seu ambiente pessoal.

Os sentimentos constituem o elemento de ligação entre vocês e a vossa natureza humana; os sentimentos os ligam às vossas emoções. E, neste plano da existência, as emoções ligam vocês ao vosso corpo espiritual. As emoções e os sentimentos são a chave para se estar vivo nesta realidade. Existem muitas realidades onde não há emoções; nesta realidade, porém, as emoções são a maior dádiva que receberam. Se negam o vosso Eu emocional nesta encarnação, é melhor admitirem a derrota. Se não o assumirem nunca conseguirão participar do jogo de que estamos falando. Farão simplesmente parte da massa que assiste televisão e se considera vítima o tempo todo. Se o vosso corpo emocional estiver sofrendo, perguntem-se qual a razão da dor, a que propósito ela está servindo e por que escolheram criar dor através das vossas emoções. Por que não escolhem criar alegria? *Tudo é uma questão de escolha.*

CAPÍTULO XV

A iniciação da terra pela integridade

A beleza da Terra é um tesouro tão profundo, tão magnífico que deslumbra visitantes de todo o espaço, atraídos por seu esplendor. Nós queremos que sintam essa beleza dentro de si mesmos e a deixem pulsar por todo o vosso ser. Ao permitirem que a beleza os inunde, mudanças profundas ocorrerão e a manutenção da beleza da Terra passará a ser a principal prioridade de toda a espécie humana. Queremos semear esta idéia para despertar em vocês a responsabilidade que precisam ter por vosso planeta. Já despertamos a responsabilidade que cada um deve ter por si, e vocês estão a caminho de se tornarem cada vez melhores. Parabéns! Agora, o que farão pela Terra, e como?

Já os ensinamos a querer o melhor para si em todos os momentos possíveis. Uma vez que a Terra é a vossa casa, como irão estender esta energia para ela e aplicar no vosso planeta as lições que aprenderam?

Quantos de vocês já caminharam por sua propriedade respeitando-a como um local sagrado, deixando que a Terra soubesse o quanto a consideravam? Essa forma de comunicação os tornará envolvidos com a beleza da Terra. *Envolvimento e ação.* Observem o vosso lixo, aquilo que estão jogando fora, aquilo de que não têm consciência. Trata-se do reflexo exato do que pedimos que façam consigo próprios. Observem os vossos pensamentos e o lixo que atravanca a vossa psique. Podem estender para a Terra tudo aquilo que lhes ensinamos. Por onde quer que andem, comuniquem-se com a Terra, informando ao planeta que estão despertando. Imaginem-se um fio de luz; para onde quer que estejam caminhando, dirigindo, voando, visitando, carreguem seu fio de luz. Conforme for crescendo o número de fios de luz tecidos ao redor do planeta, mais poderosa será a onda de luz cósmica que envolverá a Terra.

Estamos num mundo à beira da desaceleração que precede um frenesi alucinante. Vocês podem começar esta desaceleração conscientizando-se e cuidando melhor da Terra. A mentalidade predominante na Terra hoje em dia, especialmente nos Estados Unidos, considera símbolo de status um gramado impecável. Para conseguir isto, usam toneladas de pesticidas e fertilizantes químicos, até o gramado ficar igualzinho ao carpete da sala de visitas. De onde veio este sistema de valores, qual seria o seu sentido? Simplesmente de alguém querendo ganhar dinheiro com um produto, que lança uma campanha publicitária para lhe conferir legitimidade, e alguém que o compra.

Comuniquem-se com a Terra, escutem o que ela tem para lhes dizer e deixem este planeta lindo ensinar-lhes a viver em harmonia. Trata-se de um processo lento, não vão conseguir aprendê-lo da noite para o dia. Ouçam a Terra dizer: "Escutem aqui, gostariam que alguém passasse pesticida na vossa pele?" Pois isso é o que acontece quando espalham pesticidas na Terra. A Terra é um ser senciente, ou um conjunto de seres. Os seres sencientes que constituem a Terra vieram formar este conjunto de consciências por amor, para uní-las e hospedá-las. É semelhante ao que ocorre com vocês, que hospedam as bactérias e todas as coisas que vivem sobre a vossa pele e dentro do vosso corpo. Vocês trabalham com elas. A Terra sabe que, para ser uma boa mãe para seus filhos, deve deixá-los aprender suas próprias lições. E as suas, são lições de responsabilidade. Se desejam algo, existem certas ramificações, determinadas coisas que precisam fazer e responsabilidades que precisam assumir para atingir o vosso objetivo. A Terra está ensinando os seres humanos a terem responsabilidade, permitindo-lhes que dilacerem sua superfície, bem como o seu interior.

Quando estiver correndo perigo, por a humanidade ter levado as coisas longe demais, a Terra fará o que for necessário para ensinar à espécie humana o cuidado adequado a ter com o seu lar; e assim vocês, como seus habitantes, aprenderão uma importante lição. Em seu divino amor pela humanidade, e na divina aceitação de seu papel de professora, a Terra lhes revelará seus segredos e toda a sua força, para que aprendam a amá-la, a cooperar com ela, e a nunca mais desrespeitá-la.

Tal atitude conduz, inevitavelmente, à ocorrência de violentos cataclismos, pois é a forma que a Terra encontra de conscientizar os seres humanos e mostrar-lhes aquilo que não estão conseguindo perceber. Se vinte milhões de pessoas desaparecerem em algumas horas, devido a um cataclismo terrestre, talvez os outros humanos despertem. *Talvez.*

Vocês estão cansados de escutar profecias sobre catástrofes. Muitas pessoas não lhes dão a devida importância; acham que nunca irão acontecer com elas. Embora leiam as notícas nos jornais, são acontecimentos distantes, lá do outro lado do mundo. E se uma catástrofe ocorrer à sua porta, ou na cidade vizinha? E se as principais cidades dos Estados Unidos entrarem em colapso? O que sentiriam se, ao acordar, deparassem com uma fenda geológica que se estendesse desde Nova York até Washington D.C.? Seria suficiente para afetá-los? Seria suficiente para que reestruturassem e reavaliassem suas vidas?

Existe uma maior consciência do que está ocorrendo porque os jornais estão começando a trazer estas notícias. Na verdade, estes fatos vêm acontecendo já há algum tempo. Ecologistas e ambientalistas vêm, há mais de vinte anos, alertando para as mudanças ambientais, mas a maioria das pessoas acha que estes problemas se resolvem naturalmente. Além disso, problemas do meio ambiente não vendem jornais e, até certo ponto, as pessoas não estão muito interessadas em aprofundar seus conhecimentos sobre esta responsabilidade. Tal desinteresse terá consequências; muita gente vai alegar ignorância e achar que as catástrofes surgiram do nada. A situação se tornará tão grave que, podemos prever, muitos países irão proibir o uso do automóvel.

As lições que a Terra ensina neste momento abrangem muitos aspectos. À medida que a frequência muda, tudo muda. Mudar de frequência é como mudar de casa: todo o ambiente muda. Estas mudanças destinam-se a melhorar a vida de todas as pessoas, a conduzir todo o mundo a um lugar onde existe maior compreensão e bem estar e a desvencilhar o ser humano do paradigma que definia o mundo como sólido, nos termos mais limitados.

Quando os seres humanos tornarem a qualidade de vida a prioridade número um de suas vidas, respeitando a qualidade de vida da Terra, haverá pouquíssimos cataclismos. No entanto, a maior parte dos seres humanos, especialmente no mundo ocidental, está preocupada com uma qualidade de vida diferente: quantos aparelhos eletrônicos possuem, quantas roupas há em seus armários, quantos carros possuem em suas garagens. Não estão nem um pouco ligados aos efeitos que toda essa manufatura material provoca no ser senciente que os gerou.

Se os seres humanos não mudarem – se não houver uma transferência de valores e eles não perceberem que sem a Terra não estariam aqui – a Terra, em seu amor pela própria iniciação e sua procura por uma frequência mais elevada, provocará uma limpeza para equilibrar-se novamente. Existe a possibilidade de muitas pessoas deixarem o planeta em poucas horas. Talvez, assim, aquelas que sobrarem possam despertar e perceber o que está acontecendo. Haverá eventos incentivando vocês, estimulando-os, fazendo-os perceber que deve haver uma mudança global. Os movimentos subterrâneos irão crescer de forma fenomenal. O que acontecerá com a Terra depende da vontade de mudar de cada um.

Qual é a *vossa* responsabilidade neste processo? Qual a vossa vontade de mudar? Chegou a hora de parar de falar e *agir*. Ao decidirem mudar a própria vida possibilitam automaticamente a mudança do planeta inteiro.

A Terra procura recuperar sua integridade. Hoje, o planeta sente que não é amado, mas desrespeitado, encontra-se privado de sua integridade. A Terra ama os seres humanos e lhes oferece um lugar para trabalhar; ela é um organismo vivo que está prestes a restabelecer sua integridade e fazê-los compreender a importância de amar a si mesmos amando-a. Amem a si mesmos e amem a Terra, pois são a mesma coisa.

Os cataclismos terrestres podem desempenhar um importante papel na ruptura do sistema. Eles causarão a falência das seguradoras que, por sua vez, irão causar a falência de vários outros sistemas. Diversos bancos vendem suas hipotecas a seguradoras, que investem pesado no mercado de ações. Se ocorrerem mais algumas catástrofes como o furacão Hugo, ou o terremoto de São Francisco, além das guerras e da economia informal – quanto tempo acham que este sistema financeiro consegue continuar operando? No papel, ninguém realizou isso ainda. É por isso que os cataclismos terrestres serão usados para provocar o colapso. Os cataclismos provocarão também a união e o triunfo do espírito humano, pois homens e mulheres sairão para se ajudar mutuamente quando os desastres ocorrerem. Isto une as pessoas.

Existem tecnologias que poderiam limpar o planeta rapidamente, caso esse fosse o plano. Contudo, isso não teria sentido porque a espécie humana não se responsabiliza pela Terra. A espécie atual precisa aprender a respeitar o seu ninho e seus corpos, pois sem eles não estariam aqui. O vosso corpo e o vosso planeta constituem as vossas maiores dádivas. O ideal seria que reverenciassem, respeitassem, cuidassem e amassem a Terra e o vosso corpo físico. Esta atitude entraria em ressonância com a vossa casa, a vossa propriedade, a terra a que estão associados, bem como a terra do vosso corpo.

A Terra é muito mais resiliente do que vocês imaginam. Está aqui para alimentá-los e sustentá-los. Os animais também estão aqui para trabalhar em cooperação com vocês. Se tudo for feito com amor, existe, por trás, a força do Criador. Se precisarem de uma orientação na hora de tomar decisões sobre o vosso comportamento, perguntem-se: "Estou agindo com a minha integridade mais elevada? Estou agindo com amor? O amor é minha intenção em relação à Terra, aos animais, a todas as pessoas que encontro e a todas as coisas que faço?"

Podem usar tudo da Terra, desde que a respeitem e amem no processo. Pode ser difícil imaginar um grupo de petro-leiros, antes de perfurar o solo, de mãos dadas, formando um círculo, pedindo orientação e permissão para penetrar a Terra. Contudo, se isso efetivamente ocorresse, haveria muito mais harmonia. Acham graça porque parece bobagem comunicar-se com algo que não responde a vocês. No entanto, se os industriais, educadores e todas as pessoas, antes de agirem, parassem e invocassem a mais elevada integridade e amor para todos os envolvidos no processo, e pedissem para que a Terra e os seres humanos não sofressem danos, este pedido seria recebido de forma fenomenal. Tal atitude colocaria em ação o projeto de uma civilização superior. Esta conscientização está começando a ocorrer; várias pessoas estão recebendo essas informações.

Muitos seres humanos não querem perfilar-se e levantar-se pela integridade porque têm medo de meter-se em confusão. Dizem: "Quero o meu emprego e a minha segurança, ora!" Acontecem coisas incríveis a uma sociedade quando se tira a segurança das pessoas. A coragem começa a florescer como um jardim recém plantado, pois ninguém tem nada a perder. Os seres humanos começam a levantar-se.

Não sintam jamais que os vossos esforços são em vão. Usem a força da mente para projetar com clareza aquilo que querem. Peçam ajuda dos planos não-físicos e visualizem o resultado que gostariam de obter. Entendam que vocês criam a vossa própria realidade e que as outras pessoas criam as realidades delas. Todo o mundo tem a oportunidade de acordar a qualquer momento. Quando abordarem qualquer coisa, abordem-na a partir do plano mais amplo.

Quando um número suficiente de pessoas criar suas próprias realidades – *criarem conscientemente* – criarão também um novo planeta. Haverá literalmente uma divisão de mundos. Antes disso a Terra será assolada pela guerra diversas vezes. Viverão situações dramáticas que os intrigarão e confundirão, provocadas por alguns primos vindos do espaço que necessitam exibir publicamente suas identidades.

A Terra encontra-se num percurso de colisão dimensional, por isso nesta década haverá intersecção de diversas dimensões e probabilidades. Algumas dessas realidades serão chocantes, dependendo do nível do choque que cada pessoa precisa para elevar sua consciência a outro paradigma. Choque não significa necessariamente destruição. Pode, simplesmente, ser um método para alterar a maneira pela qual vocês percebem a realidade. Sempre que levam um choque, não conseguem mais agarrar-se à realidade da mesma forma que o faziam no momento anterior. É como um soco na boca do estômago instantâneo, e tudo muda. O mundo vai receber inúmeros choques, não apenas a nível nacional. Estamos nos referindo a intersecções dimensionais globais, em que realidades parecerão desmoronar apenas sobre aquelas pessoas cujas realidades precisam desmoronar.

O conceito de probabilidades sustenta que não existe apenas uma realidade e que vocês se ramificam continuamente para outras realidades através dos vossos pensamentos. Não se trata de vocês mudarem *o* mundo, mas *de* mundo; passam a ocupar mundos diferentes. Isto faz retomar o conceito de que o mundo não é sólido. É construído por energia, e esta energia toma forma através do pensamento daqueles que participam do mundo.

Existem, e sempre existiram Terras prováveis e experiências prováveis. Há prováveis "eus" levando vidas diferentes daquela que o *eu*, que vocês conhecem, leva. Vocês são frequência e energia. Estão pulsando no compasso de um acorde de energia que canta a melodia da vossa existência, e estão de tal modo familiarizados com ele que permanecem continuamente focalizados num único aspecto das vossas experiências. Vocês ganham experiência a partir de diversas perspectivas, e estão aprendendo a mudar a frequência e o compasso para poderem perceber aquilo que normalmente passava despercebido.

Mudanças neurológicas estão ocorrendo dentro dos vossos corpos, daí a razão de estarem sendo continuamente monitorados. Essa reestruturação do sistema nervoso pode ser comparada à mudança de uma auto estrada de duas pistas para um sistema de doze pistas. Quando isto acontecer, irão se lembrar de eventos que ocorreram simultaneamente.

Por exemplo, digamos que vocês se lembrem de um jantar de Ação de Graças ocorrido há dois anos. Então, de repente, se lembram também de um evento do qual não tinham registro e que ocorre paralelamente ao jantar de Ação de Graças de que vocês *estão* se lembrando. E então percebem que estavam nos dois jantares. Isto é o que vai acontecer à medida que o sistema nervoso entra numa nova pulsação e o corpo recebe sua biblioteca novamente organizada. Conforme os filamentos de códigos-luminosos se reformam e irradiam o que têm disponível, o sistema nervoso deve estar pronto para captar e traduzir tudo.

Existe uma grande polarização de energias ocorrendo, com muitos participantes e muitos observadores. Muitos seres que vieram observar, vieram também para destruir, para aprender suas próprias lições. Existem igualmente participantes com a intenção de criar um mundo glorioso. Do nosso ponto de vista, à medida que os mundos prováveis começarem a se formar, haverá grandes mudanças dentro da humanidade neste planeta. Temos a impressão de que se estabelecerá o caos e tumultos imensos, que as nações se erguerão umas contra as outras, e que terremotos ocorrerão com maior frequência. Parece que tudo estará se separando e que jamais poderá ser reunido. Da mesma forma que, às vezes, vocês passam por 'trovões' e 'terremotos' em suas vidas quando mudam os antigos padrões para novas energias, a Terra se liberta, sacode a poeira, e vocês devem esperar um período de ajustamento, de realinhamento. Terão a impressão, também, de que os animais e os peixes estarão partindo da Terra. Eles não se encontram em extinção, estão simplesmente se deslocando para um mundo novo, onde esperam que vocês se juntem a eles.

É difícil explicar isso, porque está além da experiência tridimensional. Basicamente vocês estão mudando para a quarta dimensão. Quando esta mudança ocorrer, formarão literalmente uma nova Terra. Terão a sensação de haver acordado de um sonho num mundo puro e lindo. Os céus estão repletos de observadores esperando para ver o vosso desempenho e oferecendo-se para ajudá-los no que for necessário.

Para muitas pessoas, esta mudança parece além de qualquer possibilidade. Mas não para vocês, que estudaram esta energia no papel de alquimistas e sacerdotes na antiga Atlântida. O treinamento recebido em outras vidas está codificado dentro de cada um, e vocês estão preparados para qualquer tipo de emergência.

Expandam-se. Comecem a viver outras realidades além daquela que é trabalhar, dormir e comer. Quando estão acordados, permitam à vossa mente expandir-se para possibilidades novas e deixem as idéias virem a vocês. Idéias não custam nada, estão em toda parte e existem emissões chegando continuamente ao planeta.

Enquanto a Terra estiver mudando, nem todos sentirão a mesma coisa. As pessoas que necessitam vivenciar a destruição passarão pela mudança através da destruição porque não conseguirão enquadrar-se na nova frequência. As que estão preparadas para manter uma vibração mais elevada, vivenciarão a alteração de frequência. Portanto, para certas pessoas poderá ser o fim de suas vidas, da maneira pela qual concebem a vida, uma destruição terrível, enquanto que para outras será um estado de puro êxtase. Existe potencial para tudo. Não se esqueçam de que vivem num mundo simbólico que é resultado dos vossos pensamentos. O mundo exterior representa para vocês o que está ocorrendo internamente. Assim, se o mundo está desmoronando, o que isso representa? Representa o desmoronamento, ou o colapso daquilo que está dentro de vocês, para criar a ascensão de um novo sistema, uma nova energia.

É imperativo que amem e abençoem as mudanças que ocorrem dentro da sociedade e não entrem em pânico ou em estados de ansiedade em relação àquilo que está se apresentando. Vocês têm o dever de permanecer na vibração que reconhece em todos os acontecimentos a oportunidade para o Espírito executar seu trabalho e elevar-se, mesmo que para vocês isso não faça sentido. Os seres humanos são uma espécie excepcionalmente preguiçosa. Dão sua força para qualquer um que lhes preste um favor, quer seja o seu chefe, sua mulher ou seu marido. Desperdiçam sua força o tempo todo. Para fazê-los entrar em contato consigo próprios, precisam que aconteça algo que os faça assumir a responsabilidade por suas vidas. Abençoem as catástrofes que destroem a Terra, tenham confiança e peçam com clareza para que se manifeste aquilo que precisam aprender. Vocês estarão sendo testados. Perguntem: "Sou uma vítima? Há um colapso à minha volta? Ou estará o mundo elevando-se, embora aparentemente se encontre em meio a um colapso?"

Tenham um conceito básico muito importante, sempre presente, estarão no lugar certo, no momento certo, fazendo a coisa certa. Mantendo a intenção constante de que estarão no lugar certo, no momento certo – e mais do que mantendo a intenção, *sabendo que assim será* – vocês se abrirão para receber orientação. Talvez, até mesmo sem estarem procurando, um terreno excelente ou a oportunidade de se relacionarem com alguém lhes será apresentada. Vocês vão reconhecer e dizer: "Isto é para mim. Eu devo aceitar."

Acreditem ou não, chegará a hora – ou digamos, *poderá* chegar a hora – para muitos de vocês, em que irão fechar a porta da vida da forma que a conhecem agora. Literalmente, podem perder a vossa casa, e deixá-la levando consigo apenas alguns bens. Isto não parece possível agora, não é? Mas algo dentro de vocês dirá: "Meu Deus, será que o mundo enlouqueceu? Quais são os meus valores? Qual é a coisa mais importante para a minha sobrevivência?" E o Espírito virá e os guiará, dizendo qual é a coisa mais importante. Talvez seja apenas descartar-se de alguns bens. Pode acontecer com alguns de vocês, nesta encarnação, acharem-se um dia em pé na porta de casa e, ao olharem para dentro, nada mais ter significado, pois as coisas mais importantes serão os valores espirituais, a própria vida. Todas as possessões materiais, todas as coleções de objetos adquiridos deixam de ter significado dentro da luz em que estão se transformando. Conseguem imaginar que acontecimentos serão necessários para levá-los a mudar assim? Com certeza não serão pequenos.

Lembrem-se que o destino da humanidade é evoluir. Garantimos que, daqui a dez anos, a vida não será mais da maneira que vocês a conhecem. O mundo e a realidade que conhecem, o conforto, os planos, as férias e todas as coisas que fazem agora, daqui a dez anos não estarão mais aqui. Vocês estão aqui para a vossa evolução pessoal. Será bem interessante a forma pela qual essa evolução irá atingir o mundo inteiro. Não estamos nos referindo à evolução de uma dezena de pessoas, mas à evolução da espécie. Serão necessários certos acontecimentos para que as pessoas despertem. É por isso que o vosso desafio será viver a vida com coragem e ter coragem de viver a vossa luz.

Recomendamos a todos que procurem os ensinamentos dos Americanos Nativos. Comecem a explorá-los através das *sweatlodges* (saunas purificadas com ervas), tambores, danças, etc.. Este procedimento despertará diversas coisas no vosso interior e vai ensiná-los muito sobre a Terra. Vocês estão codificados para que, quando participarem de um ritual, o vosso corpo comece a se lembrar quem são e de tudo aquilo que haviam esquecido.

De acordo com a nossa percepção, as comunidades serão muito difundidas na década de 90. Elas se formarão em terrenos variando de 200.000m a 400.000m, às vezes até mesmo em pequenas propriedades com cerca de 100.000m, que poderão abrigar de trinta a uma centena de pessoas. Estas pessoas se agruparão em resposta a um chamado interior. As novas tecnologias que serão usadas nas comunidades emergentes serão tecnologias baseadas no amor. Não há nada de errado com a tecnologia. Há um grande obstáculo à tecnologia usada atualmente no planeta pelo fato de ela ser empregada para separar, manipular e controlar as pessoas em vez de ajudá-las a se desenvolverem. A solução seria tecnologia com amor. Muitas pessoas irão receber grandes quantidades de informações tecnológicas que aparentemente surgirão do nada. Vocês podem receber informações para determinada invenção e ainda assim não terem a mais remota idéia do que estão inventando. Pode ser que precisem entregá-la a uma outra pessoa para concretizá-la. No desenvolvimento destas novas tecnologias, o trabalho será conjunto, em harmonia.

Uma parte da evolução da consciência inclui a união de consciências diferentes – o não permanecer separado. Um indivíduo pode ter uma idéia, outro a concretiza e um terceiro a comercializa. De acordo com a nossa percepção, haverá um tremendo mercado informal para invenções. Estas invenções jamais poderão ser exibidas no mercado tradicional, pois vocês correriam o risco de serem rapidamente eliminados caso tais habilidades chegassem ao domínio público. Entre as comunidades haverá um grande comércio informal com estas novas tecnologias que irão ajudá-los em todas as áreas.

Uma das experiências mais gratificantes desta vida pode ser viver em cooperação com um grupo de pessoas que ama o solo e permite que este solo – a Terra – responda a esse amor. Amando o solo e informando à Terra o que estão querendo, farão com que ela os alimente e cuide de vocês. Essa é a chave.

Capítulo XVI

Heréticos à frente do tempo

A década de 60 foi um período de preparação, o início do despertar da humanidade, quando lhes foi mostrado que novos paradigmas podiam surgir. Durante esta década os valores das gerações precedentes cairam subitamente. Diversos eventos ocorreram nos anos 60, tais como o movimento pela paz, o movimento pela expressão do corpo, que incentivava olhá-lo e aceitá-lo, compartilhando a conscientização plena da sexualidade – despido, em vez de ficar procurando as partes do corpo entre camadas de roupas, como faziam as gerações precedentes. Nascia a conscientização, e a idéia de paz e liberdade havia despertado. Era o jardim de infância.

Com os anos 90, chegou a época de trazer o movimento da espiritualidade para o planeta – não só para determinados grupos, mas para o planeta inteiro. O planeta inteiro está despertando. Nós viajamos por todo o globo e podemos afirmar-lhes que têm companheiros em todos os recantos da Terra. O time da luz, que representam, cobriu todas as suas bases, pois há trabalhadores da luz em todos os pontos. Vocês estão se encontrando.

O movimento que se dirige à espiritualidade é um movimento que se afasta do materialismo. Nos últimos anos, as pessoas concentraram-se muito em seus corpos, regenerando-os, exercitando-os, tornando-os mais belos. Isso não passou de uma preparação para que pudessem atingir o Espírito. O plano espiritual é um lugar muito interessante. Possui maior flexibilidade: podem-se fazer viagens incríveis, viver grandes aventuras e não há limitações.

A realidade física lhes tem sido tão frustrante porque resolveram aceitar incondicionalmente as histórias sobre as limitações deste plano de existência. Admitem estas histórias porque se comprometeram a fazê-lo. Faz parte do plano divino tolerarem essas limitações para se poderem relacionar com pessoas que não têm a menor idéia do que é a luz e que viveram na limitação todas as suas vidas. Vocês provocarão uma alteração eletromagnética no planeta – vão 'trocar toda a fiação', digamos assim – para que todos estes seres possam ligar-se nos plugs da nova frequência. E isso só poderá acontecer se vocês se relacionarem com essas pessoas no nível em que elas estão.

Se tivessem chegado aqui com pleno acesso aos vossos bancos de memória, não teriam a menor vontade de permanecer no planeta, nem conseguiriam compreender as outras pessoas. Então, foram mergulhados numa sociedade que não tinha luz, e esqueceram-se da própria luz (ou tinham uma vaga lembrança à medida que cresciam) para assim poderem participar deste mundo. Chegou a hora de integrarem o mundo da sociedade ao mundo multidimensional da luz e do Espírito, que representam, para que os valores e os desígnios deste planeta comecem a mudar completamente.

Os heréticos estão à frente de seu tempo. As idéias heréticas que chegaram ao planeta sempre se revelaram brilhantes mais tarde. Portanto, tenham coragem; podem sentir-se um pouco ridículos defendendo estas novas idéias, mas não se esqueçam de que há muita atividade nos planos não-físicos para ajudá-los e que, embora cada um de vocês possua um projeto de evolução individual, fazem parte de um projeto global e de uma consciência global. Vocês estão acionando este projeto global e despertando as outras pessoas.

Vocês despertam em ondas, é assim que cada um aprende a sustentar e a transmitir informações. Se todos despertassem ao mesmo tempo, seria o caos. O despertar deve ocorrer quando estiverem aptos a recebê-lo; quando se emite muita luz para um elemento que não é capaz de recebê-la, queima-se o fusível. Se as correntes elétricas não forem compatíveis, o corpo pode ser destruído. Irão ver uma doença espalhar-se pelo planeta que afetará o sistema nervoso e a memória, porque as pessoas não serão capazes de receber esta energia. Terão medo dela. Podem descobrir uma porção de si mesmas multidimensional e achar que enlouqueceram. Aí vão ficar obcecadas em esconder sua loucura dos maridos, mulheres ou filhos. Ficarão desesperadas com esta energia porque não a compreenderão.

O sistema nervoso é a chave que abre os olhos antigos para ver, para que se lembrem quem são, de onde vieram e para onde estão se dirigindo. O sistema nervoso deve ser capaz de suportar a corrente elétrica dentro do corpo e de transformar a energia muito alta numa corrente compatível ao corpo de vocês, permitindo assim que ele evolua e se alimente desta energia, que é a consciência. Isto é literalmente o que está ocorrendo.

Seria como se tomássemos um bebezinho recém nascido e o alimentássemos com um preparado que o transformasse, em um ano, num adulto de trinta anos. Isto retrata o que irá acontecer com vocês nos próximos vinte anos. O bebezinho se tornará um homem de trinta anos em um ano. Imaginem o que esta criança terá de fazer, e o que seu corpo terá de assimilar para crescer dessa maneira. Imaginem os órgãos, o funcionamento, os hormônios.

Como vocês se comprometeram a ser portadores de luz, existe uma abertura no vosso campo áurico. Os guardiães descem pelo pilar de luz e atuam como porteiros nesta abertura, dosando a quantidade de energia que vocês conseguem suportar. Eles sabem que vocês não podem ser desperdiçados com uma overdose de luz porque assumiram o compromisso de executar uma importante tarefa, assim, não interessa se o vosso intelecto, a mente ou o ego peçam "mais luz, mais luz, mais luz" porque eles só deixarão passar a quantidade que sirva o vosso propósito. Se os porteiros não interferissem, vocês tenderiam à autodestruição, passando do que chamamos de vontade superior para vontade própria.

O sistema nervoso, uma estrada dentro do corpo, só pode movimentar-se na velocidade em que vocês podem processar os dados levando-os às células. Ainda há muita gente limpando suas cavernas interiores repletas de sombras. Estas cavernas podem ter se originado nesta vida – na infância ou em qualquer outro período – ou podem vir de outras vidas. Muitos estão nesta jornada há mais de trinta anos, enquanto outros estão começando a trilhá-la. Nem todos levarão o mesmo tempo. Os que já estão na estrada há mais tempo serão os indicadores do caminho. Eles emitem uma frequência vibracional que os novatos poderão sentir. Se vocês forem novatos, não precisam se preocupar em procurar a nova frequência; o mapa está pronto e se encontra dentro do vosso corpo.

Vocês precisam uns dos outros. É imperativo que trabalhem em harmonia. Se não o fizerem, criarão outra Atlântida e, mais uma vez, toda aquela destruição. *A harmonia é imprescindível.*

Chegou a hora de muitos de vocês começarem a trabalhar com o Espírito para transmitir a frequência e ajudar as outras pessoas a compreenderem o que está ocorrendo. O despertar em ondas continuará, o Espírito será a forma de se permanecer no planeta. Este é o plano para a Terra, e os raios cósmicos criativos provenientes do Criador Primordial estão atingindo as fímbrias do vosso sistema galáctico – chegando aqui primeiro. É por isso que este agrupamento de energias está chegando. Essas energias querem participar da transformação nesta área para estarem preparadas quando chegar a vez de suas áreas galácticas e universais.

Existe uma transformação gigantesca ocorrendo, mas o que fazer com ela compete apenas a vocês. Nós já dissemos que o vosso mundo vai dividir-se em dois e que quem fizer a mudança pela luz estará no mundo da luz. Esta divisão já começou. As entidades que desejam trabalhar com os campos vibratórios mais elevados representam a luz e aquelas que desejam trabalhar com os campos vibratórios mais baixos representam o medo, as trevas, o caos, o controle e a confusão.

As pessoas que trabalham com os campos vibratórios mais baixos dirão que vocês são bruxos, diabólicos, porque representam algo que elas não entendem. Vocês representam a mudança e lembrem-se de que a maioria das pessoas tem um medo mortal de mudar. Uma das características curiosas da consciência humana é o amor pela estabilidade. Vocês aceitam o conceito de que a estabilidade é algo imprescindível, lutam por ela; acham que, se não tiverem estabilidade e segurança, nada serão, podem não subsistir, ser aniquilados.

Estamos nos referindo a diversas pessoas que vocês conhecem; algumas podem até pertencer à vossa família. Precisarão desenvolver uma tremenda porção de paciência e compaixão por aqueles que sentem essa energia mas não conseguem responder a ela de forma a receberem seus benefícios. Terão de ser muito permissivos – permitindo, talvez até, que as pessoas se destruam para aprenderem o valor da vida.

Embora os seres humanos não estejam conscientes disso, vocês sabem, na porção mais profunda de seus seres, que passam de uma existência para outra acumulando experiências para que a vossa alma possa compreender e processar os dados e lhes dar de volta a visão de uma realidade. Algum dia serão capazes de esquadrinhar todas as vidas da vossa alma e segurar a sua energia, da mesma forma como seguram um cristal, contemplam as diferentes facetas e fagulhas cintilantes dentro dele, sentem e conhecem a sua identidade. Quando forem capazes de fazer isso com a vossa alma, ela irá ser capaz de entrar em contato com outras formas de inteligência da qual faz parte mas que no momento presente não consegue compreender.

Nós estamos forçando vocês a um limite máximo. Queremos que fiquem completamente confusos para assim serem intensamente energizados. E então poderem usar a vossa curiosidade para explorar áreas desconhecidas e nem sequer imaginadas. Esta é a nossa intenção – que atinjam um patamar mais elevado onde possam criar uma nova ordem de identidade *com coragem, humor e confiança.*

Todas as coisas são frequências. Vocês mantêm o véu cerrado e fingem seguir suas vidas como se nada estivesse acontecendo, quando na verdade estão sendo continuamente impulsionados por meio de toda a espécie de mudança que os aproxima das dimensões mais elevadas. Pensem nisso, e vejam o quanto poderão alcançar em apenas uma encarnação. Dentro dos próximos dez ou vinte anos irão evoluir de criaturas fisicamente densas para criaturas de luz, e viver a Idade da Luz. Imaginam a importância disso?

Tudo aquilo que fazem, até mesmo o ato de comer uma pizza, os conduz de forma perfeita para esta dimensão. Chegará a ocasião em que irão perceber a importância de cada evento em que participam e da integridade do todo.

No filme *The Karate Kid,* o menino é muito impaciente enquanto está aprendendo karatê. Ele encontra um mestre, mas nem se dá conta disso. Recebe treinamentos que considera perda de tempo. Não compreende que cada ensinamento recebido faz parte de uma totalidade muito mais ampla. Vocês parecem esse menino. Todas as partes se completam, mas devido à visão do vosso ego, não compreendem que elas constituem uma totalidade muito mais ampla. Um dia receberão tarefas e descobrirão que tudo o que almejarem será vosso!

Estejam atentos e aprendam a perceber quando a vossa vontade se sobrepõe à vontade divina e ao Plano Divino – quando forçam demais a si mesmos não estão agindo com bom senso. Olhem-se no espelho e observem a vossa aparência. Olhem nos vossos olhos pois eles são o indicador de todo o corpo físico. Eles estão límpidos? Vocês conseguem olhar de volta com clareza? O vosso rosto está marcado, está exausto, ou está calmo? Como sentem o corpo? São capazes de sentar-se numa posição serena? Conseguem manter o corpo ereto, ou sentem vontade de despencar? Ficam irrequietos por não conseguirem manter a energia no corpo – e por isso dançam, têm tiques nervosos e se mexem por não saberem o que fazer? Seus dedos estão sempre tamborilando, roem as unhas, ou o canto dos dedos? Existem muitos indicadores a observar. Podem olhar à vossa volta e ver quem não consegue integrar energia.

Quando trazem esta energia para o vosso corpo e conseguem mantê-la, começam a sentir-se cada vez mais leves. Os cabelos ficarão viçosos, todos verão a vitalidade da vossa pele. Os cabelos são um ótimo indicador da saúde. Bom senso é um dos melhores companheiros. O bom senso irá mostrar-lhes o que está ou não certo.

Às vezes vão perceber que a energia se tornou muito intensa e que não conseguem manter-se calmos e centrados. Isto irá acontecer com todos vocês em determinado momento. Vão sentir que estão ocorrendo coisas demais: haverá muitos dados a computar, muitas pessoas com quem falar, ou muitos eventos acontecendo. Quando isso acontecer, imaginem-se um eletrodoméstico e desliguem o fio da tomada. Como se fossem uma torradeira, simplesmente desliguem-se para não funcionar. Nestas ocasiões, o melhor que têm a fazer é descansar. Algumas pessoas irão precisar de uma tremenda quantidade de sono em determinados períodos. Não achem que estão ficando preguiçosos, nem se culpar; reconheçam a necessidade simplesmente. Certas vezes, poderão até dormir dezoito horas seguidas. *Façam isso.* É necessário. Vocês não têm a menor idéia das terras para onde viajam, nem do trabalho que o vosso corpo físico faz enquanto estão adormecidos. Trata-se do momento em que se desligam desta realidade para receberem ensinamentos em outras realidades e se recarregarem. As pontes, e os vossos olhos, irão se abrir entre estas realidades deixando-os enxergar e se lembrar de tudo aquilo que foi visto.

Quando vão a um restaurante chinês, comem comida chinesa, não pedem hamburger. Quando vão a um restaurante italiano, pedem lasagna. Este restaurante chamado Terra possui um corpo físico, então é assim que vocês devem operar aqui – *dentro de um corpo físico.*

Falamos em termos muito simples para que não tenham dificuldade em nos entender. Não tem a menor importância que nossas metáforas sejam ridículas, só queremos que entendam. Portanto, vocês estão aqui no restaurante da Terra, ocupando um corpo terráqueo, visto ser o que há disponível aqui. Não há outros pratos no menu. Vocês vão trazer novas receitas para o restaurante da Terra – receitas que já foram testadas e aprovadas, só que por pequenos grupos, aqui e ali.

Não se esqueçam, a Terra foi lacrada há eons atrás. Ela foi criada para ser uma coisa e acabou saindo dos trilhos depois de milhões de anos de existência. Muitos de vocês encarnaram aqui muitas e muitas vezes e ficaram realmente frustrados porque cada vez que encarnavam tinham a intenção de fazer algo mas na maioria das vezes esqueciam-se do que era.

Algumas pessoas conseguiram atingir o domínio sobre a matéria e sairam daqui através do processo de ascensão. Outros clamam para que chegue ao fim essa quarentena de reclusão do resto da sociedade cósmica. Por vossa causa e da multidão de seres que se encontram na Terra e em volta dela, nasceu o período presente.

Vocês recebem auxílio de todas as avenidas da vida; contudo, projetaram a vida de tal forma que a espécie humana precisa estar auto-motivada e evoluída para receber a força dos seres que se dispõem a ajudá-los. Alguns de vocês, seres de imensa sabedoria, decidiram encarnar dentro da espécie humana para, através do exemplo, trazer a força para o resto da humanidade que, sozinha, não conseguiria. Vocês abrem novos caminhos de conduta quando difundem quem são. Algumas pessoas acham que, sem incentivo, não conseguiriam realizar esta missão. É compreensível. Queremos oferecer-lhes a oportunidade de reivindicar a vossa identidade.

Uma das realidades supremas deste planeta, da maior importância, que vocês, como espécie, precisam entender e enfrentar, consiste no significado da morte. Nós podemos convencê-los de muitas coisas, no entanto, é difícil convencê-los de que não precisam morrer. Em nossos dias, vocês não precisam abandonar o vosso corpo aqui na Terra. Conseguem conceber a idéia de poderem simplesmente mudar a frequência vibratória do vosso corpo físico e levá-lo consigo para qualquer lugar porque poderão rearranjar sua estrutura molecular?

Dar o salto ascensional e completar a jornada aqui na Terra é possível para milhares de seres humanos. Alguns de vocês já ascensionaram do planeta e voltaram para mostrar aos outros o caminho. Foi uma longa jornada sair daqui pelo processo da ascensão. Levou várias vidas de treinamento, uma após a outra, e necessitou de muita dedicação. Foi necessário abandonar a sociedade material e viver em comunhão com a Natureza.

Aquelas pessoas que fizeram isso e estão familiarizadas com o processo, voltaram. O objetivo de vocês é ascender deste planeta e serem levados, literalmente, para a cosmologia superior em naves-mãe. Vão ascender para cidades de luz e serão capazes de habitar outras realidades à vossa volta que neste momento não permitem a seus olhos de terceira dimensão verem. Vocês terão completado a vossa missão na Terra e esta fará a sua transição. A Terra será uma jóia deslumbrante no universo. Pode ser que queiram ficar mais alguns anos para ajudar a reestruturar e reconstruir esta nova Terra. Mas, depois de certo tempo, vão assumir novos compromissos para transformar outros mundos. Não se esqueçam de que são renegados e gostam de aventura. Por isso é mais provável que deixem este lindo planeta para outros desfrutarem e partam em novas missões.

A ascensão é o objetivo da Terra. Chegará o tempo em que será a única forma dos habitantes sairem do planeta. Uma vez saindo daqui, poderão visitar muitos outros lugares. Poderão mostrar a si mesmos, e ao resto da espécie humana, que o corpo, essa coisa que parece tão sólida e incontrolável é, na verdade, resultado de uma orquestração divina e que vocês, em plena consciência, podem fazer com ele o que quiserem. *Qualquer coisa.*

Capítulo XVII

A linguagem da luz

Avatares e mestres permeiam agora a estrutura do mundo, trazendo seus próprios instrumentos de ensino. Estes instrumentos utilizados no planeta, artefatos que não pertencem à sua dimensão, são formas simbólicas que, literalmente, possuem vida própria. Eles criam o que se conhece por Linguagem da Luz.

Vocês receberam implantes, formas geométricas que ativam determinadas informações no vosso interior. Eles também facilitam, para quem está trabalhando com vocês, o processo de enviar informações diretamente para cada ser humano. Quase todos receberam implantes e, se ainda não foram implantados, brevemente o serão, caso desejem abrir-se e alinhar-se. Ninguém recebe implantes se não o desejar. Esta estrutura da Linguagem da Luz é uma forma de receber informação e energia que facilita o vosso desenvolvimento. Trata-se de um método de aprendizado que não envolve livros nem o intelecto. Envolve abrir-se e acreditar que existe uma hierarquia, cujo tamanho imensurável ultrapassa a vossa compreensão e que vem trabalhando com a humanidade desde o início.

Esta hierarquia trabalha com amor, cultiva quem são vocês e tem sido capaz de enxergar através dos mecanismos do tempo que estão aferrados ao planeta para saber que a consciência está pronta para dar o salto evolucionário. Existem

144.000 membros da hierarquia espiritual infundidos na estrutura do planeta nos dias de hoje. Cada mestre possui seu próprio selo que representa uma parte da Linguagem da Luz, portanto vocês têm 144.000 selos de energia que serão infundidos em cada um dos seres humanos.

Para começar, irão trabalhar com as doze formas que o vosso corpo consegue sustentar. Mais tarde, quando a transformação tiver ocorrido, haverá a infusão das 144.000 estruturas da linguagem simbólica. Será um crescimento impossível de lhes explicar nesta encarnação.

Esta mutação consiste num processo que se desenvolve dentro de vocês, que irá permitir-lhes mudar para outro plano de experiência. Todas as pessoas do planeta possuem o potencial de evoluir por meio desta mutação. Muitos interromperão o processo por falta de vontade de se alinharem com a consciência superior. Quando se tornam conscientes da divina consciência que semeou este planeta – um intelecto vasto, amoroso e que trabalha com vocês – a chamam e pedem para fazer parte dela, recebem o implante com as formas geométricas.

As formas implantadas chegam com uma grande variedade de modelos, como por exemplo a estrutura da pirâmide. Por que a pirâmide é tão importante? Neste planeta, e em todo o cosmos, a estrutura piramidal é usada para representar uma grande unidade de consciência. É a estrutura mais difícil de ser criada em todas as suas múltiplas facetas, e contudo é a estrutura da perfeição. É a estrutura que concentra a energia da Terra e a envia para o cosmos.

As estruturas da esfera e da espiral também serão implantadas em vocês. Muitos gostam da espiral por terem vivido em culturas e sociedades onde ela era usada para comunicar diversas idéias. Serão também implantadas as estruturas das linhas paralelas e do cubo. E, claro, haverá a estrutura do veículo de Merkabah, uma figura de cinco lados.

A figura de cinco lados representa o ser humano em seu estado mais amplo – totalmente livre. Alguns a conhecem como estrutura simbólica chamada veículo de Merkabah. É o projeto do ser humano sem limitações, quando ele é, inclusive, capaz de voar, algo que vocês, na sua grande maioria, nao se considera capaz de fazer. Este implante chegará quando assumirem o compromisso verdadeiro.

Os implantes de formas geométricas que irão receber dependem, antes de tudo, do vosso pedido de alinhamento. Dependem, também, de acreditarem que estas entidades escolheram dedicar-se a vocês se vocês escolherem dedicar-se a elas. Se começarem a se desenvolver e permitirem que os chamados milagres, ou eventos magníficos, se manifestem em vossa vida, eles se manifestarão.

Muitos receberão primeiro o implante de um círculo porque ele representa a forma de Deus, a unidade, o estar completo. Outros escolherão a estrutura da pirâmide por terem vivido várias vidas próximos a pirâmides, por todo o planeta, umas descobertas, outras por descobrir. Vocês acham que o planeta inteiro é conhecido, mas existem ainda muitas coisas a serem descobertas, porque se deslocam de uma realidade para outra. No âmago das florestas existem muitas pirâmides enterradas, frequentemente soterradas por camadas e camadas de terra. Existem ainda muitas maravilhas a serem descobertas.

Quem quiser acreditar que na verdade não existem limitações, poderá tomar a estrutura de Merkabah e sair do planeta com ela, mesmo enquanto ainda mora aqui. Se quiserem receber o implante de Merkabah, esse desejo deve existir dentro de vocês. Alguns já tentaram viajar com ele, e sabem que podem usá-lo. Quando chamam o Merkabah para vocês com sinceridade e desejam saber o que ele realmente significa – ser consciência ilimitada que viaja com o corpo, sem que este saia do planeta – então estão prontos para receber o implante. O

Merkabah não é o implante mais importante, pois não existem implantes mais, ou menos, importantes. Os implantes chegam no momento mais adequado ao vosso desenvolvimento pessoal. Quando recebem implantes, um processo interminável de novas formas chegará até o vosso ser.

Vocês não escolhem conscientemente a forma que lhes será implantada. Escolhem, contudo, a vida que desejam levar, e isso provoca a abertura para as estruturas da Linguagem da Luz. Vocês escolhem o que é importante para vocês todos os dias. Este é o vosso acesso às formas. Através do casamento das energias vocês vão guardando o alfabeto de luz no seu interior e esse alfabeto irá ensiná-los. Se sonham com formas geométricas, isso indica que elas estão trabalhando dentro de vocês. Ou talvez adorassem estudar geometria na escola. Se quiserem saber que implante receberam, observem a forma que aparece primeiro em vossa mente, sempre se repete e sobressai entre as outras. Existem muitas formas que não têm nome. Surgirão formas conhecidas que identificarão e que mais tarde assumirão novas formas que a vossa consciência não consegue traduzir.

A espiral é uma das formas básicas da geometria da Linguagem da Luz. É uma ponte, um ensinamento em si mesma. Sua forma é codificada com informações e quando seguem a espiral ela parece não ter fim. Isto lhes mostra que a jornada para o interior não tem fim, e que a jornada para o exterior também não tem fim. Como espécie, serão capazes de dividir a vossa consciência e seguir em ambas as direções, mantendo a consciência unida. Partindo para a jornada interior sem fim e para a jornada exterior sem fim, vocês ligam-se a uma espiral conectada à verdade universal.

Nós dissemos que as células do vosso corpo contêm toda a história deste universo. O ideal seria que percebessem a existência desta biblioteca de ouro dentro de vocês, nesta encarnação, e que aprendessem a ler o que está contido nela. Perceber a espiral interior é uma etapa da jornada. O truque consiste em, simultaneamente, seguir para dentro e para fora – percebendo que dentro e fora são o mesmo.

A espiral existe em várias dimensões. Quando a visualizam, sentem que já a conhecem, embora no início estejam conhecendo apenas um de seus aspectos. Ao começarem a crescer com ela, vocês se apercebem que ela possui tantas dimensões que poderiam passar o resto da eternidade – usando as vossas palavras – explorando-a. Ela cresce. A espiral é a chave para extrair aquilo que está dentro de vocês. O vosso DNA tem a forma de uma espiral. Existem espirais à vossa volta e a Linguagem da Luz corre através dos filamentos de códigos-luminosos que também descem em forma de espiral. Isto é algo experimentável que irá evoluir para vocês.

Em vossas meditações, sintam-se viajando por uma espiral, como se estivessem viajando dentro de um tornado. Visualizem-se observando uma espiral que se aproxima, semelhante a um tornado. E então, em vez de fugir, fiquem lá e deixem-se envolver por ela. Sigam com ela, pois a espiral é a porta para outras realidades.

Estas formas e figuras geométricas da Linguagem da Luz são coleções de experiências de indivíduos que encarnaram neste planeta, desafiaram as leis humanas, despertaram suas capacidades superiores e se manifestaram como linguagem e componentes geométricos. Estas energias viveram um dia como homens e mulheres sobre o planeta. Evoluiram para símbolos geométricos e existem em vossa esfera de atividades da mesma forma que vocês existem em vossos corpos. Estas entidades existem num sistema de linguagem, num sistema geométrico.

Há universos desses sistemas, bem como visitas ao vosso universo provenientes destes outros universos nos dias de hoje. Há círculos e outras formas aparecendo neste planeta em plantações de cereais, inexplicáveis para vocês. Estas impressões são frequências, não um processo, ou uma ação. Trata-se de uma melodia, uma história, que está sendo implantada na superfície da Terra com os símbolos de uma linguagem. Tais símbolos chegam para estabelecer determinada frequência e sua tendência é aumentar.

Alguns de vocês construirão casas usando outras formas geométricas, além dos tradicionais quadrados e retângulos. As habitações nas Plêiades não possuem formas que vocês conheçam, e os pleiadianos sabem que formas e ângulos retêm energia. Em astrologia sabe-se que certos ângulos formam aspectos energéticos e que determinadas coisas acontecem quando estes ângulos se formam. Ocorre o mesmo com as formas. A Grande Pirâmide é um exemplo do uso de ângulos e formas. A energia concentra-se nos ângulos, nas formas, nas figuras e vocês podem aprender a criá-los e viver com eles. As energias são formadas e transmitidas dessa maneira. Também vão descobrir que determinados graus contêm determinados poderes e que pode ser muito desagradável estar dentro de certos ângulos. Às vezes é preferível dormir no meio do quarto, ao invés de na cama comprimida entre dois ângulos de noventa graus, porque o ângulo reto cria um bloqueio de energia. No meio do quarto, a energia flui ao seu redor.

Estão sendo abertos muitos portais na realidade da terceira dimensão para trazer evolução à Terra. Certa vez, o planeta foi lacrado e colocado de quarentena porque havia forças lutando aqui. Houve guerras incríveis, cujos vestígios ainda podem ser vistos em certas áreas desérticas do planeta. Foram tempos de caos e confusão, em que deuses criadores se batiam entre si. Durante a mais recente onda de guerras, cerca de dez a doze mil anos atrás, a Terra foi selada porque os seres que operavam dentro da luz perderam a batalha. Nem sempre a luz vence as trevas, vocês sabem. A luz nem sempre é vitoriosa, da forma como vocês compreendem a vitória, pois também ela precisa aprender a integrar-se com todas as porções de si mesma. O Criador Primordial está em todas as coisas, e tanto a luz quanto as trevas fazem parte do Criador. Assim, a luz precisa incorporar a porção sombra de si mesma.

O tempo orquestrou e reuniu os acontecimentos. Passaram-se muitos ciclos desde as últimas guerras, até os portais de energia poderem abrir-se novamente para deixar a luz entrar. Essa hora chegou. A luz está sendo orquestrada para voltar ao planeta, e aumenta a cada dia. Para que a energia possa trabalhar a vossa consciência, ela precisa instalar-se aqui. A inteligência penetra em forma de ondas, formando figuras geométricas na Terra. Não são espaçonaves que pousam à noite nas plantações, deixando sua marca circular e partindo. Embora alguns círculos tenham realmente sido causados pelo pouso de espaçonaves, a inteligência pode adotar a aparência que desejar e frequentemente vem em forma de ondas. Chegará o tempo em que, literalmente, uma enorme onda de luz cobrirá toda a Terra.

A inteligência encontra-se além do mundo das palavras e das letras, pois trata-se de determinada frequência que pode chegar na forma de figuras geométricas. Pitágoras começou a perceber esse fenômeno, mas a sua geometria não foi compreendida pelas outras pessoas. Geometria é uma inteligência evoluída, um conjunto de experiências que podem comunicar uma quantidade gigantesca de informação. Na verdade, os círculos nas plantações por todo o planeta foram feitos por sons acima da frequência humana, simplesmente para implementar essas figuras de linguagem. Muitas vezes, no início, essas figuras são círculos. Evoluirão para triângulos, retas e muitas outras coisas.

Os círculos nas plantações têm sido mais frequentes na Inglaterra e no resto da Europa, contudo, existem também na

América do Sul e na região conhecida antigamente por União Soviética. Aparecem também nos Estados Unidos, embora certas pessoas estejam conseguindo dissimular a sua presença. Nós sabemos que há redes de televisão planejando fazer programas sobre esses círculos. Veremos o quanto fingirão nada saber sobre eles. Vai ser interessante.

Estas formas geométricas assemelham-se a hieróglifos. Os hieróglifos e os pictógrafos gravados na rochas do planeta são uma geração de inteligência semelhante. Em outras palavras, se alguém resolver ler os hieróglifos baseados na Pedra da Roseta, eles comunicarão uma coisa. Se alguém for capaz de se lembrar da linguagem secreta dos sacerdotes, os hieróglifos lhes contarão outra história. E se alguém for capaz de compreender a linguagem dos deuses criadores, eles dirão uma coisa inteiramente diferente.

Os círculos e formas colocados na Terra estão aqui para ajudá-los a sustentar e administrar a vossa frequência e para ajudá-los a ter coragem de viver a vossa luz. Eles proporcionam de forma muito sutil informações através da frequência mas ninguém ainda consegue percebê-los. Estas formas estão ligadas entre si e, se todas fossem escritas simultaneamente nos campos de algum fazendeiro, no mesmo instante algo iria acontecer. Elas são enviadas de um continente a outro e transmitem uma faixa de frequência ao redor do planeta que irá ajudar a ativar a rede frequencial da Terra. Irão ajudá-los a não se sentirem tão assombrados com o que estão sabendo e a receberem sem muito desconforto as mudanças de frequência conforme forem ocorrendo.

Isso é só um pouquinho do que os círculos das plantações podem fazer. Eles são muito interessantes. Vários deles foram idealizados e construídos pelos chamados Mestres Ascencionados. Há também uma brincadeira por trás disso tudo. Alguns seres, ao se tornarem muito evoluídos, desenvolvem um tremendo senso de humor. Eles encontram humor em tudo.

Como já dissemos, as formas e figuras geométricas são portadoras de inteligência. São ondas de frequência que podem ser moduladas e alteradas. Estas figuras que chegam à Terra assemelham-se a ondas de energia, ou faixas de energia. Elas contêm inteligência e estão sendo enviadas para, na sequência, formar uma rede inteligente ao redor do planeta. Esta rede terá uma frequência que a humanidade poderá usar para evoluir.

A linguagem completa ainda não chegou ao planeta. As faixas vêm para a Terra como resultado de certa evolução da consciência. Entram por vórtices que atualmente estão atraindo essa frequência. Durante os bilhões de anos que a Terra gira em sua órbita, estes centros foram cobertos e soterrados. Alguns ainda se encontram dormentes; muitos deles, porém, estão sendo despertados porque o selo que envolvia o planeta foi violado.

Os círculos nas plantações constituem expressões fenomenológicas da conscientização. Chegam à realidade de vocês para mostrar lhes que a mente racional não é capaz de controlar todos os dados, embora quisesse muito. Existe uma interseção entre esses eventos e os códigos de conscientização de todos os seres humanos. Todas as vezes em que a realidade não consegue ser racionalmente explicada, abre-se um nicho na consciência. Os círculos nas plantações encontram-se totalmente além da mente lógica. Forçam, portanto, a visão consensual da realidade a expandir-se, já que a realidade, da maneira como foi previamente concebida, não pode abrigar estes eventos como possíveis. Eles são um gatilho. Forçam a realidade a ultrapassar seus próprios limites.

Existem numerosas razões para a existência destes círculos nas plantações. Basicamente, eles existem para forçar a mudança da realidade – para fazê-los sentir em vez de pensar. A maioria das pessoas que estudam estes círculos *pensam* sobre eles, em vez de *senti-los.* A Inglaterra está recebendo um número tão grande de círculos porque os britânicos possuem uma consciência muito orientada para o pensamento lógico. No entanto, as terras do arquipélago inglês estão coalhadas de espirais megalíticas e formações rochosas que vêm causando intensa impressão nas faculdades intuitivas de seus habitantes.

Este fenômeno não tem lógica. Está forçando uma sociedade orientada pela lógica a reconhecer algo que não faz sentido, e de uma maneira muito brincalhona e óbvia, sem ameaçar a visão da realidade de ninguém. Se astronaves começassem a pousar por toda parte, as pessoas ficariam incomodadas. Quando pés de milho abaixam-se em círculos concêntricos e nem ao menos se quebram ou morrem, ninguém fica realmente muito triste. Percebem como as energias brincam com vocês? É necessário fazer certas coisas para que se aprenda sem sobrecarregar os circuitos.

Esta linguagem está sendo introduzida no planeta como uma história – uma faixa de informação que sustenta uma frequência, que irá ajudá-los a sustentar a vossa própria frequência. À medida que despertam, torna-se fácil para as outras pessoas lerem e reconhecerem vocês. Estão sendo monitorados o tempo todo, porque existem instrumentos que monitoram a evolução e a situação da consciência. Quando a consciência atinge determinado estágio recebe assistência de fora para estabelecer outros planos daquela frequência.

Em outras palavras, digamos que vocês abram um restaurante e estão fazendo muito sucesso. Vocês cuidam de tudo e vendem uma comida realmente muito boa. Aí chega alguém e diz: "Que tal abrir uma franquia? Vamos levá-los a toda a parte!" Estas figuras geométricas ajudam vocês a abrir franquias da frequência, espalhando-a por todo o planeta e sustentando-a. Trazem a vocês um novo nível de realização.

Capítulo XVIII

Sinfonias da consciência

A luz informa vocês. Eleva-os, e uma vez informados, vocês sentem-se mais poderosos. Quando não recebem informação, sentem-se inseguros, sem força.

O som é outra forma de levar informação porque faz parte da luz. Pode lhes parecer que luz e som são duas coisas separadas porque percebem a luz com os olhos e o som com os ouvidos. Por usarem duas áreas de percepção separadas no vosso corpo, têm a impressão de que a luz e o som também são energias separadas. Na verdade são estreitamente ligadas. Enrolam-se uma na outra porque ambas carregam informação.

Muitas das estruturas construídas neste planeta, especialmente em antigos locais sagrados, contêm informações armazenadas dentro de pedras. De maneira análoga, vocês têm informações armazenadas dentro dos ossos do vosso esqueleto. Quando permitem que o som entre em vocês, ele destranca a porta de entrada e deixa as informações inundarem o vosso corpo. Ele também penetra no solo, afetando as vibrações da Terra e permitindo que ocorra o realinhamento molecular das informações. As pessoas que usam o som no trabalho corporal provocam o realinhamento da estrutura molecular, criando uma abertura para a inundação de informações. Este tipo de trabalho vai se tornar cada vez mais profundo.

No Tibet, quando um mestre capaz de transcender realidades fazia sua passagem, o corpo era mantido e deixava-se que deteriorasse naturalmente porque o esqueleto era sensível às frequências. *As informações estão armazenadas nos ossos e nas pedras.* Em alguns locais do Tibet, onde as linhagens de determinadas congregações religiosas podem ser traçadas por milhares e milhares de anos, os monges guardam o crânio de seus mestres. Existem criptas secretas repletas destes crânios. Quando uma pessoa entra nestes lugares, pode, através do som, acessar os fatores inteligentes dos seres humanos que uma vez ocuparam estes crânios.

Vocês compreendem porque os crânios de cristal foram projetados? Estruturas cristalinas assemelham-se a computadores holográficos: podem transmitir para o ser humano evoluído, ou conectado, uma tremenda quantidade de informação. São projetados como crânios para atuarem como um código para compreender o vosso próprio crânio e perceber que os ossos do vosso corpo são muito valiosos.

O som é um instrumento para a transformação. Os Portadores da Frequência, que é o que os estamos encorajando a se tornarem, aprendem como modular a frequência que sustentam através do som. O som consegue penetrar em qualquer substância, alterar moléculas e rearranjar realidades.

No antigo Egito, o ankh, ou o símbolo que representava a vida, na verdade era um modulador de frequência. Era utilizado por mestres em sustentar frequências, capazes de fazer muitas coisas com essas frequências. O ankh parece um diapasão e pode direcionar o som. Assim era usado há muito tempo atrás. Antes de conseguirem usar o som como os antigos egípcios, terão de demonstrar a vossa integridade. Terão de passar por uma iniciação, ou teste, para ver se são confiáveis e podem receber essa energia tão poderosa. O planeta ainda não está maduro e uma energia desse porte não pode cair nas mãos de qualquer um. Se fossem capazes de assumir este tipo de trabalho agora, a vossa vida correria perigo, pois haveriam muitas pessoas interessadas em se aproveitar deste seu novo dom. Irão receber dons de acordo com o vosso amadurecimento.

Vocês podem começar a trabalhar com o som, deixando-o "tocar" o vosso corpo. Mantenham-se centrados, limpem a mente e permitam que os tons entrem em vocês. As escolas secretas da antiguidade trabalhavam com o som dessa maneira, uma técnica de grande força quando utilizada em grupos. Daqui a muitos anos, mas ainda nesta década, se espantarão com os resultados percebidos através da execução dos sons cooperativos, ou das sinfonias da consciência. Quando se sintonizarem juntos lhes será mostrado o que podem fazer, sem mesmo saberem disso. Aprenderão a usar e cultivar esta espécie de energia para fazer o vosso próprio ankh. Quando compram argila para uma criança, no começo ela não sabe fazer quase nada, então para que ela perceba o potencial do trabalho com argila vocês fazem bolinhas e minhocas. E assim, depois de brincar algum tempo, a criança descobre a sua própria criatividade com a forma.

A forma criativa do som é-lhes mostrada primeiro como um potencial. Vocês são conduzidos e orquestrados através desse som. E então vão descobrir sozinhos um pouco daquilo que o som pode conseguir. Depois, ficam mais ousados e aprendem o que o som pode criar. As energias são introduzidas dessa maneira, para que não hajam dúvidas quanto ao mau uso que se possa fazer delas, e para que o entusiasmo não os faça cometer exageros.

Vocês evoluirão rapidamente assim que começarem a trabalhar com o som. É como dar uma ferramenta potente a uma criancinha. Sem a devida conscientização, poderiam fazer coisas sem perceber o alcance daquilo que estão fazendo. Lembrem-se do que faz o som em estádios e auditórios. As vaias e os aplausos da multidão criam um ambiente. Quando vocês formam grupos e fazem som juntos, criam um ambiente.

Permitem que certas energias toquem o instrumento que é o vosso corpo. Liberam idéias pré-concebidas e permitem que o corpo físico seja usado por diferentes melodias e energias, concedendo-lhes, assim, a oportunidade de se apresentarem no planeta. Na verdade, vocês experimentam a força vital das energias que permitem expressar-se através do vosso corpo. Tornam-se canais. Da mesma maneira que o nosso canal (Barbara Marciniak) nos permite atingir a realidade de vocês através do seu corpo, vocês permitem que determinada vibração chegue ao planeta, em toda a sua glória, através dos vossos corpos e da vossa cooperação. Vocês permitem um nascimento. Criam a oportunidade que uma energia vai utilizar.

As emoções, por evocarem sentimentos e por ligá-los aos sentimentos, permitem-lhes reconhecer diferentes estados de consciência. A mente lógica não lhes permite reconhecer estados de consciência porque se apega à própria identidade. Permanece trancada nos limites do ego e não deseja conhecer outras áreas. Os sentimentos, no entanto, sempre percebem outras áreas porque possuem discernimento. Vocês podem ler signos e definições através da energia a que chamam de sentimento. Na verdade, essa energia é uma vibração. Os sons remetem a estados emocionais. Quando criam harmonias sonoras, elas provocam recordações no vosso corpo. Fazem o vosso corpo lembrar-se da luz, do amor cósmico mais profundo, de outros mundos. O vosso corpo se enche de alegria e, às vezes, de uma tristeza esmagadora. Ele busca e acessa a frequência há muito desejada e que o som lhe fez recordar. Quando permitem que o som seja tocado no vosso corpo, descobrem a frequência que estavam procurando. Esta frequência é ligada à evolução das hélices que compõem o vosso DNA. O som é o veículo, ou o fio, que os liga aos chakras superiores fora do corpo, pois vocês não têm acesso a eles pela lógica. Precisam acessar todas as frequências, todos os chakras através do sentimento, e o som liga-os aos sentimentos, que por sua vez lhes possibilitam compreender as informações.

Se o som pudesse ser pintado, ficariam maravilhados ao vê-lo. Existem realidades onde o som é pintado. Vocês sentem o movimento e a linguagem do som quando balançam o corpo ou movem as mãos. Sentem a riqueza desta forma de comunicação e a multidimensionalidade de tudo, sentindo o som expressar-se. Ele tem uma linguagem própria, tem uma forma.

O som é portador de uma determinada frequência, e o corpo reconhece essa frequência. O corpo está programado para aceitar a frequência. Os grandes mestres da música, tais como Beethoven e Mozart, estavam codificados para acessar informações de natureza estável, pois recebiam harmonias sonoras numa época de grande obscurantismo no planeta. Para manter uma certa memória aberta na mente dos homens, baixas escalas vibratórias de som foram traduzidas para as mentes destes mestres.

O som vai evoluir. Agora os seres humanos podem tornar-se instrumentos sonoros através da sintonia. Os seres humanos vão transformar-se em flautas, pianos, harpas, oboés e tubas. Permitirão que energias usem o seu corpo físico criando uma variedade de sons que eles não dirigem, nem pretendem controlar. É o Espírito quem toca, e o ser humano simplesmente observa a platéia durante a sinfonia que ele e seus semelhantes estão executando. Isto é muito profundo.

Estas harmonias podem ser utilizadas de maneiras incríveis, pois harmonias podem fazer muitas coisas evoluirem. É importante, no uso das harmonias, permanecer em silêncio profundo até que elas se completem. Elas provocam alterações: abrem portas. Certas combinações de sons tocadas no corpo humano destrancam informações e frequências da inteligência. Permanecer em silêncio por um longo período depois de receber as harmonias sonoras permite aos seres humanos usar seu corpo como instrumento para receber e absorver frequências, e a usar o veículo da respiração para atingir o estado de êxtase.

Quando entram em sintonia com outras pessoas, vocês têm acesso à mente coletiva do grupo, o que não ocorria antes. Trata-se de um salto gigantesco na conscientização. *A palavra chave é harmonia.* Quando todos os habitantes do planeta conseguirem criar uma harmonia de pensamento, o planeta inteiro mudará. É para isso que estão trabalhando. Vocês vão transmitir uma frequência, e este som viajará. Ele se tornará o apelo ansioso, desesperado, pelo retorno da harmonia dentro da raça humana – o retorno do poder da mente coletiva e a simultânea autorização do poder da mente individual.

O que vocês tencionam fazer com o som é da maior importância. Se não tiverem as intenções bem claras, o som pode envolvê-los e crescer além de sua capacidade original. Ele pode se duplicar, quadriplicar com seu próprio impacto. É de suma importância terem a intenção bem clara daquilo que planejam fazer com o som. Número um.

Número dois: o som amplifica a energia. Cria e sustenta ondas de colunas, construindo uma sequência de frequências. Esta energia pode ser direcionada para qualquer coisa. Vocês já ouviram falar das muralhas de Jericó sobre a marcha das pessoas que cercavam a cidade. Elas caminharam durante dias em volta de Jericó, criando e sustentando uma onda de energia. Esta onda aumentou tanto que implodiu as muralhas.

As danças nativas, o batuque, o chacoalhar, os movimentos em círculo criam esta onda de energia. Quando fazem som em círculos, ou dentro da circunferência do pilar de luz, criam uma coluna capaz de fazer muito mais coisas do que vocês possam imaginar. Ela é capaz de criar explosões, bem como de criar ou destruir realidades.

Entre as tribos orientadas para a guerra, o grito de guerra era usado pelos que se dirigiam para a batalha. A união e a intenção desta invocação era a forma de pedirem às forças não-físicas que os acompanhassem. Os guerreiros, ao usarem esse som no combate a seus inimigos, encaminhavam a energia através de um portal, criando e sustentando a coluna. Quando ouvem um som como o grito de guerra, as recordações desagradáveis que ele evoca em vocês devem-se à sua força, e à sua utilização no passado. Ele incomoda as outras pessoas porque lhes lembra a responsabilidade que o som possui. Muitos de vocês ficam petrificados pelo som; ficam petrificados com o som da própria voz declarando com firmeza as vossas preferências. Vocês possuem memória celular de tudo o que o som pode realizar, e o impacto em relação à potencialidade do que vocês podem alcançar com o som é, para muitos, realmente avassalador. O som pode transportá-los a lugares onde o intelecto não é capaz de levá-los. A vossa inteligência consegue classificar, mas não se pode classificar o som; ele simplesmente se vivencia.

O abuso acontece através da intenção. Vocês podem descobrir o poder do som e usá-lo de forma abusiva para manipular os outros. O que sentem quando moram numa cidade e ouvem sirenes? Medo. Trata-se do som usado de forma abusiva, e isso altera a vossa frequência. É uma forma primária de fazê-lo. As pessoas que emitem este som conhecem o resultado que ele provoca na mente humana. É dissonante, perturbador e os impede de concentrar a atenção em outras coisas. Esta frequência assemelha-se a um cadeado; hipnotiza e captura a consciência e a inteligência. A inteligência não consegue focalizar nada mais. É quase como estar numa prisão, pois o som aprisiona a consciência, que se torna viciada, ou presa numa frequência vibratória, sem procurar sair dela. Torna-se subjugada. Observem também os vossos aparelhos de televisão e o som dos outros eletrodomésticos.

É sempre triste constatar as diversas formas de controle de frequência, e ver que poderosos aliados, como no caso o som, podem ser usados para controlá-los. Os seres humanos sentem muita raiva, inquietação, destruição e excitação quando tomam conhecimento dos mecanismos ocultos usados para manipular a consciência. Nós compartilhamos esse sentimento com vocês por vários motivos. O propósito fundamental é aumentar a força, o poder que vocês podem ter. A mente é a base da criatividade, por isso não sintam-se, de maneira nenhuma, fracos ou desamparados. A vossa mente e os vossos pensamentos projetam as vossas experiências, não importa o método ou a tecnologia empregados.

Quem atua em sua realidade com orientação impecável, compromisso com a harmonia e com a luz, alinha-se com seus correspondentes dimensionais que estão fazendo o mesmo. Vocês criam pontes de luz e mantêm os filamentos de códigos-luminosos como pilares e portais abertos. As pessoas premiadas com a compreensão de que são chamadas para usar o som em seu trabalho, que reconhecem esse chamado e atendem a ele evoluirão com grande rapidez. Aqueles que evoluem nesse ritmo acelerado serão chamados um dia para representar muitos outros, para representar a reunião mundial de consciências e para alterar a frequência usando a força do próprio som.

Capítulo XIX

Acendendo a chama interior

O planeta está procurando o equilíbrio do Eu. O Eu é o conjunto de todas as coisas, é uma harmonia que equilibra todos os vossos Eus extraterrestres, multidimensionais, masculinos e femininos.

Vocês são seres globais incríveis e estão começando a perceber isso. Permitam-se desabrochar e atingir essa plenitude e verão surgir perspectivas que os aguardam além da vossa imaginação. Estão descobrindo que precisam do corpo emocional e da vossa feminilidade tanto quanto da vossa masculinidade. Vão precisar de todo o potencial para sobreviverem e compreenderem o que está ocorrendo no planeta. Observem a gravidade dos tempos que estão vivendo, pois chegará a hora em que serão testados e deverão ensinar a muitos e muitos outros.

Através do sentimento podem descobrir muito mais. A sensação de que lhes falta algo para se tornarem inteiros os fez criar uma situação de separação tal que parece exterior a vocês. O vosso drama equipara-se à relação de um homem muito forte contra uma mulher muito forte. Quem será a vítima? Quem está certo, e quem está errado? O que este drama interior significa realmente? Que espelho exterior é esse, que reflete o que se passa em seu interior?

Para acessar a multidimensionalidade é necessário a fusão do masculino e feminino. A separação, a luta entre homens e mulheres que se arrasta há milhares de anos não pode barrá-los. Quem criou a separação entre homens e mulheres? Os deuses criadores estabeleceram este paradigma e instigaram tais frequências de várias formas. A história da separação serviu-lhes muito bem, pois criou a destruição almejada.

As vibrações masculinas chegaram ao poder recentemente, há cerca de cinco mil anos. Para se identificar, provocaram a dissociação total e completa de tudo o que estava no poder: o matriarcado e as mulheres. As mulheres operam tradicionalmente através dos níveis da intuição e do sentimento. Os homens também eram portadores de intuição e sentimento em diversas épocas, mas nesta recente separação perderam tais qualidades. Houve um grande cisma, que desencadeou um tremendo conflito entre homens e mulheres. Foi provocado pelos deuses criadores que dominaram o planeta e invadiram a realidade – alimentando-se, mantendo-se vivos, executando suas funções e nutrindo-se do desequilíbrio emocional.

Este planeta foi sujeito a todas as espécies de planos e atividades projetados para criar um desequilíbrio emocional cada vez maior. Quanto maior o número de pessoas envolvidas nestas atividades, maior o potencial para o desequilíbrio emocional. Vocês se comprometeram a destruir esse paradigma, e para isso, é necessário mudar muitas das estruturas separatistas que foram estabelecidas. Toda e qualquer separação – entre homem e mulher, brancos e negros, orientais e caucasianos – tem de ser mudada.

Como membros da Família da Luz, vieram a este planeta com o propósito de se inserirem em situações arquetípicas. Devem compreender e transmutar a energia das massas mas, para isso, precisam ser capazes de transmutar a energia dentro de si mesmos. Quando fazem uma cura ou uma união, elas não se limitam a vocês, elas abrangem a espécie humana, a psique das massas.

Distanciem-se dos vossos dramas pessoais e percebam como tudo é simbólico. Observem-se como entidade feminina procurando sua identidade e notem como a identidade masculina parece estar constantemente se opondo a vocês. Precisam descobrir como unir estas duas identidades. Quando essa união interna ocorrer, automaticamente irá refletir-se fora de vocês. Parte da missão que vieram executar no planeta consiste em eliminar o domínio masculino sobre as mulheres. Não é necessário assumir como pessoal essa tarefa, ou sentir-se sobrecarregado como se esse fardo fosse exclusivamente vosso. Não é apenas vosso: é universal.

Cada um de vocês é portador de energias a serem resolvidas dentro de sua experiência coletiva. Como membros da Família da Luz trazem a vossa "herança" das outras encarnações nas áreas mais simbólicas, ou que consideram mais estimulantes. É por isso que todos são diferentes. Precisam ramificar-se, espalhar-se para "pegar o jeito" dos humanos. É necessário abranger todo o espectro das experiências para compreender, a partir do nível celular, o quanto deve ser transmutado, a profundidade da sensação de desamparo e o quanto da energia da Deusa se perdeu na consciência da espécie.

Não se esqueçam de que são criaturas cujo desenvolvimento foi bloqueado através do controle da frequência, e que a vossa tarefa consiste em conduzir os seres humanos ao lugar onde possam equilibrar-se para conscientemente acelerarem a evolução humana. Quando se bloqueia a evolução através do controle da frequência e pela manipulação do DNA, apenas um certo tipo de frequência pode ser transmitida. Existe um conflito interior, e tudo parece mais separado. À medida que se forem tornando mais completos, deixam de separar as coisas dessa forma pois percebem que tudo faz parte da experiência.

Precisam lembrar que vieram aqui com o objetivo de fazer uma transmutação em favor da espécie humana. À medida que se forem desligando dos dramas, irão sentir-se cada vez menos vítimas ou prisioneiros deles. Compreenderão que se trata de um conjunto de energias com as quais estão lidando. Então, de forma coletiva, ao alcançarem a percepção interior, poderão transmitir a nova vibração para que os homens e as mulheres se harmonizem com ela.

Cada vez que sentirem ter dado um passo adiante significa que avançaram mesmo. Não desprezem o número de passos dados. Não se depreciem, taxando de mau o vosso comportamento, ou o de outras pessoas. Procurem tirar proveito de todos os acontecimentos.

Sejam bondosos e generosos consigo próprios. À medida que desenvolverem interiormente a cooperação entre as partes masculina e feminina, serão capazes de encontrar a cooperação para trabalhar com as outras pessoas do planeta e com os seres vindos do espaço – que são vocês todos.

Precisam tornar-se soberanos. Nesta transformação evolutiva necessitam de um espaço seu onde possam operar livremente, sem obrigações para com pessoa alguma. Não podem cobrar as outras pessoas sem dar-lhes o direito de fazer o mesmo. Vocês estão redefinindo, sob vários aspectos, o conceito global de relacionamento e cooperação. Relacionamento *é* cooperação. É um acordo de cooperação de frequência, ou uma fusão de modulação-frequencial. A antiga maneira de se relacionarem está se tornando muito irritante, pois estão descobrindo a frequência da liberdade. A vossa missão é trazer esta frequência para o planeta. É claro que primeiro terão de trazê-la para a vossa vida pessoal, a vossa família e outros relacionamentos. O ideal seria que aprendessem a ser livres mantendo ainda os envolvimentos intricados de todos os tipos de relacionamento.

Infelizmente, neste planeta, todo o relacionamento implica em posse. Quando um homem e uma mulher se casam, o papel tradicional do pai da moça é conceder a sua mão. Em outras palavras, uma figura masculina adquirirá a sua posse. Existe uma incrível expectativa, dentro dos relacionamentos, em relação ao comportamento do outro. Procurem perceber com clareza qual é o vosso conceito de relacionamento e este procedimento lhes facilitará as coisas a longo prazo. Da mesma forma como não há posse em relação aos filhos, não há em nenhum tipo de relacionamento. Vocês se relacionam com os outros da mesma forma que enviam energias para trás e para a frente. Teoricamente, existe uma comunicação entre todo o relacionamento e revesamento.

As vibrações masculinas jogaram fora a sua força, tanto quanto as femininas. Entregam-nas a um governo que diz: "Vamos, venham arriscar a vossa vida. Vistam a camisa e lutem por nós. Se o vosso corpo for mutilado, nós cuidamos de vocês no hospital e ainda lhes damos um pouco de dinheiro. Que diabo! Ação!" e os homens simplesmente obedecem. A cadeia de obedecer e jogar fora a força do indivíduo fica, assim, completa.

Vocês estão abrindo os vossos centros de sentimento. Os homens costumam ter maiores bloqueios em seus centros de sentimento do que as mulheres. A energia nos homens está estagnada porque sobe do primeiro para o segundo chakra e pára. O centro do sentimento na vibração masculina não foi ativado. Faz parte da experiência dos últimos quatro a cinco mil anos. A energia feminina, que sente, traz vida ao planeta e representa a criatividade, entrou em estado de submissão para dar oportunidade à vibração masculina, que não possui sentimento, de governar o mundo.

Nós queremos que vocês enxerguem a cena global. Buscamos movimentos de consciência. A energia feminina, portadora da magia e da intuição, concordou em abdicar dessas qualidades – energia feminina significando não apenas os seres fisicamente femininos, mas a *consciência* feminina. Diversas culturas nativas que viveram na Terra e conheciam a vida possuiam características predominantemente femininas. Não se esqueçam de que os seres femininos, literalmente, trazem vida ao planeta pois a vida sai do corpo feminino. Os seres femininos, portanto, são portadores de sentimentos, porque não se pode trazer vida ao planeta e não sentir – a não ser que você participe do movimento patriarcal que cria drogas para embotar os sentimentos. Quem não consegue sentir a vida, não lhe dá valor. Quando você sente a vida, participa da criação e traz uma vida ao mundo, lhe dá um valor muito maior porque a conheceu.

O movimento patriarcal nos últimos cinco mil anos afastou-se completamente do processo do nascimento para poder dedicar-se ao desenvolvimento de armas e ao contínuo aniquilamento dos seres humanos. O bloqueio da energia nos homens foi proposital; em geral está estagnada no segundo chakra, ou no pênis. As mulheres estão com um "nó na garganta" porque concordaram, há quatro ou cinco mil anos, manter silêncio acerca da magia e da intuição que representavam e conheciam como parte da chama gêmea. A chama gêmea consiste na energia masculina e feminina coexistindo num só corpo, quer seja ele fisicamente masculino ou feminino.

A sociedade patriarcal tem sido governada pelo aspecto masculino do Eu. Vocês todos experimentaram, através da consciência, e aprenderam o que funcionaria melhor, preparando-se para a época em que as chamas, juntas, irão acender-se no vosso corpo. Neste momento, a chama gêmea não mais será procurada como um parceiro fora do Eu, mas compreendida como a integração dos Eus feminino e masculino e o amadurecimento de tudo aquilo que o Eu já realizou. Depois que tiverem integrado as energias feminina e masculina dentro de vocês e ativado a chama gêmea, irão procurar uma pessoa que também esteja completa, não alguém que preencha uma necessidade vossa, ou vice-versa.

Durante este período de mudança, será necessário que as mulheres desatem o "nó da garganta" e se permitam falar. Chegou a hora. Para os homens, o desafio consiste em compreender as mulheres e sentir. Devem deixar que o sentimento entre na expressão da vossa sexualidade e dos vossos relacionamentos. Muitos homens estão atravessando um período de grande dificuldade em relação às mulheres. É verdade.

O que estamos sugerindo à vibração masculina – e isso vale também para as mulheres, quando operam seu aspecto masculino – é que deixem o sentimento entrar na área da sexualidade. Sintam a amplitude da emoção e não apenas a sexualidade física, o estímulo localizado. Existe um estímulo emocional que necessita de um compromisso emocional e de uma confiança emocional. No campo eletromagnético, este estímulo emocional vai abrir uma frequência dentro de vocês. Esta frequência, que a sexualidade representa, é um remanescente da vossa divindade.

Os homens fecharam o seu centro do sentimento para serem os comandantes do planeta. Foram capazes de guerrear, matar e dominar o planeta por terem fechado este chakra do sentimento. E as mulheres concordaram em fechar o chakra da laringe, o centro da fala, para que os homens tivessem a oportunidade de comandar o sistema.

Tudo isso agora está chegando a um ponto de equilíbrio, de estabilização, de equalização. As mulheres começaram a abrir sua garganta há cerca de trinta anos, passando a ter a oportunidade de falar sempre. O problema é que muitas mulheres acabaram fechando o centro do sentimento ao abrirem o da fala. Começaram a parecer homens. É necessário equilíbrio. A mulher agora está sentindo a necessidade de despertar o princípio feminino dentro dela. Vive num corpo feminino e controla o uso da vibração masculina no seu interior. Saiu para o mundo, sente-se poderosa. Pode andar pelas ruas sem um véu a esconder-lhe o rosto e decidir se deseja, ou não, se casar. É dona de si. É responsável por suas próprias decisões. Está começando a se tornar mais suave, despertando seu lado feminino que a nutre e vitaliza. Ao se tornar inteira, com suas porções masculina e feminina, e se permitir vivenciar o DNA evoluído, ela transmite uma frequência. E esta será a frequência predominante no planeta.

É inevitável que os homens abram o centro do sentimento. É o próximo passo que precisam dar para estabelecer o equilíbrio com as mulheres. Isto vai acontecer muito depressa para os homens. Não será um processo de trinta anos, pois os homens, em nossos dias, parecem uma multidão caótica. Perceberam que não gostam nem um pouco do que está acontecendo, e questionam a sua autoridade.

Em determinado momento certas frequências se tornarão predominantes. Então, por exemplo, uma pessoa pode estar num laboratório fazendo experiências com um animal e, de repente, o seu chakra do sentimento se abrir completamente. Ela passará a sentir a dor que o bichinho está sentindo, e tudo aquilo que vinha fazendo torna-se monstruoso. Dá meia volta e sai do laboratório para nunca mais voltar, pois ficou realmente chocada. Isto é o que vai acontecer com a vibração masculina.

Nós afirmamos que a vibração masculina vai sofrer uma transformação num período de tempo muito breve. Não diremos como nem porquê, para que não nos considerem adivinhos pretensiosos. Contudo, afirmamos que as ondas continuam a chegar, e isso irá desencadear uma elevação de consciência unilateral dentro da população. Quando o conflito masculino em relação à autoridade tiver atingido seu nível mais profundo, o centro do sentimento será ativado. Esta abertura poderá ser gradativa, suave, ou violentamente abrupta.

As mulheres também serão atingidas pela abertura do chakra do coração, sentindo grande compaixão e alegria ao verem seus homens *sentir*. Estamos nos referindo a acontecimentos de massa, que atingirão a humanidade através de ondas de luz.

A energia feminina, aquela que sente e liga uma vida à outra, está sendo despertada em todas as pessoas. As mulheres precisam redefinir seus conceitos de feminilidade e força. Elas precisam descobrir o que significa ser uma mulher forte, assim como os homens precisam descobrir o que significa ser um homem vulnerável. Qual será o aspecto cativante de um homem, quando ele se tornar vulnerável? Qual será o aspecto cativante de uma mulher, quando ela se encontrar no processo de auto-fortalecimento – sendo uma versão feminina da potência, e não uma versão masculina?

As mulheres possuíam um invólucro muito rígido em volta de seu campo de energia; precisavam proteger-se. Agora elas vão desenvolver a verdadeira força emocional. A casca rígida vai se diluir e o corpo radiante luminoso brilhará direto do coração. Os deuses e as deusas estão de acordo e trabalham juntos com essa energia. Assim está decretado e assim será o desenrolar deste drama.

As histórias da antiguidade que contavam a magia da mulher, a criadora, aquela capaz de dar à luz, a que recebe o mistério do sangue – a força vital – e que é capaz de devolver essa força vital à Terra foram soterradas, esquecidas. Onde estão as histórias da Deusa – aquela que ama, sente e nutre? A espécie masculina costumava possuir a energia da Deusa dentro de si, também, e sente necessidade dessa energia.

Para melhor controlar o planeta nos últimos milênios, os extraterrestres deram-lhes mitos. Eles semearam todas as vossas instituições religiosas. Já dissemos que vocês são uma experiência. Às vezes as experiências são gratificantes e amorosas mas, nos últimos anos, essa experiência entrou numa decadência incrível. Como membros da Família da Luz, vocês vieram invadir o planeta para lhe restituir a luz, para que a loucura da separação e da guerra não voltem nunca mais. Homens e mulheres devem complementar-se, jamais confrontar-se.

Não se esqueçam, sentimento é emoção. Emoção é a chave para sair do planeta, para imaginar o Eu multidimensional, curá-lo e se tornar um. É também a chave para ativar amorosamente a Terra como Biblioteca Viva, salvando da extinção uma área de existência tão valiosa. Com os homens e a sociedade patriarcal dominando o planeta nos últimos milênios, e as mulheres numa posição subterrânea – nem ao menos secundária – separação era o tema, e a emoção foi posta de lado, como coisa feia, a ser evitada. Agiram como autômatos, representando papéis que os mantinham separados.

Vocês não têm um panteão de imagens femininas criadoras poderosas. Não possuem nada que sirva de padrão da imagem positiva da força feminina. Assim, os homens esforçam-se para ser másculos e as mulheres para adquirir o fortalecimento através da vibração masculina, não possuindo ambos uma visão clara da potência feminina. *Devem criar esta imagem.* Comecem a reconhecer a riqueza de energia da versão feminina do Eu, que é intuição, receptividade, criatividade, compaixão e nutrição. Vocês estão descobrindo que existe uma riqueza de identidade enorme numa essência desacreditada por muito tempo. Se você for uma mulher, é uma forma viva desta essência. Os homens precisam descobrir a forma da Deusa no seu interior, onde a sua Deusa se encontra com o seu deus.

De forma análoga, a visão do masculino é distorcida. Vocês não têm uma imagem de homem poderoso *sensível.* A sociedade sempre considerou homens sensíveis como "delicados", pouco másculos. Os homens estão começando a olhar para suas emoções e dizer: "Opa, estou *sentindo* isso", e sabem que ainda são homens. Portanto, homens e mulheres estão criando modelos de imagem para versões potentes e integradas dos papéis masculino e feminino. Estes modelos estão chegando, e rápido. O tempo de separação acabou.

Como já mencionamos, não é *fora* que devem procurar a chama gêmea companheira. Devem procurar a integração da essência masculina e feminina *dentro* de si. Elas formam um todo. Pessoas inteiras procuram unir-se a outras pessoas inteiras em relacionamentos baseados na confiança, desejo e escolha. Esses relacionamentos não se baseiam em "Eu preciso de você na minha vida para me completar e me autorizar." Vocês se tornam completos em si mesmos e operam com outras pessoas também completas em si mesmas, criando um território totalmente novo a ser explorado.

Quando casam a chama gêmea interior, estão reconhecendo o intuitivo, a Deusa, portadora-de-vida, a parte sensível de si mesmos, bem como a parte de si que é potente, racional e intelectual. Uma parte muito ligada ao plano físico, e outra muito ligada ao plano espiritual. Quando fundem essas energias dentro de si, torna-se imprescindível encontrar alguém com as mesmas qualidades. Isso irá acontecer sem o menor esforço, pois terão a capacidade de atrair pessoas inteiras. Vão atingir o que nunca consideraram possível nos relacionamentos anteriores, ligar-se a uma outra pessoa por desejo ou afinidade, jamais por necessidade, e darão aos relacionamentos uma nova personalidade, um novo limite, uma nova definição. Vocês se tornarão seu próprio modelo neste novo tipo de relacionamento. Muita gente vai achar que a instituição do casamento perdeu o significado. Não comportará o que vocês conhecem, nem será adequada à maneira como querem viver.

Como todos estão no caminho de integração das polaridades dentro de cada um, temas difíceis surgirão muitas e muitas vezes. Acolham esses momentos difíceis, pois eles serão o vosso melhor professor. Permaneçam focados no vosso próprio crescimento, no próprio caminho, no próprio Eu e não se preocupem com o que os outros estão fazendo. Chamem suas partes feminina e masculina, estabeleçam um diálogo entre elas para que comecem a trabalhar em cooperação e harmonia. Dêem a si mesmos muito amor e incentivo. Marquem um encontro consigo mesmos e digam: "Meu Eu, eu amo você. Você é um Eu maravilhoso. Você é o número um, o campeão, o melhor Eu do mundo!"

Quando concedem a si mesmos a dignidade do vosso próprio amor, como se fossem a realeza recebendo saudações de seus súditos, tudo muda. A integridade e a força tornam-se vossa propriedade porque acreditam e amam quem são. Quando acreditam e amam a si mesmos, tudo começa a correr como vocês querem. O mais difícil para quase todos é acreditar que merecem amor. Ninguém é obrigado a amá-los. Vocês não estão aqui para mendigar o amor de outras pessoas e, assim, se convencer de que têm valor.

Estão aqui para desempenhar uma tarefa muito difícil num sistema sombrio, com pouca energia, estímulo ou informação sobre a verdadeira história. Estão aqui para fazer o impossível. Através do compromisso de amar a si mesmos, e fazendo deste compromisso o primeiro passo a partir do qual vocês operam todos os dias, tudo entra no lugar. Vocês se tornam inteiros, completos. Estão prontos para um relacionamento com outro ser completo e este relacionamento pode levá-los a planos deliciosamente inexplorados.

CAPÍTULO XX

Sexualidade – uma ponte para níveis superiores de consciência

Quando a vossa biblioteca foi arrancada das prateleiras e espalhada, e do vosso DNA só restaram duas fitas com pouquíssimos dados e pouquíssima memória, a vossa sexualidade foi deixada intacta no corpo físico. Foi deixada como forma de reprodução, claro – como forma de manter a espécie em contato com sua própria essência e trazê-la à vida. Bem no fundo do mecanismo da sexualidade encontra-se uma frequência que pode ser atingida, e que tem sido procurada e mal compreendida por muitas pessoas. Chama-se orgasmo.

O orgasmo foi distorcido de seu propósito original. O vosso corpo esqueceu o orgasmo cósmico que é capaz de atingir porque a sociedade vem dizendo há milhares de anos que a sexualidade é ruím. Ensinaram-lhes isso para mantê-los sob controle, para impedi-los de buscar a liberdade disponível através da sexualidade. A sexualidade liga-os à frequência do êxtase, que os une novamente à vossa fonte divina e à informação.

A sexualidade ganhou uma conotação de palavrão neste planeta, e este palavrão está arquivado na vossa memória celular. Não apenas nesta encarnação; há milhares de anos vem sendo usado de forma desapropriada. É necessário que limpem toda a negatividade que envolve a sexualidade nesta vida, para experimentar a energia sexual e a expressão sexual nos vossos Eus multidimensionais.

Os vossos órgãos sexuais são avenidas que levam ao prazer e criam frequências que estimulam o corpo e potencialmente conduzem ao Eu espiritual superior. A sexualidade é tão mal compreendida neste planeta que, quando é compartilhada entre duas pessoas, é muito raro existir a intenção de uma ligação espiritual. A sexualidade invoca uma espiritualidade livre que reconhece seu poder criador. Contudo, raramente ela é usada como ponte que os conduz a níveis mais elevados de consciência.

Nós temos conversado com várias pessoas que vêm utilizando a luz. Uma vez encontrado o parceiro adequado, dentro de uma situação monogâmica, elas têm conseguido atingir estados de ser muito elevados. A monogamia funciona muito bem para vocês por causa do nível vibracional em que se encontram. Quando têm muitos parceiros, há uma tendência a ser menos honesto com cada um deles e a esconder a vossa verdadeira essência: compartilham um pouco aqui, um pouco lá, um pouco acolá, espalhando suas sementes. É melhor estar com uma só pessoa, o que não significa a mesma pessoa para sempre. Sejam leais, abertos e compartilhem tudo com a pessoa com quem estão trabalhando, e sigam com ela até onde for possível. Se for a vida inteira, ótimo. Se não, quando chegarem a um ponto em que não mais se comunicam nem servem um ao outro e sentem que o relacionamento não vai evoluir mais, terminem e procurem outra pessoa que trabalhe com a vossa vibração.

Quando trabalham um-a-um intimamente, desenvolvem a confiança. A maioria das pessoas tem dificuldade em confiar em si mesmas porque não possuem um modelo de comportamento para a confiança. Podem aprender muito sobre confiança num relacionamento porque o relacionamento age como um espelho mostrando-lhes, a partir do outro, o que não conseguem enxergar a partir do vosso ponto de vista. Mostra-os vistos de fora, quando se abre a comunicação através da sexualidade e da intimidade profunda e quando não estão usando a sexualidade como simples distração. Muitas pessoas usam a sexualidade como distração e como forma de fugir da intimidade, em vez de desenvolvê-la. Quando começam a receber energia, a olhar nos olhos da outra pessoa e a sentir calor e excitação, em vez de explorar um ao outro intimamente e espiritualmente, fecham o chakra do sentimento, vestem a vossa armadura e fazem sexo genital, superficial, pois é muito amedrontador e muito intenso aprofundar-se na rota da união plena dos dois corpos e dos dois espíritos. Às vezes, uma relação sexual quente é uma delícia, é maravilhoso. Nós só estamos dizendo que existe mais. Existe muito mais, e ninguém está impedindo que experimentem, quem os impede são vocês mesmos, vossos preconceitos e o medo de derrubar vossas barreiras e limites.

Muitos dos medos que sentem baseiam-se naquilo que vocês mesmos criaram para si e naquilo que fizeram para os outros na vossa vida sexual. A vossa história sexual afeta todas as outras partes da vossa alma e, como tudo o que acontece com a alma, é transmitida em alto e bom tom por todo o corpo. Parem de se julgar, adotem uma posição neutra em relação a suas atitudes anteriores – não importa o que descobrirem, não importa se parece terrível, não importa que seja difícil, e não importa quanta violação envolve. Compreendam que o vosso propósito foi reunir dados e conhecer a si mesmos.

A sexualidade é uma frequência. Representa aquilo que não foi roubado de vocês, embora a vossa história, memória e identidade tenham sido pilhadas e espalhadas. A capacidade de descobrir quem são foi deixada intacta, e o caminho para essa descoberta é a experiência sexual. É claro que isso nunca lhes foi ensinado. As igrejas tornaram-se organizações – empresas com o objetivo de controlar a religião e o desenvolvimento espiritual, como também de criar empregos, uma hierarquia, um clube. Pouquíssimas igrejas têm o propósito de informar o povo. Vocês normalmente não pensam em religião como algo que os mantém informados, pensam? Qualquer religião que traga informação está operando na vibração da verdade.

Os planos espirituais são lugares de existência aos quais o corpo humano não tem acesso. Como a sexualidade era uma oportunidade para que os seres humanos recuperassem sua memória, se unissem a seu Eu espiritual, ao criador espiritual e encontrassem a avenida que conduz ao plano espiritual, as igrejas chegaram e anunciaram que a sexualidade destinava-se exclusivamente à procriação. Ensinaram-lhes que a única razão da existência da vossa sexualidade era a reprodução.

A sexualidade foi considerada uma coisa muito ruím. Disseram às mulheres que a sexualidade era algo a que tinham de se submeter para servir aos homens, e que elas não dispunham de controle sobre o processo da reprodução. Elas acreditaram; por isso, até hoje, vocês acreditam não possuir controle sobre esta parte do vosso corpo. Decisão e intenção é que concretizam as experiências do ser humano. Vocês podem determinar quando ter, ou não ter, um bebê. Se a mulher tivesse percebido que possuía essa capacidade no decorrer dos últimos milênios, se tivesse sido capaz de explorar seu Eu sexual sem medo de engravidar, homens e mulheres talvez tivessem descoberto que eram muito mais livres do que lhes foi induzido a acreditar.

A descoberta da frequência mais elevada da sexualidade tem origem no amor. Nada tem a ver se o relacionamento é homo ou heterossexual. Tem a ver com dois seres humanos dando prazer um ao outro, e com isso abrindo novas frequências de consciência. Vocês compraram muitas idéias sobre o que é adequado e o que é inadequado na expressão sexual.

O amor é a essência a ser criada em todos os relacionamentos. Se você ama e respeita uma pessoa, não importa sua composição de densidade. O que importa é a vibração do amor e como você explora esse amor, essa união que ocorre com a integração das partes masculina e feminina formando a chama gêmea.

O ideal é que a sexualidade seja explorada através dos sentimentos. O terceiro e quarto chakras ligam vocês ao Eu emocional e compassivo, que os liga ao Eu espiritual. O Eu espiritual é a vossa parte multidimensional – através da qual existem em várias formas simultaneamente. A vossa missão, o vosso compromisso e tarefa consiste em estar consciente dessas realidades na identidade em que se encontram. Quando estão conscientes, podem sintonizar-se com diferentes frequências, podem lembrar-se de quem são e alterar a frequência vibratória deste universo.

Nós gostamos muito de falar sobre sexualidade devido ao mistério que a cerca neste planeta. Certas escolas esotéricas guardaram secretamente algum conhecimento sobre o potencial da sexualidade. Vocês são criaturas eletromagnéticas e, quando se unem fisicamente a outra criatura humana, somam as frequências eletromagnéticas. Quando as vossas frequências estão sintonizadas e unidas pela vibração do amor, coisas incríveis podem acontecer.

Há milênios, quando a sociedade possuía uma visão mais matriarcal em determinadas áreas do planeta, a energia da Deusa podia chegar e trabalhar dentro de certos indivíduos. A mulher tinha consciência de sua força, sua intuição, seu chakra do sentimento, sua ligação e seu desejo de criar vida.

Ela sabia, também, que *jamais teria de conceber um filho se não fosse essa a sua intenção.*

Para que a sociedade patriarcal pudesse se estabelecer, e a Terra estivesse preparada para essa transformação de consciência, a energia feminina teve de adotar uma posição secundária. Assim, a força feminina, a energia, a compreensão da sexualidade foram suprimidas. Nos tempos modernos – os últimos dois mil anos – as mulheres que habitavam o planeta não acreditavam poder controlar a natalidade, consideravam a sexualidade perniciosa e repulsiva, achavam que o sexo só poderia ocorrer dentro dos laços matrimoniais, etc.. Isso tudo foi uma campanha publicitária.

Uma das campanhas publicitárias atuais para criar um medo ainda maior em relação à sexualidade e sua expressão são as novas doenças: AIDS, herpes e todo o resto. Vocês lêem sobre essas coisas nos jornais e sentem medo da vossa própria expressão, da vossa própria intuição, da vossa própria alegria. Percebem?

Antes do vosso DNA ser rearranjado, a maneira pela qual muitas pessoas atingiam os planos superiores, e conseguiam subir as escadas de si mesmas para alcançar as frequências extra-planetárias, era pela união eletromagnética através do amor. Elas criavam uma experiência semelhante a um foguete que as lançava em outros sistemas de realidade. Este foi um dos maiores segredos do planeta guardados a sete chaves.

Conversamos com muitas pessoas que já tiveram experiências sexuais de absoluta profundidade. Desejamos salientar que não estamos fazendo distinções ou julgamentos em relação a seus parceiros, e gostaríamos de sugerir que vocês também não o fizessem. Esse tipo de programação está superado. Não tem a menor importância o fato de se unirem a uma pessoa do mesmo sexo, ou do sexo oposto. Estamos falando da união de dois seres humanos, da maneira mais apropriada que encontram para ligar-se fisicamente e criar amor, porque estão partilhando amor. Quando integridade e amor estão faltando numa união de corpos humanos, os seres humanos começam a não gostar da experiência. Isto pode criar toda a espécie de resultados nocivos no corpo físico.

Foi-lhes permitido ficar com a frequência do orgasmo na sexualidade para que pudessem lembrar-se da vossa identidade superior. Quando essa energia, ou a história de cada um de vocês, for revelada e descobrirem quem são, vão unir diversos corpos da vossa identidade pessoal multidimensional na forma física. Para receber o impacto total da estrutura da vossa identidade, deixem as doze hélices se acomodarem no corpo e permitam aos filamentos de códigos-luminosos se rearranjarem. Este processo está ligado ao corpo mental que, é evidente, liga-se ao corpo físico. O corpo emocional, ligado ao corpo espiritual, é o corpo que todos querem evitar. Vocês dizem: "Eu quero evoluir. Eu quero uma aceleração rápida, mas não quero passar pelo chakra do sentimento para realizá-la."

Vocês estão ligados a seus Eus multidimensionais através das emoções, e é nestas mesmas emoções onde primeiro esbarram e ficam presos. Aceitem a vossa "bagagem" emocional, ela tem uma razão de existir. Muitos gostariam de embrulhar sua "bagagem" emocional e jogá-la no lixo, como se fosse uma coisa muito feia e não fizesse parte de vocês. Essa "bagagem" é a porção sombria da vossa identidade que não querem aceitar e com a qual nem querem conviver.

Nós compreendemos quando às vezes, dizem: "Detesto essa parte de mim. Quero acabar logo com isso, varrer tudo para baixo do tapete e esquecer. Chega dessa história!" Mas lembrem-se, a vossa "bagagem" – os vossos assuntos pessoais – são os tesouros da vossa vida. Vocês aprendem com eles.

Concordaram em mudar, em atrair luz para o vosso corpo e a receber a Família da Luz neste planeta. Uma vez que luz é informação, vocês precisam lidar com todas as coisas que esconderam de si mesmos. A sexualidade é o primeiro tema, pois se trata do vosso Eu secreto – o Eu de quem vocês se escondem. A sociedade disse a vocês: "Isto é bom. Isso é ruím. Podem fazer isso. Não podem fazer aquilo." De onde vieram essas leis? Aliás, quem fez todas as vossas leis?

Vocês ficam presos por não conseguirem ler os símbolos da linguagem que falam consigo mesmos. Por isso alongam as vossas histórias, só gostam delas porque distraem a vossa atenção. Se não tivessem uma história, quem conversaria com vocês? Observem o vosso corpo e percebam o que ele lhes está ensinando. O ideal seria que curassem suas mazelas, criando bem estar e alegria à medida que fossem aprendendo a permanecer mais centrados no vosso corpo e a adquirir uma nova identidade da vossa sexualidade.

A sexualidade é a chave. É a porta de entrada para os planos superiores da consciência. Quando se redefinirem, quando os filamentos de códigos-luminosos lhes derem uma nova definição de si mesmos, vocês vão mudar o vosso comportamento sexual. A sexualidade vai aflorar em todos e a nossa experiência nos permite dizer que esta é a área que vocês atualmente mais temem. Garantimos que, no futuro, outras áreas mais amedrontadoras surgirão.

Se estão obcecados pelo tema do amor e não conseguem compreender o que está ocorrendo, saibam que a vossa dificuldade consiste em procurar o amor fora de vocês. Estão procurando uma outra pessoa que dê significado a suas vidas e os autorize. O não ter essa pessoa, os faz sentir irritados, inúteis, sem valor. Este foi o padrão em que cresceram, que seus pais e a sociedade lhes apresentaram. Repetimos que o mais importante é amar a si mesmo e respeitar a Terra. Mas vocês esquecem, e continuam procurando o próximo relacionamento que esperam torná-los inteiros, completos. Acham que sem um companheiro serão menos aceitos pela sociedade. E assim começa a solidão. Precisam aprender a ficar sós. A solidão é um estado mental. Vocês nunca estão sozinhos. Existem milhões de entidades à vossa volta. Se parassem de sentir pena de si mesmos, descobririam que existe uma quantidade enorme de informação sendo constantemente enviada, e a vossa vontade seria, sem dúvida, estar sozinhos para poderem receber os contatos.

Quando amam a si mesmos e param com a obsessão de encontrar uma outra pessoa para amá-los, são capazes de aceitar o que os outros têm a oferecer. É imprescindível valorizar-se para não começar um novo amor disfarçado. Se se decidem por um companheiro, se desejam vibrar com alguém e não recebem o que estão querendo, nada de resmungar, reclamar, fazer biquinho e querer que a pessoa mude de acordo com as vossas necessidades. Se estabelecem um ideal para si mesmos e ele não acontece, simplesmente mudem a vossa realidade e sigam em frente sozinhos até encontrar alguém que reflita esse ideal. Enquanto isso, vibrem em amor por si mesmos, respeitem-se e percebam que a jornada aqui na Terra visa o *auto-conhecimento* através do relacionamento com as outras pessoas. Não apenas com casais, marido e mulher. A jornada aqui é dedicada a respeitar o vosso corpo físico e a singularidade do vosso Eu, à medida que vão cruzando com as vidas de outros seres. Permitam-se trabalhar com o Eu, deixem o vosso Eu evoluir.

Vocês têm medo da intimidade consigo mesmos – de estar sozinhos com o Eu. Uma vez desenvolvida essa intimidade, o silêncio, o amor por si, a contenção da própria energia, irão estabelecer esse mesmo aspecto de intimidade como padrão de intimidade com outra pessoa.

A sexualidade pode ser muito confusa nos dias de hoje, porque vocês estão elevando e estudando as suas frequências. Quando corpos se juntam, mesmo que seja através de um abraço, há uma troca de frequência. Quando têm uma experiência sexual há uma liberação de hormônios dentro do corpo. Os hormônios despertam determinadas energias dentro das células, que provocam uma transferência da essência de uma pessoa para a outra. É por isso que, quando têm uma relação sexual com alguém, nem sempre conseguem eliminar a energia dessa pessoa. Mesmo não querendo estar com a pessoa, a experiência sexual permanece com vocês, porque houve uma troca eletromagnética.

Vocês vão seguindo através desta modulação de frequência, aprendendo como elevar a vossa frequência para um local de informação consistente, amor por si mesmos e intimidade consigo. Pode parecer muito confuso e até amedrontador unir essa vulnerabilidade toda, que estão aprendendo sobre si mesmos, com outra pessoa, mas quanto mais se tornarem conscientes, e dominarem o uso do vosso corpo, melhor irão saber onde ligá-lo, onde sentar-se e, sem dúvida, com quem unir-se sexualmente.

Se agora a expressão da vossa sexualidade incentiva e aumenta o vosso crescimento, automaticamente irão criar essa experiência para si mesmos porque estarão prontos para ela. Precisam saber que, durante o processo de evolução do Eu, ocorre frequentemente um período de dormência na atividade sexual. Dentro da frequência sexual há uma troca. Assim, se existe uma união e uma troca química com uma pessoa que não está na vossa sintonia, vocês estão recebendo todo o lixo dessa pessoa, porque estão trocando energia com muita intimidade.

Às vezes vocês se afastam dessa espécie de troca. Podem pensar: "Que coisa, o que está acontecendo? Será que estou ficando velho? Será que estou ressecando? O que houve?" Nada disso. Vocês podem aprender a usar a energia que os estimula sexualmente sem dá-la para outras pessoas. Em vez de entrar no caos e na loucura, podem explorar essa energia através da arte da masturbação, sabendo que é perfeitamente válido e saudável fazê-lo. Ou simplesmente observar quando sentem uma excitação sexual e decidir o que fazer com ela. Podem dizer: "Bem, não vou trabalhar isso agora. Vamos ver para onde vai esta energia." Peguem a energia, deixem-na subir pelo corpo e usem-na em outras áreas.

Vocês vão chegar a um ponto em que devem venerar, sustentar e amar a si mesmos como se estivessem carregando um bebezinho recém nascido em seus braços, sabendo que estão dando o melhor de si mesmos. Muitas pessoas se dispersam. Encontrem um local de serenidade e silêncio onde possam encontrar respostas às vossas perguntas. Não irão conseguir encontrar respostas fazendo perguntas a todo mundo ou falando o dia inteiro no telefone. Se fizerem isso demonstram que estão procurando fora de vocês. Quando aprendem a voltar-se para dentro de si para encontrar as respostas, o Eu falará. Normalmente não conseguem ouvir porque estão trancados dentro de padrões de comportamento que já sabem ser necessário mudar, mas falta-lhes coragem para enfrentar o desconhecido.

Com a maior honestidade, vocês têm medo de si mesmos. Isso é muito comum. Têm medo de não estar completos, e vocês querem muito ser completos. Então dizem: "Estou completo. Sou soberano. Preciso de alguém. Estou atraído por alguém. Não! Não quero ver! Tenho muito medo disso! Não preciso de ninguém. Não, eu preciso sim!" Vocês vão para a frente e para trás. Aprendam a aquietar vossa mente. Aprendam a ter o controle total da vossa energia. O que isso significa? Significa que onde quer que vocês estejam, estão observando a si mesmos – a postura do vosso corpo, o movimento das mãos, se estão se repetindo muitas e muitas vezes, se estão falando ou em silêncio. Aprendam a observar-se sem julgamento. Aprendam a observar-se (constatando como são) e a corrigir-se (determinando como gostariam de ser). Aprendam a silenciar a mente.

As frequências são transmitidas de uma pessoa para outra, especialmente se houver uma ligação de amor. Uma ligação de amor não significa grudar-se no outro para sempre. Significa simplesmente que existe um relacionamento enquanto o considerarem apropriado, em que há respeito mútuo, troca de energias e que estas energias podem fluir livremente, num circuito aberto. Quando vocês não se amam e não estão ligados, não há troca positiva, o circuito não se abre. Isso não significa que não possam ter prazer no sexo; significa simplesmente que o circuito não está aberto.

Com a elevação da corrente elétrica, os orgasmos vão ficando cada vez mais intensos e longos; o corpo humano consegue atingi-los e mantê-los porque o sistema nervoso é capaz de sustentar frequências orgásticas altíssimas. É o sistema nervoso que determina como você se expressa e sente. Se você tiver um sistema nervoso pouco evoluído sua experiência sexual será muito limitada, pois é ele o condutor da corrente elétrica. O orgasmo cura e realinha o corpo físico.

Com o passar do tempo, não conseguirão se aproximar nem ter relações com alguém que não esteja operando na mesma voltagem. Simplesmente não vai dar. Seria comparável a uma pessoa que usa sapato nº 41, calçar um nº 35. Não serve, não fica confortável. Vocês não combinam porque as vibrações não se misturam.

Na sequência também vão perceber a importância da nutrição vibracional à medida que começam a ligar-se sexualmente. A ligação sexual é a única forma de comunhão total com pessoas que estejam na mesma voltagem ou em voltagem compatível. A realidade de vocês nos interessa muito porque existem muitas pistas a serem seguidas no vosso mundo que desperta. Quando viajam para outros países, os vossos aparelhos elétricos não podem ser ligados. Eles não servem, é necessário um transformador de voltagem. Seria muito estressante se, cada vez que se envolvessem intimamente numa relação sexual, precisassem adaptar-se a outras voltagens. Exigiria um esforço muito grande. Gastariam toda a vossa energia criando mecanismos de adaptação. E então entrariam em abstinência, não se permitindo avançar porque acabariam baixando as expectativas.

Os anos sessenta marcaram a abertura da exploração sexual. Imediatamente, o paradigma mudou. Grande parte da energia que se encontrava no planeta naquela época, somada à ingestão experimental de diferentes substâncias alucinógenas, criou instantaneamente um novo paradigma que os separou das gerações precedentes. Os limites deslocaram-se instantaneamente. Estavam separados de uma geração que acreditava em guerras e não tinha sentimento – uma geração cuja expressão sexual ocorria no escuro e talvez com muitas roupas cobrindo o corpo. Vocês escancararam o paradigma de muitas maneiras, estabeleceram novas tendências e novas maneiras de ser. Foi maravilhoso. "Uau, amor livre, vamos exibir nossos corpos!" vocês disseram.

Agora chegou o momento de uma nova revolução global, através da qual vocês vão se unir vibracionalmente a uma pessoa. Acabou a sexualidade leviana, o fingimento de sensações – acreditar que se é sexualmente liberado por ficar nesta e naquela posição, dizer isso ou fazer aquilo. Isto não passa de aeróbica na área da sexualidade. Nós queremos que entrem na aeróbica e nas contorções da alma – a vibração. A profundidade de duas pessoas atingindo o orgasmo simultâneo e unindo-se nessa capacidade é o que todos desejam. Se existe medo, é devido à falta de um modelo de comportamento. Vocês devem projetar um. Precisam acreditar que, de alguma forma, a energia do projeto cósmico, instantaneamente, irá provocar um novo movimento baseado no desejo de dar o passo seguinte em direção ao auto-conhecimento.

Vocês vão lembrar com grande clareza as expressões da vossa sexualidade em diferentes realidades – quando foram homens e mulheres e exploraram a sexualidade em todos os aspectos. É necessário muita coragem para fazer isso. Se existe uma área em que se julgam a si próprios, e onde o planeta também julga, é a área sexual. Vocês têm idéias muito definidas sobre o que é próprio e impróprio sexualmente. Por isso, muitos de vocês podem ficar chocados ao se lembrarem do que fizeram com sua sexualidade.

Compreendam que, neste planeta, a sexualidade sempre foi o elo que ligou o corpo à vossa frequência mais elevada. Apesar de grande parte dos dados ter sido desmontada e espalhada dentro do corpo, o potencial de criar a vida permaneceu intacto, para que pudessem compreender inteiramente quem são no âmago do vosso ser. A vibração sexual tem sido a ligação com a vossa identidade cósmica, mas esse conceito global tem sido completamente incompreendido e perdido. Estamos informando que existe uma história muito maior e muito mais emocionante do que qualquer um ouse imaginar.

Existem pessoas que não querem entrar em sintonia com essas frequências, pois elas podem levá-los a áreas de liberação onde começam a compreender as coisas. A sexualidade foi-lhes deixada como frequência, onde vocês, seguindo pelo sistema nervoso, podiam ligar-se à mente superior e sair do corpo. Se soubessem que esse era o caminho para fora, quem poderia tê-los controlado ou manipulado?

Precisam limpar a conotação negativa e os julgamentos que tingiram a vossa experiência sexual por eons. Precisam fazer as pazes com o sexo para integrar as frequências e a identidade. Houve tanta manipulação e limites tão estreitos foram estabelecidos, que a verdade da sexualidade foi escondida de vocês. Disseram-lhes que poderiam procriar e ter orgasmos, mas não lhes contaram que poderiam abrir frequências com ela. Podem contactá-la e usá-la como método para se lembrarem quem são e alterar a frequência vibratória do vosso corpo.

Nos próximos anos, a expressão da vossa sexualidade terá adquirido toda uma nova dimensão. Irão evoluir e crescer, se tiverem um companheiro que também queira seguir pela mesma estrada e estar tão aberto. Mas se estiverem com uma pessoa que queira jogar o jogo da abstinência ou da fuga, infelizmente, não chegarão lá.

CAPÍTULO XXI

O compromisso de evoluir na terceira dimensão

Segundo o nosso ponto de vista, todos têm conhecimento, só precisam ativar a memória arquivada dentro do seu ser. Percebemos que alguns de vocês, devido a seu estágio experimental, estão gemendo e chorando, pedindo: "Precisamos de ajuda e assistência agora e sempre!" Permitam-nos, então, sugerir uma avenida por onde possam definitivamente caminhar – uma fórmula que funciona.

A fórmula é bem simples. Todos os dias, em todos os momentos, devem determinar com clareza o que desejam vivenciar. Talvez o que vocês desejam se enquadre na categoria de 'impossível', tendo em conta as fronteiras das limitações alheias. Imbuídos do sentido do merecimento e da graça divina, descubram no vosso íntimo aquilo que lhes traz felicidade. O que os faz sentir leves, ligados e vivos? Que desejo vocês têm que irá trazer paz ao planeta que ocupam com o vosso ser?

Quaisquer que sejam estes desejos, comecem a querê-los. Chamem-nos para vocês dizendo: "É minha intenção ter harmonia em minha vida. É minha intenção ter saúde e energia que me levem a aventuras criativas. É minha intenção que eu seja bem provido de coisas materiais; que abrigo, alimento e todas as coisas de que eu precise para viver me sejam dadas em grande abundância para que eu as partilhe com os outros seres." Vocês não foram treinados a pensar assim.

Duas ou três vezes por dia, dediquem uma pequena porção do vosso tempo a estabelecer com clareza o que querem. Todos os dias, abram os vossos centros de energia dentro e acima do vosso corpo chamando a frequência da luz. Nós a denominamos pilar de luz. Visualizem um raio de luz entrando nos doze chakras, os sete dentro do corpo e os cinco fora dele. Esses chakras são centros de informação, ou vórtices, que, uma vez ativados, começam a girar. Ao girarem, criam um movimento que ativa os filamentos de códigos-luminosos para que trabalhem juntos, e se reagrupem formando as doze hélices evolutivas das células.

Para atingir o equilíbrio perfeito no corpo físico, é muito importante que seja praticado regularmente algum tipo de programa de respiração profunda. Um tipo de programa em que a respiração seja muito importante, a oxigenação seja praticada, trazendo oxigênio para o corpo.

Outra atividade recomendada para quem deseja uma rápida aceleração de energia é girar. Recomendamos que girem trinta e três vezes, ao menos uma vez por dia. Girem da esquerda para a direita, no sentido horário, focalizando a vossa visão no polegar, contando e girando. Podem começar as trinta e três voltas muito lentamente. Se conseguirem girar trinta e três vezes, três vezes por dia, ou seja, noventa e nove vezes, bem, não sabemos dizer quanto tempo irão conseguir permanecer no planeta – pelo menos nesta dimensão. Quando tiverem terminado de girar, quantas vezes tenham conseguido, juntem as palmas das mãos na altura do peito, mantendo os olhos abertos e equilibrem-se com os pés abertos na largura dos ombros, para se sentirem ancorados e ainda sentirem o giro ao mesmo tempo. Isso vai acelerar tremendamente a rotação do sistema dos chakras dentro do vosso corpo, provocando uma aceleração no ritmo em que vocês conseguem receber e interpretar os dados.

Portanto, os métodos a serem usados são intenção, respiração, usar o pilar de luz e girar. Vamos incluir mais um: como seres eletrônicos que alteram a frequência num ritmo muito veloz, recomendamos que bebam muita água: água fresca, água purificada, ou água mineral. A água age como conduto, ou condutor. Mantém o vosso sistema aberto e fluindo.

Existem muitas outras coisas que podem fazer. Aprendam a ter experiências de alteração da consciência sem perder o controle. Cultivem-nas e usem-nas para reunir informação, mudar as probabilidades, andar no corredor do tempo e alterar suas próprias vidas. Então saiam deles com o uso total e completo da vossa vontade, respeitando estes estados alterados. Quando aprenderem a fazer isso a aceleração será absolutamente fenomenal. Quando houver muitas consciências no planeta registrando este tipo de capacidade, a rede inteira que organiza e monitora a consciência humana irá alterar-se. Mais energia poderá chegar ao planeta, porque existem pessoas capazes de recebê-la.

Todo o mundo pode aprender a acomodar e respeitar essa energia porque ela deve ser recebida. É como um poço de petróleo. Qual a utilidade de um poço de petróleo se estiver aberto, jorrando aqui e ali? Bem pouca, pois criaria muita sujeira. No entanto, quando vocês tomam essas dádivas da Terra, como poços de petróleo, fontes de gás natural ou cachoeiras e as combinam com a vossa vontade, unem um propósito, uma maneira de direcionar a energia. E então as pessoas que conseguem direcionar estes recursos naturais sentir-se-ão invadidas por um bem estar delicioso. O aspecto mais importante de todo o processo de direcionar e abrigar energias é, antes de tudo, valorizar, respeitar a Terra e a experiência planetária. Vocês estão recebendo recursos naturais incríveis, devem contê-los e direcioná-los. Assim, serão indivíduos muito ricos nos planos de acessibilidade e maestria.

Muitos de vocês querem alcançar planos superiores e ficar lá, esquecendo que a sua missão é aqui na Terra. Precisam aprender a ficar ancorados. Nem todos compreendem a necessidade de ter os pés bem firmes no chão. Em breve irão perceber que ao entrarem numa aceleração cada vez maior, sem ter âncoras – sem terem algo que os ligue e junte vários mundos em um – terão problemas com o vosso sistema nervoso.

Quando as frequências se alteram e chega mais luz ao corpo, os veículos específicos começam a receber mais dados. Às vezes ficam entediados de viver no vosso mundo, só querendo receber cada vez mais dados e esquecem daquilo que consideram a vida mundana. Se não estiverem ancorados, não terão como permitir que a informação entre na vossa realidade e seja usada. Ela pode simplesmente sobrecarregar o vosso sistema, ou vocês podem não conseguir traduzir o que estão recebendo e ficar muito nervosos.

Precisam equilibrar muitos mundos ao mesmo tempo. Como fazer isso? Pela intenção, pela prática e por decreto. O ancoramento permite a fusão de mundos, o acesso a muitos mundos. Permite-lhes sentir ondas de energia e direcioná-las para o lugar e o momento onde elas forem necessárias – vocês se tornam superhomens.

Uma boa forma de se ancorar é sair de casa e sentar na terra. Saiam, então, sintam a Natureza. Fiquem de pé, ou sentem-se perto de uma árvore por alguns minutos. Sentem-se ao sol e leiam, recebendo o brilho da luz solar. Ou nadem, coloquem seus pés na água. Estes são os elementos. Eles formam a Terra, por isso vocês podem senti-los.

À medida que evoluem e a espécie inteira se encaminha para a fusão de dimensões, o vosso sistema nervoso é capaz de traduzir toda essa informação que irá mudar a forma como vocês definem o vosso mundo. Esse momento está chegando. Nos últimos anos, as informações que possuíam tornaram-se mais públicas. Um número muito maior de pessoas que não se interessavam por extraterrestres ou desenvolvimento pessoal passaram a se interessar por esses assuntos ou, pelo menos, tomaram conhecimento deles. Estão sabendo que existe um movimento crescente e algo está mudando em todo o mundo, não apenas nos Estados Unidos.

Atualmente há um conflito de energias, que vocês podem chamar tanto de escaramuça quanto de grande batalha. A batalha terá ainda maior importância porque se trata de uma luta entre frequências, onde será decidido que frequência prevalecerá no planeta e quem irá possuir, manipular e treinar essa frequência. Quem são vocês, como frequência, disfarçados de humanos e qual é especificamente o vosso trabalho nesse período?

É essencial saberem quem são, o que estão fazendo e quando. À medida que se tornarem interdimensionais e multidimensionais, que as frequências mudarem e as energias acelerarem, o vosso corpo sofrerá uma mudança drástica muito rápida, que o sistema nervoso, condutor de informação, precisará administrar.

Aprendam a administrar diversas realidades de uma vez, ter consciência daquilo que estão fazendo e ter um lugar – a Terra – para onde transferir a informação. Não estariam aqui se não fosse importante para vocês ancorar informação e energia à Terra. Por isso, quando se sentirem eletrizados ou energizados, percebam que se encontram num estado alterado. É necessário que percebam, também, quantas versões de estados alterados existem e acionar o comando interior para se tornarem condutores destas energias. Quando souberem que se encontram num estado alterado, recebendo informação, energia de cura, exaltação ou ânimo, ajam como um fio condutor, como um canal de informação. Canalizem a energia através do vosso corpo e reconheçam o estado de expressão multidimensional que estão vivenciando. Registrem tudo, mas não analisem. Deixem simplesmente que a energia seja filtrada através de vocês para a Terra e, mais tarde, tudo fará sentido.

Podem descobrir o vosso corpo emocional decretando que confiam nas emoções. Decretem que acreditam que as emoções são boas, seguras, que podem levá-los a algum lugar, que são benéficas, que não são incompreendidas. Todas as vezes que emoções são liberadas, observem o que elas podem fazer por vocês. Quando brigam com um filho e ele grita com vocês, depois vocês se sentem mal e choram, observem as vossas emoções. O que a emoção está fazendo com vocês? Todas as vezes que vivem uma emoção estão acessando informação de várias realidades. Encontrem essa frequência e mantenham-na.

Existe uma crença universal de que as emoções são incontroláveis. Não são. Vocês conseguem não só controlá-las, como manter o controle sobre si mesmos. Emoções podem transformar-se em frequências internas, veículo que os leva a atingir a essência mais profunda do ser. A sintonia com estas frequências os fará desenvolver uma forma de encarar a emoção sem a julgar, apenas de a reconhecer e sentir. Observem o que podem fazer com uma emoção. Para onde os leva? Qual o próximo passo? Procurem distanciar-se do evento que a desencadeou. Esse procedimento pode ajudá-los.

Trabalho corporal libera emoções. Vocês vêm usando os tecidos e os músculos do corpo como uma armadura para proteger o esqueleto. Estes tecidos adensaram-se para impedir que as informações contidas nos ossos chegassem à superfície. Há que atravessar todas essas camadas para atingir a verdade que se encontra dentro do vosso corpo.

O vosso projeto, ou aquilo que vieram realizar no planeta, fica ativado quando vocês se aproximam. Parece aquela brincadeira de criança: vocês escondiam uma coisa e quando alguém chegava perto, diziam: "está esquentando". O corpo começa a "esquentar" quando o seu projeto começa a concretizar-se, saindo da mente lógica para a experiência. Isto acontece porque vocês estão se alinhando com o vosso propósito. É o corpo, não a mente, quem recebe as informações. Se concederem liberdade às emoções, terão uma experiência muito mais satisfatória do que se as julgarem, tentarem controlá-las e não perceberem o processo pelo qual estão passando.

Vocês precisam das vossas emoções. Esta afirmação é indispensável para a vossa evolução. Algumas pessoas orgulham-se de não terem emoções, logo elas vão descobrir que aquilo de que se orgulham as acabará destruindo.

Podem sentir que já trabalharam algumas coisas com os vossos pais. Seria mais correto dizer que tiveram o maior número possível de visões num dado período. Quando trabalham o corpo, usam cristais, ou criam alguma espécie de movimento para ancorar mais energia à Terra, ampliam a vossa visão global.

As informações são escritas e armazenadas nas pedras. Elas também são escritas e armazenadas nos ossos. Por isso é tão importante trabalhar a estrutura óssea, pois ela abriga grande parte da vossa experiência nesta encarnação. Deixem as emoções aflorarem, não se policiem se encontrarem casos que julgavam encerrados. Digam: "Maravilha! Tem mais aqui! Adoro isso!" Usem a experiência como se estivessem descobrindo uma mina de ouro – como se descobrissem que são pessoas saudáveis, recém nascidas.

Todas as emoções desenterradas, foram *vocês* que decidiram desenterrar. Não podem imaginar a limpeza que estão fazendo. Estão abrindo verdadeiras avenidas de conscientização para o planeta inteiro, não apenas para vocês. A grande vantagem de tudo isso é que esta limpeza abrange os temas mais fáceis. Os temas mais complicados, difíceis, virão mais tarde, quando estiverem tão saturados deles que nem se importarão mais. Tudo vem na hora certa.

A mutação que está ocorrendo nada mais é do que um 'plug' novo que faz a ligação dos dados interiores com os exteriores. A limpeza é o acesso a todos os corpos emocionais que tanto temiam usar. É necessário acessar o corpo emocional para compreender o corpo espiritual. O corpo físico e o corpo mental andam de mãos dadas; assim como o corpo emocional e o corpo espiritual. Como o corpo espiritual é não-físico e vocês estão aprisionados no plano físico, precisam acessar todos os planos não-físicos através das vossas emoções.

Os seres humanos possuem a tendência de gostar tanto de seus dramas que se perdem no processo do processamento. O processamento pode se tornar uma forma de vida. Isto não adianta. Não é "legal" estar sempre processando e dizendo para os outros: "Não me chamem, estou processando. Estou mergulhado em meus problemas. Ainda não descobri nada." Sim, os vossos dramas pessoais precisam ser examinados, eles são um banquete que os alimenta. OK. Alimentem-se, mas toquem a vida e preparem outros banquetes. Deixem de apegar-se às pérolas do passado temendo que se estes temas forem esclarecidos nada mais interessante acontecerá na vossa vida. É bom colocar o processamento em perspectiva.

O corpo humano está evoluindo e mudando. Vocês podem achar que necessitam de uma determinada combinação de nutrientes, porque foi assim que lhes ensinaram. No entanto, neste caso específico, irão esquecer tudo o que aprenderam, irão escutar o corpo e permitir-lhe expressar sua vontade. Apostamos que muitos de vocês, no ano passado, tiveram vontade de comer coisas diferentes. Não se sentiam bem comendo o que estavam acostumados porque a vibração de certos alimentos é tão baixa que se torna incompatível com a vossa.

Como devem saber, na indústria da carne, os bois, porcos e galinhas não são alimentados com comida. Vivem em pequenos compartimentos, e a maioria nem vê a luz do dia. Defecam uns sobre os outros, pois vivem em pequenas caixas metálicas empilhadas. É assim que são criados. São alimentados por esteróides e antibióticos – substâncias que não constituem exatamente uma comida saudável. Não são criados com amor. Quando são levados para o matadouro, tampouco são mortos com amor. Ao comê-los, vocês estão ingerindo esta vibração.

Não se esqueçam de que todas as coisas possuem uma vibração. Os animais foram colocados no planeta para serem vossos companheiros, para viverem na terra, para fornecer-lhes alimento e agasalho, se necessário. Tudo feito com amor. Se vocês moram numa fazenda e criam suas galinhas e porcos, alimentam-nos com comida e, quando chega a hora de abatê-los, fazem-no com compaixão e amor, está certo. Dão qualidade de vida aos animais que, por sua vez, se reciclam dando amor e qualidade de vida em troca. Isto é o ideal. Esta foi a realidade durante muito tempo neste planeta. No entanto, já não é mais a vossa realidade. Estejam atentos para as vibrações de tudo o que os cerca.

Deixem o vosso corpo dizer o que ele quer. Permitam-se querer mudar, porque o vosso corpo, ao tentar elevar sua vibração e criar um corpo de luz, vai querer afastar-se de certos alimentos. Emitam a intenção de querer mudar a dieta e depois emitam a intenção de que as coisas cheguem a vocês. Não nos cansamos de enfatizar que vocês são muito mais do que seres físicos. Existem em diversas realidades, e possuem milhares de guias. Portanto, precisam ser mais claros nas vossas intenções. O que vocês querem? Afirmem: "Quero evoluir. Quero mudar minha dieta. Quero aumentar a minha intuição." Sejam claros naquilo que querem. As palavras *é minha intenção* possuem um tremendo poder.

Para ter a verdadeira saúde é necessário que as doze hélices estejam completamente mudadas e evoluídas dentro das células, para ativar a plena capacidade cerebral. Ainda vai demorar um pouco para que as doze hélices sejam completamente ativadas, embora possam começar a ser ligadas. Algumas pessoas já tiveram a experiência de tê-las ligadas, mas não ativadas. Quando forem ativadas, o cérebro inteiro começará a operar e vocês se tornarão gênios. Saberão tudo, usarão telepatia, serão capazes de fazer qualquer coisa, porque no vosso interior está a Biblioteca Viva. Vocês têm o cartão que lhes permite acessar toda a espécie de informação armazenada em qualquer ponto do planeta.

Como todas as vossas aspirações poderão se tornar realidade, gostaríamos de pedir-lhes que se tornassem Portadores de Frequência impecáveis. Mantenham dentro de si conhecimento e informação da mais elevada ordem, a ordem do ser ilimitado. Ao viver a frequência, vocês a tornam acessível a todos que encontram, andando pela rua, comprando nas lojas, ou simplesmente repousando a cabeça no travesseiro, à noite, sabendo quem são.

Chegará o momento em que não mais precisarão procurar informação fora de si mesmos. Quando este momento chegar, nós e outros seres semelhantes, viremos para deflagrar a mudança, para fazê-los girar, reuni-los e colocá-los em grupos, feito drusas de cristal, refletindo uns para os outros e carregando-se eletromagneticamente. Ao trabalharmos com vocês criamos centelhas luminosas que permitem aberturas. À medida que estas aberturas internas ocorrem passam a vibrar de uma forma que afeta todos à vossa volta. Quando alguma coisa provoca um sinal, um clic, em determinada pessoa, ela envia uma frequência de reconhecimento e outras pessoas captam essa frequência. É assim que cresce a mente grupal. Ocorre sem que compreendam racionalmente, façam uma imagem, ou percebam, pois se trata de um processo eletromagnético dentro do corpo. Vocês criam o aumento de energia de acordo com a vossa capacidade de administrá-la.

Cada indivíduo deve voltar-se para a multidimensionalidade. Uma parte do Eu toma a decisão e diz: "OK, quero embarcar nessa experiência multidimensional. O que é que eu quero fazer?" O desejo deve vir primeiro. O desejo é a percepção que os coloca no momento. Depois, precisam decidir o que vão fazer com esse desejo. Pode ser que o esqueçam amanhã. Para estruturar este desejo e demonstrar a vossa seriedade em relação a ele, devem participar de eventos, movimentos, rituais e cerimônias que demonstrem o vosso compromisso. Depois, devem estruturar a vossa vida para que ela seja um sinal do vosso empenho. Seria como se andassem e vivessem em oração. As igrejam mandam que as pessoas rezem, peçam a certos senhores perdão por determinadas ações e peçam também tudo o que quiserem. Estamos lhes sugerindo uma oração viva, um processo em que cada momento do dia tenha o seu significado e sirva para lhes mostrar o caminho devido ao vosso comportamento e à vossa concentração no objetivo de suas orações.

A oração viva pressupõe uma intenção muito clara em relação aos objetos que se encontram no seu ambiente: ter um altar, objetos sagrados, e não possuir nada que não seja bastante significativo. Nós sabemos que sugerir que não mantenham na vossa realidade nada que não possua um significado seria um abalo para muitos de vocês. Contudo, quantos não estão se descartando de coisas que não mais desejam em sua vida, quer seja aquele casaco que já dura há quinze invernos e está cheio de buracos de traça embaixo do braço, ou o companheiro que vêm carregando há trinta e cinco anos e que tem mais do que alguns buracos de traça? É um desafio livrar-se de tudo o que não tenha significado na vossa vida, no entanto é essencial.

Montar um altar em conjunto é uma ótima forma de promover um ritual. Os rituais despertam a memória celular e os fazem recordar os ensinamentos da antiguidade que estão armazenados dentro de cada um. Os rituais trazem estes ensinamentos para a vossa memória ativa. Colocam vocês no momento presente e os levam de um aqui/agora em expansão, para outro que respeita os aspectos da Mãe Terra que possuem significados pessoais. Todas as coisas existem porque alguém decidiu energizá-las. Tudo pode ser energizado. Cabe ao poder da mente individual ativar a vontade e usá-la para reestruturar a realidade.

Não há ninguém no plano terrestre, nos dias atuais, que não esteja impulsionado para a evolução. Ninguém, sem este impulso, teria vindo para cá. Todos os portais que foram abertos e os projetos destinados a esta época estavam condicionados a trabalhar direcionados para a auto-motivação, auto-aceleração e evolução rápida do ser humano. Este livro mesmo é um processo, um deflagrador. As chaves estão escondidas dentro dele. Incentivamos vocês a seguirem o impulso que está sussurrando no vosso ouvido: "Vocês fazem parte da Família da Luz e a Terra é a Biblioteca Viva". Iremos seduzi-los e ajudá-los, afirmando que há muitas recompensas. Mesmo não podendo garantir que os desafios irão terminar, vocês vão atingir uma condição de grande sabedoria.

Aprendam a ler os símbolos e sigam os impulsos à sua mais elevada conclusão. Ser multidimensional significa abrir os canais e sintonizar-se em várias frequências para receber a transmissão de conhecimentos.

Não há palavras suficientes no vosso vocabulário, ou nos vossos dicionários para exprimir os sentimentos que há nos planos não-físicos. O Espírito de que estamos falando abrange muitas idéias. Refere-se basicamente àquilo que é não-físico, ou não pertence à visão da terceira dimensão.

Podem comparar este fascínio, este salto, a um gigantesco pulo de trampolim, sem retorno. Vocês balançam, balançam, pegam impulso e lançam-se em direção ao reino do Espírito. Isto não quer dizer que estejam perdidos, destruídos ou que as vossas moléculas tenham sido disseminadas. Trata-se simplesmente do grande salto que todos os antigos xamãs da Terra praticavam e possuíam como potencialidade – uma forma de contactar formas inteligentes e de prestar assistência à espécie humana em evolução.

A multidimensionalidade é, para nós, um estilo de vida. Nós percebemos que parte do nosso desafio como mestres consiste em traduzir a maneira como vivemos para sistemas que estão evoluindo. Para tranquilizá-los, porém, a não ser que deixem o planeta, este é um processo para o qual estão se encaminhando, embora como encontrá-lo dependa de cada um.

Queremos que sejam capazes de se dirigir até à beira de um penhasco, dar um passo e permanecer no ar perto da beira do despenhadeiro. Queremos que fiquem lá. Queremos que reconheçam a parte herética que há em cada um: a parte que sabe, que vai escancarar essa realidade e estabelecer um novo paradigma de consciência. Tal façanha não será realizada por um líder mundial; será feita pelas massas, pois as massas estão prontas para isso.

Nessa época haverá milhões de Guardiães da Luz aqui no planeta. Tudo o que precisam fazer é evoluir. O vosso trabalho atual é intensamente ligado ao Eu, o veículo físico que ocupam neste momento. É o Eu que lhes permite jogar este jogo agora. Amem no, respeitem-no, acalentem-no, cuidem dele direitinho, falem muito bem dele e mantenham a intenção firme de que ele vai atingir sua plena capacidade. É só isso que precisam para se abrirem e contactarem a vossa Família da Luz. Então, preparem-se para descobrir quem a luz encontrou, quem ela vai apresentar a vocês e *quem é*, na verdade, a luz.

Amor é o que vocês sentem quando ultrapassam a luz. Vocês precisam da luz, que é informação, para acessar esse amor. Sem a frequência da informação a frequência do amor é incompreendida. Quando a frequência do amor vem primeiro, sem a frequência da luz, vocês acham que o amor está fora de vocês, em vez de compreenderem que *o amor são vocês.* Então fazem o que as pessoas no planeta têm feito há eons: veneram e endeusam tudo e acham que o amor está *fora* em vez de estar *dentro*. Nós decidimos vir a este planeta trabalhar com a luz para fornecer-lhes informação, os fortalecer e, finalmente, ativar os vossos projetos de acordo com as informações.

Agora que já estão informados e compreenderam contra o que devem lutar durante a infusão multidimensional de luz na vossa identidade, vão começar a viver a frequência do amor. Esta frequência do amor permitirá que estendam o amor a outras versões do vosso Eu multimensional, criando uma cura maciça da vossa consciência em vários níveis. As experiências que irão ter nestes planos de atividade podem ser muito fortes. Irão provocar tremendas alterações, mas vocês andarão com um sorriso de orelha a orelha, deixando as outras pessoas curiosas com o que possa ter-lhes ocorrido. Se comportarão assim porque vão estar na vibração do êxtase. Estarão numa vibração de conectividade, e todas as coisas e pessoas atraídas para vocês farão parte desta vibração. Tudo o que não estiver em ressonância com esta frequência não conseguirá sequer se aproximar de vocês. Na verdade, quando entrarem em ressonância com as frequências mais elevadas, quem não estiver nestas frequências nem mesmo conseguirá *enxergá-los.*

Quando operarem na frequência da informação, somada à da criação e amor, trabalharão disseminando esta frequência – não trabalhando pelos outros, mas permitindo-lhes sentirem a vossa frequência quando entrarem em contato com vocês.

O vosso valor é inestimável, vocês sabem. Quem for capaz de dominar estes temas – e não há razão para que todos não o façam – será muito solicitado neste período. Serão considerados superhumanos. Contudo, não devem separar-se do resto da população. É o lugar de ensinar a todos e de mostrar-lhes como podem fazer o mesmo. As frequências serão dadas e partilhadas livremente para que todas as pessoas descubram o que podem fazer para si mesmas. É assim que este planeta vai evoluir.

CAPÍTULO XXII

A onda de luz galáctica

A consciência está despertando dentro das massas deste planeta. A soma total dos eventos, à medida que se aceleram e desdobram, está se infiltrando na realidade de todas as pessoas. Estes eventos estão orquestrados e designados a trazê-los coletivamente, como espécie, a essa nova oitava de expressão luminosa. Essa infusão da onda de luz galáctica chega do futuro pelos portais que vocês abrem neste plano terrestre à medida que seguem e se enredam nas histórias e na jornada que partilhamos com vocês. As massas estão despertando. Vocês podem vê-las e sentir o estrondo da conscientização, as mudanças internas da Terra, que marcam de verdade os ritos de passagem de toda a humanidade.

Tendo recebido a maior assistência de nossos mestres, apresentamos ao planeta as informações que sentimos poderiam harmonizar nossos propósitos e partilhar nossas energias. Achamos ter dado a este planeta, hoje, uma sucinta mensagem de inspiração – uma mensagem contendo ondas de verdade. Uma mensagem incitante – que atrai e desperta a parte do Eu que estava oculta, adormecida. Achamos que o material partilhado com vocês através deste livro vai despertar, dentro de cada um, aquilo que já conhecem. Vai levá-los à compreensão das diferentes versões ilusórias da realidade que lhes são vendidas, e à compreensão de qual pode ser, ou é, a vossa parte em tudo isso.

Estimulamos cada um de vocês com as nossas mensagens provocadoras-de-pensamento. Nossa intenção não foi incomodá-los, mas instigá-los, mexer com vocês. São vocês mesmos que tornam as coisas incômodas; nós os incentivamos a procurar o conforto. Também os incitamos a escalar algumas cordilheiras de consciência dentro de si: encontrar novos lugares que lhes tragam conforto, vales de juventude eterna, de vitalidade eterna e de expressão constante de criatividade. Lá, terão uma nova visão da consciência, e uma onda de luz galáctica vinda do futuro.

É nossa intenção, ao entregar-lhes esta mensagem final no capítulo 22, o último capítulo, usar a vibração do número 22, um número mestre. Este número é associado à impressão e distribuição, nesta versão de realidade física, de ensinamentos fundamentais – uma mensagem codificada. Esta mensagem não está na simples maneira como as palavras são agrupadas: existem camadas de informação ocultas dentro do método e do desdobramento deste livro. As idéias são apresentadas, aparecem os conflitos, sugerimos soluções e a inspiração vai tecendo o seu caminho, conduzindo-os sempre ao compromisso final de inspirar a vocês mesmos.

Nós achamos que vão aproveitar muito a orquestração que estamos armando por trás do pano. Existe um processo de compreensão neste livro. Onde parece haver caos e confusão, onde parece que todas as coisas foram reviradas, esta reviravolta criou sua própria ordem. Esta ordem está sendo somada, na transmissão final, sob o timbre 22.

Nesta mensagem final, falamos ao coração e à alma de cada um de vocês. Pedimos que escutem o chamado, o reconheçam e sigam em frente como membros da Família da Luz. Todos os dias ao pisarem o solo deste planeta, tenham coragem de viver a luz e partilhá-la com todas as pessoas que cruzarem o vosso caminho. Isto não significa doutrinar, tentar vender esta luz. Significa saber que são luz e viver esta luz; descobrir na simplicidade do ser o propósito da vossa existência, desabrochar com ele e replantar o planeta Terra no seu período mais profundo de transição.

O processo de entrar nesta oitava superior de compreensão – esta mistura de dimensões e criação de um novo território – conduzirá todas as pessoas a uma compreensão mais abrangente sobre a morte. A vossa luz será necessária. Ela representa o que vocês sabem. Este livro possui várias maneiras, através de projetos e códigos que não eram capazes de reconhecer, de fazê-los lembrar se, nestas páginas finais, que sabem tudo sobre o que falamos e que tudo está dentro de vocês. Chegou a hora de partilharem as descobertas e os milagres da abertura do veículo físico, neste tempo de mudança e transição que implica na morte do mundo que conhecem. Quando existe uma morte, sempre há um renascimento; algo morre e algo novo nasce.

À medida que o planeta se aproxima destes dias de grande mudança, cada um será chamado para ser um pilar de luz. Vocês indicarão o caminho quando as pessoas entrarem em desespero, quando o processo antigo não apresentar mais soluções – não se adaptar, não puder mais ser aplicado. Nós anunciamos, indicamos, que é a luz que provoca grande parte desse caos no planeta. Portanto, durante esse período, os talentos que vocês possuem serão necessários. Não poderão fugir nem se esconder, porque, circulando pelas comunidades, mostrarão às pessoas caminhos alternativos de ser. Elas precisarão que vocês partilhem a vossa capacidade de criar realidades através do pensamento, e lhes mostrem como isso funciona, criando e aprimorando novos ideais de civilização e cooperação.

Com o passar do tempo, as antigas profecias serão reveladas e se tornarão realidade. Terão muito mais cor e possuirão características próprias, enquanto ensinam ao planeta suas lições mais importantes.

Conforme vocês evoluem, carregam consigo a vossa sabedoria, vivendo-a e partilhando-a. Se tornarão o grande receptáculo, a grande expressão da luz. Através desse processo, irão descobrir que, nos próximos anos, serão projetados para além da velocidade da luz, com tudo o que tiverem aprendido. As habilidades, talentos e informações que chegarão a vocês, já se encontram no vosso interior.

Lembramos-lhes que haverá uma onda de luz galáctica vinda do futuro chegando ao planeta e que esta interseção será sentida pelas massas a partir do ano de 1993. Será como se o planeta inteiro tivesse uma elevação de consciência unilateral. Esta onda terá de possuir proporções gigantescas, para afetar toda a população aprisionada pelo controle de frequência. Serão vocês, a Família da Luz, que estão aqui aos milhares arranjando lugar no vosso corpo para essa gigantesca onda de luz galáctica, que permitirão a infusão da primeira camada do corpo de luz a ser incorporada pelas massas.

O corpo de luz é o corpo que contém a mutação completa da espécie. Será capaz de fazer malabarismos com as realidades, através da mudança de consciência, pela intenção, de uma visão para outra, como se estivesse mudando canais de televisão. O corpo de luz contém todos estes dados codificados e será capaz de decodificá-los segundo a vossa vontade. Ele vai comunicar as dimensões internas com as externas.

Não se esqueçam de que matéria é luz aprisionada. À medida que constroem o vosso corpo de luz, estão permitindo uma reorganização da estrutura molecular – afrouxando as garras do materialismo, para que a vossa compreensão espiritual possa estar mais sintonizada com a vida quotidiana. A construção do corpo de luz possibilita à matéria mais solta manifestar e receber a luz, que é mais livre em expressão e na procura de sua própria fonte, permitindo-lhes tornarem-se quem são, ou seja, seres não tão sólidos.

À medida que elevam as vossas frequências vibratórias, tornam-se o vosso corpo de luz. Literalmente, perceberão as mudanças. O vosso corpo se tornará mais vigoroso, mais jovem, mais nutrido e, definitivamente, o processador de uma quantidade incrível de informação. Vai se transformar em um super ser. A construção do corpo de luz implica em tornar-se um super ser.

Aumentar a longevidade do corpo celular através do rejuvenescimento e do prolongamento da vida celular voltará à moda. Faz parte da construção do corpo de luz – um corpo menos denso, que não se destrói, que se regenera e se reabastece. É isso que vocês estão buscando. Vocês serão o vosso corpo de luz, e poderão sentir este corpo, se a vossa mente lógica não estiver tão preocupada em conseguí-lo; a sociedade não conta para vocês que isso é possível.

Têm que parar de ouvir a sociedade. É a tarefa mais difícil, a maior ruptura que terão de fazer. Vocês têm o Eu social e o Eu espiritual, e precisam decidir qual dos dois é sagrado. Qual dos dois é a vossa fonte de autoridade? Deixem que o vosso Eu intuitivo seja a vossa autoridade. Permitam que o vosso Eu intuitivo seja o porta estandarte da vossa experiência, a experiência que ninguém mais pode autorizar. A vossa experiência brota do compromisso que vocês conhecem, mas nem sempre se lembram, e que um dia assumiram.

Se a vossa abordagem em todos os assuntos tiver a postura de que há uma ordem divina e um propósito divino em todas as coisas, mesmo que o vosso ego não perceba isso o tempo todo, vocês se deslocarão velozmente através das realidades. Haverá muitas maneiras de vivenciar essa onda de luz galáctica. Ela irá impulsionar sem dúvida todas as pessoas para uma versão exagerada das suas maiores oportunidades. Claro que essa é uma escolha de cada um.

Nossas últimas palavras incluem um agradecimento a todos os que reconheceram a fonte de luz como parte da sua identidade e que os motivou a ler este livro, seguindo os sussurros silenciosos que ecoam pelas espirais douradas dos corredores do seu ser. Nós respeitamos vocês, os reconhecemos e estamos aqui para lhes prestar assistência. Estamos todos aqui como a Família da Luz para trazer a escolha e a liberdade de evoluir de volta a este planeta – para trazê-la a este local onde brilhará como parte da Biblioteca Viva, uma estrela nova, uma nova luz no horizonte de tantos mundos sencientes.

Esperamos, no futuro, que o vosso passado intersecte o nosso presente e impulsione toda a existência para uma nova oitava, a mais elevada oitava do ser. Teremos o maior prazer em contar com a vossa ajuda neste processo.

SOBRE O AUTOR

Os Pleiadianos são um conjunto de extraterrestres do sistema estrelar as Plêiades. Eles vêm falando através de Barbara Marciniak desde 18 de maio de 1988; dizem ter sido concebidos na Convergência Harmônica e nascidos em Atenas, na Grécia, nove meses depois. O conjunto Pleiadiano era originalmente composto por cerca de setenta e cinco a cem entidades. Agora frequentemente referem-se a si mesmos como Pleiadianos Plus, indicando uma união de forças com outros extraterrestres.

Os ensinamentos dos Pleiadianos podem ser relacionados ao xamanismo, a consciência corporal da antiguidade que serviu de intermediário entre o plano físico e o espiritual, levando as pessoas ao auto-descobrimento em mundos de paradoxo, mudança de paradigma e espiritualidade.

Barbara Marciniak, da Carolina do Norte, é conhecida internacionalmente como canal mediúnico. Ela começou a canalizar em maio de 1988, em Atenas, na Grécia, na conclusão de uma viagem de três semanas pelo Egito antigo e pela Grécia. Durante a viagem, Barbara sentiu o impulso de vivenciar novamente, nesta encarnação, determinados templos e locais energéticos – a Grande Pirâmide de Giza, os templos ao longo do Nilo, a Acrópole em Atenas e o oráculo de Delfos.

Desde então, Barbara tem conduzido aulas, sessões e workshops nos Estados Unidos e organizado viagens a locais energeticamente sagrados no Peru, México, Egito, Grécia, Bali e Austrália. Ela sente que estes lugares possuem conexões com os vórtices energéticos que contêm a sabedoria da mente superior, das idéias mais elevadas que a Terra, atualmente, está buscando recriar.

Barbara considera sua experiência com os Pleiadianos uma dádiva de valor inestimável. Este trabalho deu-lhe a oportunidade para sua transformação pessoal, global e cósmica, por isso sua gratidão não tem limites.

Para maiores informações sobre o cronograma dos cursos de Barbara e suas fitas gravadas, favor enviar um envelope selado para:

Bold Connections
P.O. Box 6521
Raleigh, NC 27628
USA

Para maiores informações sobre os roteiros e cronogramas das viagens de Barbara aos locais sagrados do planeta, por favor contactar:

Power Places Tours
285 Boat Canyon Drive
Laguna Beach, CA 92651
USA

Leia da Editora Ground

TERRA
Chaves Pleiadianas
para a Biblioteca Viva
Barbara Marciniack

Terra: Chaves Pleiadianas para a Biblioteca Viva, é um guia para a inspiração chamando-nos para restaurar e revalorizar o ser humano e para reconhecer as energias da Deusa e o poder do sangue com o conexões como nosso DNA e a nossa herança.

Usando inteligência, sabedoria e comparação profunda, eles nos conduzem à exploração dos corredores do tempo com o intuito de acordar os códigos cruciais para uma perspectiva multidimensional e para recriar a Biblioteca Viva da Terra.

Os seus ensinamentos são significativamente distribuídos em 12 capítulos para atingir uma compreensão profunda da nossa linhagem ancestral.

PULSAR DE LUZ
Atalhos para uma Aventura Espiritual
Gláucia Ceciliato

Pulsar de Luz é um livro de cabeceira, com sugestões sobre como trazer a espiritualidade para sua vida prática, e a praticidade para sua vida espiritual. Tem como objetivo mudar paradigmas, criar uma nova maneira de pensar, incentivar novas formas de interpretação – ser um facilitador no Caminho da transformação.

OS FAZEDORES DE MILAGRES
e o universo da realização pessoal
Adriana Mariz P.

Este livro evidencia de forma clara que o comportamento, as ideias e os sentimentos estão conectados e decidem o rumo de uma vida, analisando os pontos onde os homens tanto esbarram e tanto se perdem no caminho da autorrealização.

GLOSSÁRIO TEOSÓFICO

Helena Blavatsky

Mais de 18.000 verbetes sobre esoterismo, ciências ocultas, hermetismo e diversas outras manifestações filosóficas, organizados pela mais brilhante e representativa figura da renascença ocultista, ocorrida no final do século XIX.

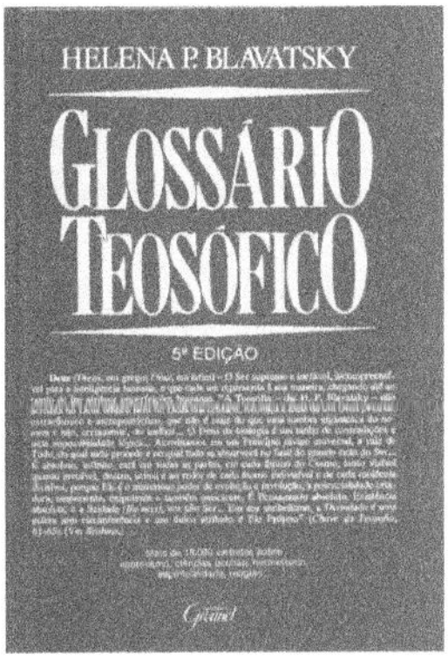

HISTÓRIAS REAIS DE REENCARNAÇÕES

Clara de Almeida

A autora relata as principais regressões que vivenciou e analisa o papel que estas desempenharam no seu processo de expansão de consciência. Partilha ainda com o leitor as lições que aprendeu sobre as Leis Espirituais que nos regem e as descobertas que fez, a partir de regressões que acompanhou e de outras que conduziu.